LE BOUT
DU MONDE

www.editions-jclattes.fr

Marc Victor

LE BOUT
DU MONDE

Roman

JC Lattès

Atelier de couverture : Bleu T.

ISBN : 978-2-7096-4748-9

© 2016, éditions Jean-Claude Lattès
Première édition janvier 2016.

À mes frères,
à mes amis.

« Le voyage ne vous apprendra rien
si vous ne lui laissez pas aussi le droit de vous détruire. »
Le vide et le plein : Carnets du Japon 1964-1970,
de Nicolas Bouvier

« Ne tiens la queue d'un cheval
que si tu as lâché la crinière. »
Proverbe persan

1

« Monsieur Pascal, tu dors ? »

Les yeux clos et la joue droite écrasée sur l'accoudoir du canapé, je pouvais donner cette impression.

Ce meuble n'était pas confortable. Il était court, et moi j'étais grand, ce qui m'obligeait à faire mes siestes en chien de fusil, la tête et les pieds bien trop surélevés. Il était court, massif – il occupait quasiment un tiers de mon bureau –, et il était très laid, avec ses couleurs psychédéliques, orange rayé de marron et de mauve, probable reliquat d'un tissu des années 70, quand la route de Katmandou, avec ses cohortes de hippies, passait par Kaboul.

Les plus fortunés d'entre nous – les fonctionnaires de l'ONU et les diplomates – allaient acheter leur mobilier à Dubaï, quand ils ne bénéficiaient pas de scandaleuses primes de déménagement. Mais un modeste restaurateur saigné par les charges ?

J'ouvris un œil. Il était dix heures du matin, mais j'appréciais de débuter mes journées de travail par un peu de repos.

« Non, monsieur Enayat, je ne dors pas. Je réfléchis. »

Enayat sourit poliment. Je l'observai, dans un brouillard d'après-sieste. Sa ressemblance avec Fernandel était troublante : son sourire démesuré dévoilait de belles ratiches et de larges gencives rose pâle. Sur le sommet de son crâne se dressait un toupet ébouriffé de cheveux grisonnants.

« Oui ?

— Tes amis veulent te voir.

— Mes amis ? »

J'essayai de dissimuler mon agacement derrière un rictus qui ne devait pas le tromper.

Pour Enayat, la majorité de mes clients étaient censés être mes amis. Il croyait en l'amitié. Il disait toujours : « Comme des amis », « Je veux t'aider, comme un ami », « Viens manger chez moi, comme un ami »…

Il explosa de son rire tonitruant.

« Abigail et Bob. Les journalistes anglais. Ils veulent savoir si "monsieur le Juge" est réveillé ?! »

Ah ! Cette bonne vieille blague ! Mes petits sommes aplatissaient ma tignasse, c'est vrai, d'où une certaine ressemblance avec une moumoute posée un peu de traviole sur le crâne d'un magistrat.

Comme ces plaisanteries sur ma maigreur ! Ce qui la fichait mal, j'en conviens, pour un restaurateur. J'étais grand, maigre, voûté et tordu (par mon canapé), avec sur la tête une grosse touffe de cheveux, d'un blond un peu terne. Un visage osseux, tout en menton, pommettes et nez. J'avais quarante-cinq ans mais j'en faisais bien dix de plus… Je force un peu le trait, je fais l'intéressant. En réalité, j'étais plutôt quelconque. Seules mes chemisettes de couleurs vives me donnaient l'air vraiment ridicule, sans parler du large chapeau de paille que je mettais à l'extérieur, ne supportant pas le soleil.

« Bon, je descends. Merci, Enayat. Dis-leur que je finis ma compta et que je descends. »

*

Nous étions vendredi. Les bruits qui commençaient à me parvenir de l'extérieur en témoignaient. Dès le milieu de la matinée, les clients déboulaient par petits groupes, pressés d'ôter leurs nippes poussiéreuses et de s'installer autour de ma grande piscine à l'eau pas vraiment limpide. Le Bout du Monde, dans cette ville si dure, était leur oasis.

C'était le vendredi que la capitale afghane se révélait le mieux. Les activités de la semaine s'arrêtaient d'un coup. Les tensions se relâchaient. Alors que les Afghans se consacraient à la prière, que les enfants, sur les toits en terrasse des maisons, s'accrochaient à leurs cerfs-volants qui flottaient dans le ciel bleu, les étrangers cherchaient des occupations : farniente dans les jardins du Bout du Monde, quand la saison le permettait, brunchs interminables ou tournois de belote, balades sur les collines de la ville, énième *bouzkachi*... Ou, plus singulier : une virée dans les montagnes enneigées pour faire du ski sur des pistes sauvages ; un golf sur un terrain de terre et de cailloux ; une partie de foot contre des Afghans au style rugueux, dans ce stade où, peu d'années auparavant, les talibans organisaient des exécutions publiques, des lapidations sommaires.

Le vendredi, jour de relâche, chacun oubliait ses petites préoccupations, relevait un peu la tête et profitait du vertigineux spectacle offert par Kaboul, vaste cuvette perchée à 1 800 mètres d'altitude et encerclée de sommets.

Cette nature grandiose et minérale donnait un sentiment de sécurité tout en laissant peser comme une sourde menace.

Patrie de grands poètes amoureux des roses, l'Afghanistan était également une contrée sauvage, enivrée de violence, et, sa capitale, une arène de sable balayée par des vents puissants et secs.

*

Aux alentours de mon bistrot, situé dans un quartier résidentiel à l'écart du centre de la capitale afghane, les rues étaient en terre battue, couvertes de boue l'hiver, empoussiérées l'été. Quelques vieilles voitures, et des taxis jaunes brinquebalants, passaient là, quelquefois aussi des charrettes tirées par des ânes asthéniques, mais il y avait surtout des vélos et des piétons.

Les maisons de la voie principale – une impasse, en fait – avaient peu à peu été investies par les expatriés. Certains l'appelaient « la rue des Français ». Les loyers avaient explosé et rares étaient les Afghans qui avaient su résister à cette manne. Certains, cependant, avaient refusé de s'éloigner de leur quartier : de petits commerçants et même de simples familles…

Ce coin de Kaboul était ainsi devenu un village dans la ville, peuplé d'expats allant et venant entre leur bureau, leur domicile et le seul lieu de loisirs, ici, Le Bout du Monde.

La discrétion n'était pas le fort de mes clients qui arrivaient pour la plupart dans leur grosse 4 × 4 blanche. Les « locaux » se montraient quelque peu circonspects quant à ce remue-ménage… Les plus intransigeants interdisaient à leur femme de sortir. Parfois des silhouettes, entièrement recouvertes d'une burqa bleue, se faufilaient et avançaient à pas vifs, mêlées aux passants. Quelques rares jeunes filles voilées rentraient de l'école. Mais la rue était plutôt le fief de garçons désœuvrés, tapant parfois dans un ballon. Au coin de la rue, il y avait une petite mosquée blanche toute simple. Dans l'avenue principale que l'on apercevait au loin, bitumée celle-ci, la circulation était plus dense, plus chaotique, plus bruyante. Des convois militaires étrangers rappelaient par moments que le pays était en guerre. Parfois, aussi, un escadron d'hélicoptères survolait la ville à basse altitude, pour rappeler que l'OTAN veillait.

La guerre avait lieu ailleurs, dans le sud et à l'est du pays. La capitale afghane n'était pas une ville-garnison comme Bagdad. Mais, malgré une certaine quiétude qui donnait l'impression que la vie était normale, Kaboul était sous tension. Sentiment diffus, peurs inconscientes, violences potentielles…

Les installations de sécurité du Bout du Monde avaient été réalisées à la va-vite : murs surélevés par de la tôle ondulée, elle-même surmontée de fil barbelé, quelques gros sacs de sable entassés devant la porte, censés protéger trois ou quatre gardes usés par toutes ces guerres, l'air brave, tenant chacun d'un air martial une vieille pétoire, kalachnikov de musée… Une fois passé ces cerbères à la barbe grisonnante munis de leur détecteur de métal, et confisquée l'arme que mes hôtes pouvaient porter, on entrait enfin dans un paradis bucolique. Au printemps et en été, car le reste de l'année, le jardin n'était que neige fondue et boue, une désolation.

Le Bout du Monde : un mirage dans la capitale afghane desséchée. On pouvait m'accuser d'avoir vidangé une partie de la nappe phréatique – entre l'arrosage des plantes et l'eau de la piscine que je faisais changer une fois par semaine –, mais mon établissement était un véritable service public pour la population étrangère de Kaboul.

L'immense enclos, verger à l'abandon où subsistaient de nombreux arbres fruitiers entourés de beaux buissons vivaces, était donc agrémenté par une vaste excavation cimentée et remplie d'une eau sablonneuse. Au milieu de cet espace de verdure, à l'ombre de deux grenadiers, trônait un bar, installé dans une sorte de cabane au toit couvert de claies de canisses posées de guingois. Des tables basses, assorties de fauteuils en osier, des parasols, amples corolles d'un vert discret, et quelques chaises longues, étaient répartis dans cet éden que symbolisaient trois petits lapins blancs en liberté. La nature, fût-elle paradisiaque, étant cruelle, ces bestioles se faisaient régulièrement déchiqueter par des chats affamés, et je devais les remplacer au plus vite pour continuer à donner à ma clientèle une illusion de paix.

En arrière-plan, en partie dissimulée par le feuillage d'arbres fournis, apparaissait une maison, plutôt belle selon les standards locaux, parée d'un balcon, et à la façade égayée de briquettes roses. Elle abritait le restaurant proprement dit, avec un deuxième bar. Au premier étage, à côté des toilettes, la petite pièce qui me servait de bureau, de salle à manger, de chambre... havre où je passais la plupart de mon temps.

Depuis ma fenêtre, je pouvais apercevoir au loin les montagnes qui, telle une courónne, encerclaient Kaboul.

*

Le vendredi, j'appréciais de pouvoir décompresser et, avec deux amis chargés par l'ONU de lutter contre le narcotrafic en Afghanistan, nous avalions discrètement une petite boulette d'opium, au goût abject mais à l'effet relaxant, avant d'aller passer l'après-midi sur une chaise longue, près de mes clients, bercés par les bruits joyeux de mon établissement et par les chansons de Leonard Cohen que je faisais diffuser en boucle. Nous nous amusions à comparer le *thigh gap*, l'écart entre les cuisses, des filles en maillot, et à repérer, dans leur pantalon trop serré, les érections des serveurs autour de la piscine, alors qu'ils faisaient pourtant leur maximum pour rester concentrés sur leur travail, fixant le plateau qu'ils portaient, tout en trébuchant fréquemment sur les pieds des clients allongés sur leur serviette.

Nous attendions aussi avec une certaine impatience l'arrivée d'un groupe de mercenaires, grands types balèzes qui travaillaient pour une boîte de sécurité privée. Lorsqu'ils se déshabillaient, nous observions en ricanant les autres mâles autour du bassin, humanitaires ou diplomates, journalistes ou hommes d'affaires, renfiler discrètement et promptement leur tee-shirt.

Quand le temps ne permettait pas ces séances de plein air, nous jouions au poker dans mon bureau, en buvant du Talisker, seul whisky acceptable que j'arrivais à dégoter chez mes fournisseurs plus ou moins officiels.

Pour planter le décor, je laissais traîner près de moi, sur le canapé, un vieux pistolet, ainsi que la recette de la veille – dix mille dollars en grosses coupures – et nous utilisions en guise de jetons les balles de mon arme ajoutées à celles empruntées aux vigiles de l'entrée.

En fumant un gros cigare, nous épiloguions sur les coucheries de la nuit précédente. Notre vie était excitante.

*

« Monsieur Pascal, tu dors ?

— Très drôle... Non, Enayat... je... On en est où ? »

Je devais absolument afficher de l'intérêt pour ce qui se passait dans mon troquet. Question d'autorité. Il acquiesça, mais ne bougea pas. Il ne souriait plus.

« Il y a cette fille-là, de Riga...

— Ilse ?

— Oui, oui, Ilse. J'ai connu une Ilse à Moscou...

— Je sais, Enayat. Mais elle fait quoi là, Ilse ?

— Elle cherche... »

Mon regard fixait un point du mur en face de moi. Dans ma tête défilaient toutes ces belles jeunes femmes qui fréquentaient mon établissement, pour moi un éternel sujet de sidération.

« Pardon. Tu as dit quoi ? »

Il sourit, indulgent.

« Ilse se cherche un mec... et ne trouve pas.

— Oh putain... »

J'hésitai à me lever.

« Excuse-moi. Je voulais dire : Mince alors…

— Mince alors ! s'extasia Enayat, qui adorait saisir au vol de vieilles expressions françaises.

— Écoute. Va voir Abigail et dis-lui, mais discrètement, de gérer ce bordel… ce souci. Qu'elle aille parler à Ilse, qu'elle la calme. Qu'elle lui paye un verre, sur mon compte – exceptionnellement, tu comprends ? Mon Dieu, une Lettone énervée peut péter un bar comme qui rigole. »

Enayat n'en pouvait plus de rire.

« Oui oui, les Russes c'est pareil. Bon, bon, j'y vais, monsieur Pascal. Je te laisse… prendre de la distance, comme tu aimes… Ça roule, ma poule ! C'est parti, mon kiki ! »

Il se marra encore un coup et sortit. J'en profitai pour me rallonger. Je me remis à rêvasser, et Ilse – qui avait, selon une opinion largement partagée à Kaboul, mais aussi j'imagine dans toute l'Asie centrale et certainement au-delà, un air de belle salope – occupa mes pensées.

Quand elle avait débarqué, consultante en mission pour la Banque Mondiale, Ilse avait d'emblée, lors du premier dîner avec ses colocataires, annoncé la couleur : « Je suis ici pour me faire plein de fric et pour me taper tous les mecs. » Ce qui avait jeté un froid, surtout chez les filles.

Elle était passée à l'action sans délai. Au cours d'une fête du 14 Juillet, pour commencer. Je n'étais pas à Kaboul mais je ne vais pas rejeter la responsabilité sur Enayat, qui avait géré le resto durant mon absence. D'abord parce que ce n'est pas mon genre. Mais surtout parce que les jardins du Bout du Monde, si vastes, offraient tant de sombres recoins à la foule dense et alcoolisée, ce soir-là. Ilse aurait forniqué, paraît-il, avec deux hommes en même temps. Sur une table en plastique, ai-je cru comprendre.

*

« Aux grands maux, les bons remèdes ! Abigail a offert un mojito à Ilse, puis deux, puis une bouteille de rhum... Elles sont toutes les deux complètement paf maintenant. Bob a lancé une manœuvre d'approche ! Je pense qu'il aimerait bien... tu vois... avec Ilse... mais bizarrement, elle ne le regarde même pas ! »

Enayat frotta ses deux gros index l'un contre l'autre.

« Qu'il insiste, même un journaliste anglais devrait y arriver... Et elles sont calmes ?

— Oui oui, elles se moquent des hommes.

— De... tous les hommes ?

— Oui, je crois. Elles rigolent bien, en tout cas. »

Enayat ressortit.

*

Deux ans et deux mois que j'avais ouvert cet estaminet. Les étrangers de Kaboul, débarqués nombreux pour la « reconstruction » du pays, une fois les talibans chassés du pouvoir par les Américains, s'y étaient pressés dès le premier jour.

J'étais déjà rongé par l'envie de passer à autre chose. Comme habituellement je finissais par me servir des poisons qui me consumaient – l'ennui, la frustration et l'incertitude –, j'attendais. Mais ce n'était jamais gagné d'avance.

Je me sentais fatigué, ce qui n'était pas nouveau, mais j'étais aussi usé. En bout de course. Si je continuais d'afficher, la plupart du temps, un visage impassible au monde, tout en moi s'émiettait, se désagrégeait. Et se creusait, inexorablement, une crevasse profonde, une dépression abyssale.

Pourquoi étais-je encore là, d'ailleurs ? Comme j'étais un homme réfléchi, lent et irrésolu, mais réfléchi, j'avais eu maintes fois l'occasion de me poser la question. Pas seulement ici, dans ce bistrot de Kaboul, mais toute ma vie : qu'est-ce que je fais là ?

En Afghanistan, cela avait pris un tour pathologique. Et pathétique. J'expliquais, à ma manière, ces sentiments : comme je devais mûrir longuement les idées avant qu'elles ne deviennent décisions, ces dernières arrivaient avec un léger décalage, alors que ce que j'étais devenu, mes désirs... étaient entre-temps passés à l'étape suivante.

Lycéen, j'avais été saisi par une passion – une sorte de passion, évitons les termes excessifs –, pour le piano, mais des études scientifiques m'empêchaient de le pratiquer à ma guise. Une fois le bac décroché, une carrière de musicien s'offrait alors à moi. Mais une nouvelle envie avait surgi : tout quitter et filer à Paris. À Créteil, je repris des études de physique-chimie (j'avais aimé ça : la relativité restreinte, l'invariance de la vitesse de la lumière et le reste), mais ce revirement déboucha sur d'autres frustrations, car le désir d'écrire, déjà rencontré jadis au collège, me prit sans prévenir. Je trouvai ce qui me sembla être le bon compromis : je devins reporter à *Science et Vie Junior*.

Il me fallut surmonter mes inhibitions pour parler à toutes sortes de personnes : chercheurs, collègues mais aussi, parfois, lecteurs. Je réussis mais en perdis ma bonhomie provinciale, toulousaine, et devins saumâtre, agressif même, tout en restant immature. Je m'habillais de noir, laissais une bonne partie de mes revenus à un psychanalyste lacanien et assistais à des conférences de Michel Foucault au Collège de France, ainsi qu'à des concerts des Garçons Bouchers.

Après trois semaines de vacances en Thaïlande, je décidai de me vendre comme spécialiste de l'Asie. Peu de temps après, j'obtins une bourse avec pour mission de me lancer sur la trace des Khmers rouges. Le jury était composé de fauves du métier, comme Françoise Giroud, ou Yves Courrière, un gars, un vrai, barbu, buriné, passionné depuis tout petit par les récits de barouds, de bourlingues, grand reporter, biographe de Kessel... Moi, j'avais lu *Croc blanc*, vers douze ou treize ans. Lors de la cérémonie de remise des prix, Jean Lacouture s'était enflammé : « Pascal va retrouver Pol Pot au fond de la jungle, et si possible... nous en débarrasser ! » Voilà comment je m'étais retrouvé, dans les années 90, correspondant de médias français, québécois, suisse et belge au Cambodge. Alors qu'au fond, je n'aimais pas vraiment les pays étrangers. Ni d'ailleurs Paris, ni les villes de province. Encore moins la campagne. Je n'étais bien que dans les gares et dans les aéroports – là, on savait ce que l'on quittait sans réaliser encore vraiment ce que l'on allait trouver...

De fins esprits feraient remarquer que, dans la vie, rien n'advenait tout à fait par hasard. Et que cette autodérision permanente ne trompait pas grand monde. Alors oui, je dois le confesser, adolescent, pour faire plaisir à mon meilleur ami Corto, j'avais lu toute l'œuvre d'Henri de

Monfreid, ces histoires de flibustes en mer Rouge, et j'y avais pris un certain plaisir, malgré le côté rébarbatif de tous ces termes de marine. Eh oui, petit déjà, et même par la suite, j'avais connu le désir original de vivre des aventures, de découvrir le monde, et de larguer les amarres. Partir le plus loin possible, tout en sachant que je pourrais aussi bien le regretter, mais que ce serait alors trop tard. Et sans rien demander ou presque, et « très brave ne l'étant guère », comme disait ce pauvre Gaspard, j'avais finalement entendu les balles siffler à Bangkok, à Phnom Penh, à Djakarta, dans les jungles birmanes…

Je n'avais pas réussi à interviewer Pol Pot, mais j'avais serré la main à des Khmers rouges taciturnes, et au roi Norodom Sihanouk, tout guilleret. J'avais visité les temples d'Angkor avec François Mitterrand, discuté avec Jacques Chirac à Phnom Penh, accompagné Alain Juppé à Hanoï… J'avais été suivi des jours entiers par des services secrets chinois, vietnamiens, russes, australiens… J'avais d'ailleurs, moi-même, été soupçonné par tout le monde d'avoir été un espion… J'avais dû reconnaître des corps et scruter un visage ami défiguré par les éclats de bombe, j'avais vu un kamikaze déchiqueté en deux morceaux bien détachés l'un de l'autre, observé deux douzaines de noyés alignés, et tant de morts…

*

Étais-je encore à Kaboul pour l'argent ? Victime du succès de ma petite entreprise, en quelque sorte ? Ou parce que je me sentais responsable de ma trentaine d'employés, qui étaient ma seule famille ? Ou encore, simplement, pour la vue que j'avais, depuis la fenêtre de mon bureau, sur ces montagnes familières ? Étais-je encore en Afghanistan parce que je n'avais pas la moindre idée de ce que j'allais devenir ? Comment mettre encore de la distance entre moi et moi-même, alors que je vivais déjà aux confins du monde ?

J'avais débarqué ici, en 2002, pour faire de l'humanitaire. Pas vraiment pour aider à la reconstruction de l'Afghanistan mais parce que c'était le pays où il fallait être à cette époque. On est moins idéaliste à quarante ans qu'à vingt. Et plus réaliste quand on est français et non pas américain.

Ma démarche n'était cependant pas dénuée de sincérité. Être longtemps confronté aux pires aspects de notre monde peut provoquer – même si les exemples contraires sont innombrables –, une certaine empathie pour l'humanité en souffrance.

Mais j'avais surtout voulu quitter ma sombre torpeur parisienne, retrouvée après dix années passées en Extrême-Orient.

J'étais venu parce que ma carrière de journaliste était dans une impasse, ou plutôt derrière moi, que mon existence faisait du surplace, et que la vie à l'étranger, c'est comme la *fisherman salad* du Bout du Monde (salade du pêcheur à base de surimi bas de gamme devenue culte dans les années 2004-2007) : quand on y a goûté et que l'on a survécu, on ne peut plus s'en passer.

J'étais aussi là parce que dans ces pays incertains, que l'on pourrait imaginer hostiles mais qui étaient simplement singuliers, déroutants, notre regard, nos sens, étaient troublés, et cependant aigus. Ils percevaient de manière plus subtile, plus essentielle, les êtres et les choses, les corps et les âmes.

*

« Bob et la brune sont partis ensemble ! »

Enayat était là à nouveau. Sa présence, toujours joyeuse, chaleureuse, me vrillait cependant les nerfs, mais elle m'évitait aussi de me perdre, de me dissoudre dans ce canapé psychédélique. Tout ce qui me retenait à la surface m'était précieux, comme ces allers-retours incessants de mon fidèle bras droit entre mon bureau – cette bulle – et ce qui se passait en bas, dehors, dans ce restaurant et qui n'était pour moi, le plus souvent, qu'une sorte de jeu, aux règles étranges, qui me dépassaient.

« La... brune ? » Dans mes rêveries, Ilse avait plutôt une courte chevelure châtain aux reflets cuivrés. Enayat mima une fille à la poitrine proéminente, projetant le plus loin possible ses longs bras grassouillets pour former une ogive.

Il avait développé un humour bien à lui, qui l'avait aidé à survivre à quinze années de communisme, puis à la guerre civile, et enfin au régime des talibans... Et il était avec moi d'une franchise indéfectible, forgée sur la confiance. Récemment, il m'avait rapporté une histoire de Caroline, une photoreporter française qui fréquentait assidûment mon établissement, car il n'arrivait pas à y croire, même si les mœurs des Occidentaux ne l'étonnaient que rarement : « Elle m'a dit qu'en France des jeunes s'imbibaient... l'anus... d'alcool... pour se saouler plus vite ?!

— Mouais..., avais-je répondu, méfie-toi de Caro, c'est une journaliste. Mais c'est vrai que ça se raconte. L'anus et l'œil, aussi. Tout le monde veut des sensations fortes, et sans attendre. Ils ne sont pas bien dans leurs pompes, chez nous. Elle t'a parlé de la *vaginodka* ? »

Il m'avait regardé de longues secondes sans prononcer un mot, d'abord pour comprendre, puis pour imaginer la scène, comme halluciné.

« Oui, la brune, Ilse. Et mademoiselle Abigail est allée faire un reportage chez les talibans…

— Chez les talibans ?! Là, maintenant, sans prévenir personne, bourrée ?

— Ou alors demain, ce n'était pas clair. Non ! Pas chez les talibans ! Dans la vallée du Panjshir… »

J'avais en tête, allez savoir pourquoi, des scènes de la soirée de la veille, la foule qui s'était pressée dans mes jardins, comme tous les jeudis soir, cette impression ressentie d'être quelqu'un d'important.

« Chez les talibans ? »

Il reprit patiemment, en articulant comme s'il parlait à un malade, ou à un jeune enfant :

« Non. Comme je le disais : pas chez les talibans. Dans la vallée du Panjshir…

— Merci, Enayat. Faut que je finisse cette compta, après je descends faire un tour en cuisine. »

Enayat restait là, près de la porte. Il me regardait attentivement et son visage révélait une clairvoyance profonde, une lucidité simplement humaine sur ce que j'étais, sur ma vie, la sienne, la vie en général. J'eus une nouvelle fois cette impression fascinante que par ses yeux, c'était le monde que je voyais. Disparaissaient alors, comme cela m'était arrivé, à quelques reprises, ailleurs, dans une province reculée de Chine, sur une île perdue d'Indonésie ou dans une campagne kazakhe, toutes les couches culturelles, les filtres religieux, les différences plus ou moins superficielles… qui, le reste du temps, nous obligeaient à nous jauger comme des étrangers : au mieux comme des partenaires aux intérêts convergents, au pire comme des proies.

J'avais mis du temps à découvrir chez Enayat, sous ses airs serviles, derrière ses incessantes compromissions, qui n'étaient en fait que la volonté farouche de s'accrocher coûte que coûte à ce qui pouvait soulager la misère des siens, l'existence, discrète mais inébranlable, d'un noyau dur, composé de fierté, de sagesse, mais, également, de grande noirceur.

« Monsieur Enayat, tu as encore quelque chose à me dire ? » J'avais bien appuyé sur le « encore ».

« Oui… Qui donne dans la fortune recueillera dans l'infortune !

— …

— C'est un proverbe persan.

— …

— Rouhoullah, l'apprenti… Il voudrait être augmenté. Enfin… il demande. Il gagne quatre-vingts dollars. Mais, tu sais, son père est mort, et sa mère ne travaille pas. Il a six petits frères et sœurs et c'est un peu dur. Pour venir travailler ici, ça lui coûte déjà vingt dollars par mois de transport…

— J'imagine bien que c'est dur, Enayat. Comme pour vous tous. Rappelle-lui que le salaire moyen dans ce pays doit être de trente dollars, c'est ça, non ? Si je l'augmente lui, tout le monde va me demander. »

J'étais énervé.

« Et rappelle-lui qu'il a un repas tous les jours, et des jours de congés, un bonus pour travailler pendant le ramadan, y'a pas beaucoup d'entreprises afghanes qui sont aussi généreuses, crois-moi ! Tu le sais très bien ! Bon, allez, laisse-moi maintenant, s'il te plaît. »

Il ne bougeait pas.

« Merci, Enayat ! MERCI ! »

Il hocha la tête, pour me saluer mais aussi comme pour s'excuser, puis sortit, la mine contrite, sans rien dire.

*

J'étais venu à Kaboul, enfin, parce que ma vie sentimentale à Paris, et même avant – depuis toujours ? –, avait été un désastre, et que n'ayant plus rien à perdre de ce côté-là, je m'étais dit que je pouvais aussi bien aller vivre dans un pays sans femmes.

Ma dernière relation sérieuse, si l'on peut dire, remontait à Marie-Françoise, une bourgeoise des Yvelines (« N'imagine même pas vouloir m'épouser, tu sais, je suis un peu… marginal », l'avais-je prévenue. « Non non, j'aime bien ce côté-là chez toi, ne t'en fais pas »). C'est avec elle que j'étais parti en Thaïlande, ce fameux voyage qui était à l'origine d'un tournant inattendu dans ma carrière. Nous avions hésité, d'ailleurs, entre la Thaïlande et le Brésil. Le destin repose sur peu de chose.

À Chiang Maï ou Chiang Raï, un de ces coins touristiques où j'aurai la chance de ne plus jamais remettre les pieds, j'avais largué Marie-Françoise, qui ne supportait pas l'air conditionné dans les chambres d'hôtel. J'avais surtout largué ma vie d'avant.

Quelque temps après, j'avais commencé, bien entendu, à éprouver des sentiments pour Marie-Françoise. Ou plutôt pour l'image qui me restait d'elle car je ne la revis jamais.

Mais j'étais quand même débarrassé pour un moment – pour toujours espérais-je alors, benoîtement –, de ces relations fondées sur les négociations, les rapports de force, les conflits et les réconciliations, toutes ces lignes de tension entre lesquelles se glissent par instants, dit-on, de la tendresse, du désir et des projets d'avenir. Des projets… d'enfants. « L'horreur… L'horreur… » (Kurtz, dans *Apocalypse Now*).

M'attendaient alors ces séances de massage, au cours desquelles je pouvais simplement m'abandonner à mon seul péché : celui de la passivité. Je confiai dorénavant mon corps, dans toutes les positions que permettent l'anatomie et l'imagination humaine, pourvu qu'elles restent strictement horizontales, à une multitude de mains, expertes

ou non, douces ou brutales, bienveillantes ou parfois animées par une envie de revanche sur une
existence difficile. Ma gueule de mec coincé, un
peu faux jeton, provoqua certaines fois des déchaî-
nements de violence.

De telles séances vouées à la volupté eurent
pour décors une infinité de boudoirs discrets ou
de bouges minables, dans des grandes villes, des
ports et des villages, d'Istanbul à Tokyo, de Saint-
Pétersbourg à Djakarta.

*

Kaboul, en ce domaine de la sensualité, n'était
pas considéré comme un des lieux les plus réputés.
On évoquait souvent ces restaurants chinois où
les serveuses ne servaient ni à boire ni à manger.
Mais ces filles venues de l'ouest profond de la
Chine, souvent transportées comme du bétail dans
des camionnettes, avaient-elles seulement reçu une
formation ne serait-ce que rudimentaire dans l'art
délicat de la manipulation des corps ?

J'avais, jusque-là, résisté sans peine à la proposition d'Enayat de m'emmener dans un « petit
hammam qui ne paye pas de mine, où les hommes
se massent entre eux – mais sans se toucher le
zizi, hein ! hi hi ! ». Il m'avait avoué que l'endroit

n'était pas spécialement propre, mais là n'était pas le problème pour moi, j'avais fini par apprendre à vivre en bonne entente avec des mycoses de toutes sortes. J'avais seulement le désir d'étudier d'autres options.

*

Ce vendredi-là, Ilse, Abigail et Bob descendirent une bouteille de rhum (sans la payer), et la Lettone se frotta « en long et en large contre la braguette du reporter de Londres tout rouge », selon Enayat. Nous étions en 2006 : les Français de Kaboul avaient fêté en juin la victoire de l'équipe de France de foot sur le Brésil en se jetant à poil dans ma piscine ; certains avaient plongé, vers cinq heures du matin, depuis le toit des vestiaires, situé à une dizaine de mètres du bassin ; des gens avaient entendu *I will survive* en pleine nuit à l'extrême sud de la ville, à dix kilomètres de là (ne pas s'étonner après cela que les Afghans soient xénophobes) ; j'avais passé la soirée à transporter de pleines poignées de billets de cent dollars de la caisse du bar jusqu'au coffre de mon bureau…

Ce jour-là, donc – précisément le 1er septembre 2006 –, après les allers-retours d'Enayat dans mon bureau et alors que je venais de m'asseoir sur mon canapé pour commencer à trier une quantité considérable de vieilles factures entassées dans un sac en plastique, Pia m'appela au téléphone. Elle me fit d'abord remarquer – et je crus sentir de l'agacement dans sa voix d'ordinaire si monocorde – qu'elle m'avait laissé, depuis deux heures, quatre ou cinq messages. Ensuite, et là l'agacement fit place à une légère panique, à peine perceptible – qui connaissait mieux la voix de Pia que moi ? –, elle m'annonça qu'elle ne savait pas où était passé Corto...

Elle n'avait pas besoin d'en dire plus. Je sus que nous n'allions pas avoir à nouveau une discussion sur les infidélités de notre ami, sur le fait qu'il aurait pu être avec une fille, dans un des deux ou trois endroits bien identifiés par Pia à Kaboul où il lui aurait été facile de le débusquer. Non, il ne s'agissait pas de cela. Elle avait la conviction – et elle me la fit partager aisément, à la seule façon d'articuler ses mots, avec son accent scandinave plus marqué que jamais –, que quelque chose était arrivé à Corto.

Je restai silencieux. Et je sentis que ça l'irritait. Elle aurait souhaité, bien évidemment, que je saute sur mes deux pieds, que je sorte de mon bureau, de mon restaurant et que je me précipite à l'extérieur, dans les rues de la capitale, que je prenne la route pour sillonner les coins les plus reculés du pays, que j'interroge, que j'enquête, que je fasse parler les uns, les autres, par tous les moyens. Elle souhaitait que je retrouve Corto.

Calmement, je finis par lui assurer qu'il allait certainement revenir, qu'on le connaissait, et qu'il était bien capable de faire ça, de disparaître ainsi sans rien dire, mais que si elle le désirait, nous allions commencer à le chercher, nous allions nous répartir les tâches... Elle raccrocha sans préavis.

*

Corto, même si nous étions différents, avait été pour moi le frère jumeau que chacun rêverait d'avoir, l'alter ego, celui avec qui on chemine tout au long de son existence, passant ensemble de l'enfance à l'adolescence, avec qui on se confronte, unis, au monde adulte, bien que cette dernière étape n'ait pas été pour nous la plus réussie.

Mon ami m'avait soutenu lors de sévères baisses de régime. Et, pour ma part, je lui avais sauvé la vie à deux ou trois reprises.

Pouvais-je imaginer que, sans Pia, et sans les évènements de ces dernières années, ma relation avec Corto aurait été un long fleuve, torrentueux par endroits, capricieux selon les saisons, boueux, souvent, mais qui, de sa source à son delta, n'aurait cessé de rouler ses flots, comme le font les fleuves ? Rien de moins sûr tant étaient nombreux les méandres, accidents de parcours et imprévus qui auraient pu faire prendre à nos histoires, personnelles et communes, d'autres directions.

*

Dix minutes après son appel, Pia débarqua dans mon bureau. Elle avait cet air sévère qui m'avait tellement séduit lors de notre première rencontre, seize ans auparavant, en Birmanie, alors qu'elle était jeune attachée d'ambassade et moi journaliste basé au Cambodge, de passage à Rangoun. Aujourd'hui, je savais déceler toute la douceur qu'occultaient ses traits un peu durs. Il émanait aussi de chaque partie de son corps une forte sensualité, évidence de sa relation sans complexe avec ses désirs. L'expression résolue de son visage et ses gestes gracieux donnaient l'impression d'une jeune femme bien dans sa peau, même si son sourire, un peu lointain, laissait deviner un mystère, une faille. Après une courte carrière diplomatique, elle avait décidé de se consacrer à l'humanitaire. Elle essayait de sauver, avec humilité mais efficacité, de minuscules fragments de l'infinie misère de la planète.

Comme Corto et comme moi, elle avait cependant pris en pleine face les infamies, les abjections, la cruauté sans limites, mais n'avait jamais baissé les bras, même si un certain idéalisme s'était peu à peu transformé chez elle en de l'amertume et ses éclats de rire en rictus. La Bosnie l'avait égratignée, la Somalie avait creusé ses rides et avait noirci ses beaux yeux bleus de cernes profonds, l'Afghanistan avait commencé à donner à ses cheveux châtains des reflets argentés. Sans parler de sa méfiance irrémédiable à l'égard des hommes.

Pour l'heure, debout devant moi sans rien dire, tremblant légèrement, la Danoise pouvait donner l'impression de me rendre responsable de la disparition de Corto. J'étais toujours sur mon canapé et m'y tenais maintenant, assis, bien droit, sûr de moi. Trifouillant dans de vieilles factures, tout en lui jetant des coups d'œil complices, avec la mine de celui qui en avait vu d'autres.

« Viens, sortons d'ici, m'ordonna-t-elle. Tu passes tes journées dans ce trou, ça ne doit pas t'aider à réfléchir clairement. »

Je la suivis et nous descendîmes dans le jardin. Elle se dirigea sans hésiter vers le bar extérieur, cette bicoque de planches mal ajustées. Et nous restâmes là, debout. Tous les clients autour de la piscine et aux quatre coins du jardin avaient eu leur café et leurs croissants décongelés, nous avions un moment de répit avant qu'ils ne se mettent à commander maintenant des bières et des pastis.

Pia se tenait fermement au comptoir, comme si elle craignait de tomber – ce qui n'était pas son genre –, et de l'autre main me désignait, moi, l'index pointé vers mon torse.

« Personne n'a eu de nouvelles depuis hier soir. Il a quitté ton resto vers minuit, mais il n'est jamais rentré à la coloc'. Et puis... pfft... plus rien. » Elle me regardait sans me voir, comme si elle ne comptait pas sur moi pour apporter quelque réponse à ce mystère. Puis elle reprit : « Il n'avait qu'un seul projet de reportage, d'après tous les gens à qui j'ai parlé. Il devait aller rencontrer, dans quelques jours, un groupe de talibans. Avec Abigail. Il ne se serait jamais aventuré seul... »

Je hochai la tête. Mais j'étais sceptique. Je savais bien que, parfois, Corto partait sans prévenir personne. Sa « chasse au scoop », comme il disait. Dans ces moments-là, il jugeait que toute personne était un mouchard potentiel, y compris ses fixeurs de confiance, ces guides-interprètes afghans qui l'aidaient dans ses reportages. Quant aux textes, il savait les écrire lui-même. S'il se faisait accompagner par Abigail, c'est qu'il ne supportait pas de voyager longtemps sans compagnie féminine.

Je me redressai, heurtant le toit en canisse qui couvrait le bar-cabane. J'avais à cœur d'énoncer quelque chose d'intelligent, pour prouver à Pia ma volonté de retrouver Corto et faire preuve de la perspicacité dont elle me savait capable mais sur laquelle elle ne comptait plus. Son affection était indéfectible, mais elle n'attendait plus dorénavant de ma part quelques prouesses d'aucune sorte.

En fait, pour être honnête, à cet instant précis, alors qu'elle tambourinait sur mon bar de ses doigts nerveux en se frottant la tempe de l'autre main, il me semblait revivre les moments de notre première rencontre. Intérieurement, ce n'était pas de chercher à savoir où Corto avait bien pu passer qui me préoccupait, non, je me demandais si, malgré tout ce que nous avions vécu, Pia et moi, avec tout ce que j'avais fait pour elle, comme lui offrir une épaule accueillante dans ses moments de détresse, sans parler de l'hospitalité de mon lit, l'image qu'elle avait de moi avait vraiment évolué.

Je ne pus m'empêcher, malgré cela, ou peut-être justement à cause de cette tension intérieure, de prendre mon air de « gentil crétin », manière la plus inefficace que j'avais mise au point pour séduire les femmes, mais dont le but véritable était plutôt de les amadouer, tout en les maintenant éloignées. Avec les hommes, et les femmes qui m'étaient indifférentes, j'adoptais plutôt le mode « sale type bougon ». Donc tout le monde me considérait soit comme plus con que je n'en avais l'air, soit comme antipathique.

« Essayons de prendre du recul… »

Mais Pia me connaissait bien. « Oh, ne commence pas ! Essaie d'être adulte pour une fois. Et arrête deux minutes, avec tes mines de gamin pris en faute et ton regard qui part dans tous les sens… »

Je me tournai vers Najib, le barman, pour voir s'il suivait cette discussion. J'avais eu la mauvaise idée de vouloir à tout prix embaucher un francophone, pour faire chic. Il essuyait des verres, en prenant l'air de celui qui était extrêmement concentré. Trop, en réalité, pour ce genre d'activité. « Najib, tu pourrais aller chercher deux ou trois caisses de vin, dans ma réserve personnelle. Ils ont tout descendu hier soir… »

Une fois seul avec Pia, je la fixai droit dans les yeux, mais tentai à nouveau une approche de biais. « Bon, d'accord, tu es énervée. Angoissée. Je comprends. Moi aussi, figure-toi. On ne sait pas où il est. C'est inquiétant. Mais bon, il fait chier aussi, hein. C'est ce qu'il cherche, non ? Tu sais que depuis le Cambodge il a pété les plombs, il fait n'importe quoi… Tu le sais que c'est dur pour moi, que je m'en mords les doigts, tous les jours, de l'avoir poussé à devenir journaliste…

— Et voilà que tu ramènes encore ça à toi… »

Sa voix s'était adoucie. Mais j'avais du mal à l'écouter, je pensais à ce qu'elle m'avait dit une minute auparavant, à ses remarques récurrentes sur mon immaturité. Quand j'étais adolescent, et même encore récemment, certains me trouvaient trop mûr pour mon âge...

« Tu m'écoutes ?

— Oui, oui... Je t'écoute. Oui, désolé, je ramène tout à moi...

— Non. Pascal. Ce que je viens de dire sur son état mental ?

— Quoi ? C'est quoi cette histoire ?

— Il ne l'a dit à personne, à part moi. Récemment, il s'est fait examiner à l'hôpital militaire. Il pensait que c'était dû à je ne sais quelle drogue qu'il prend : il avait des crises d'angoisse. En fait, les médecins l'ont renvoyé avec seulement quelques pilules.

— Il manquait plus que ça. Déjà qu'il a toujours été un peu schizo...

— Ne parle pas de lui comme ça.

— Non mais c'est vrai, tu le sais. Ou pas tout à fait... "normal"... si tu préfères. Ou "trop lucide", comme il le prétend lui-même.

— Peut-être. Ce ne serait pas le premier dans le coin à avoir un grain. Toi et moi compris. Mais là, j'ai seulement peur qu'il ait fait une connerie. Ou qu'il s'apprête à en faire une. De toute façon, il faut le retrouver. Il peut avoir été kidnappé. Il est peut-être tombé au fond d'un trou. C'est peut-être une question d'heures. On ne disparaît pas comme ça. Hier soir, quand il est allé se coucher, il m'a dit en m'embrassant : "À tout de suite !"

— Ça ne veut rien dire. Il dit toujours des trucs comme ça. "À tout à l'heure", "À demain", "Je t'appelle très vite"... Il n'arrive pas à quitter les gens, il fait ça avec tout le monde.

— Merci.

— Excuse-moi.

— Arrête de t'excuser tout le temps.... Je ne l'ai trouvé ni chez lui ni chez moi.

— Je vais appeler l'ambassade de France pour commencer. Ça ne servira probablement à rien. Ensuite je contacterai la police afghane. Tu sais, ce commissaire que tout le monde juge compétent et incorruptible. »

Je voulus faire une blague à ce sujet mais me retins, et enchaînai :

« Il paraît qu'il n'aime pas les étrangers. De toute façon, nous n'avons plus rien à perdre. Il faut foncer.

— Oui, Pascal, t'as raison. Mais ne perds pas de temps avec l'ambassade, je vais y passer. Ils ne t'apprécient pas beaucoup, comme tu sais. Mais vas-y, avec ce commissaire, c'est une bonne piste. »

Derrière ses fines lunettes, je devinai comme de l'approbation dans ses jolis yeux bleus. Puis elle me fixa avec une expression où je crus voir de l'admiration. Mais c'était subjectif.

Elle me tapota la main, me sourit, un peu lasse, et désigna mon pantalon de la main. « C'est quand même drôle que tu portes encore ce truc. Tu te

souviens, on l'a acheté ensemble… à Bangkok. Il
y a plus de dix ans… »

Puis, sans un mot de plus, elle partit d'un pas
rapide. Peut-être pour ne pas montrer son émotion, ou, simplement, pour reprendre elle-même
au plus vite les recherches. À sa manière.

*

Je remontai rapidement dans mon bureau,
animé par un dynamisme inhabituel, saisis mon
téléphone, l'allumai – je ne m'en servais qu'occa-
sionnellement, me sentant comme agressé par les
sonneries intempestives –, composai un numéro
et attendis nerveusement que l'on réponde, en
tournant d'un pas vif autour de la table basse
qui trônait au milieu de la pièce.

Je réussis, baragouinant dans mon dari approxi-
matif, à échanger quelques mots avec ce qui devait
être un policier de garde ou un secrétaire.

Cette mission accomplie, je m'attelai alors
à liquider différentes tâches administratives en
retard, appelai quelques fournisseurs. Puis j'étei-
gnis et rangeai mon téléphone, commençai à nettoyer mon pistolet, avant de décider finalement
de m'accorder une pause.

*

Quand j'ouvris les yeux, Enayat attendait sagement, à une distance aussi respectueuse que le permettait mon bureau-cagibi. Il regardait par la fenêtre qui donnait sur les jardins, surveillant les serveurs ou rêvassant, lui aussi ; il m'avait vu tant de fois à ce poste d'observation, fasciné par ce que je voyais : la quantité d'alcool que descendaient la plupart des clients du Bout du Monde était en soi un enseignement sur la nature humaine. Que ces mêmes clients soient servis par des employés musulmans qui, pour la plupart, faisaient leurs cinq prières quotidiennes, observaient le ramadan et accomplissaient d'autres rituels venus de temps anciens, même si je n'en soupçonnais aucun d'être capable de lapider sa femme ou sa sœur, était également un spectacle dont on ne se lassait pas. Il faut dire qu'une fois habitués au mode de vie de ces étrangers bizarres auxquels ils avaient fini par plus ou moins s'attacher, ces Afghans acceptaient presque tout de leur part... et surtout les gros pourboires.

« Oui, Enayat ? »

Il se retourna et je vis dans ses yeux ronds qu'il cherchait ce qu'il était venu me dire.

« Tu as appelé le commissaire ? »

Comme je devais avoir, moi aussi, un regard de truite à l'agonie, il précisa :

« Au sujet de Corto. C'est mademoiselle Pia qui me l'a demandé. Elle avait peur que tu ne le fasses pas…

— Ah oui, oui, bien sûr…

— Il veut bien te voir ?

— Oui oui. Dans son bureau. À Karté Parwan.

— Et quand ?

— Il est très occupé. Mais il reçoit n'importe quand tous ses… clients… Donc je vais… y aller… bientôt. »

Enayat attendait, car il savait que les idées me venaient en ordre successif, avec, chaque fois, un temps de décalage. Je finis par rajouter : « Ah, oui, et va voir si le surimi a l'air encore assez frais pour la salade. Tu le sens : si c'est vraiment trop fort, on l'enlève du menu. Ça fait deux jours que je dois aller faire des courses chez les militaires français, mais je ne trouve jamais le temps… »

Enayat avait visiblement encore quelque chose à me demander. Il se lança : « Najib voudrait savoir si tu veux ton steak maintenant ? Et quelle cuisson…

— Je veux bien, oui. Et… »

Je dus réfléchir longuement. Les gens, en général, savent une fois pour toutes comment ils aiment leur viande. À moi, cela ne me paraissait pas aussi évident. « Pas tout à fait bien cuit, s'il te plaît. » Il souriait sans bouger. « Et pas trop de sel, hein »,

grommelai-je, à peine audible. Il se concentra :
« Pas trop… sale ? » Je souris, conciliant. « Pas trop
de sel, s'il te plaît. Comme d'habitude, quoi. Tu
sais… mon problème de tension… Mon problème
de riche comme t'avais dit un jour… »

Je le regardai, et je le vis heureux que nous
retrouvions un peu de cette complicité que je
mettais souvent à mal ces derniers temps.

« Autrement, à la place du steak, plaisanta-t-il,
vous pourriez choisir la "limande sauce océane et sa
vague de riz fantaisie"… » Nous nous amusions à
trouver ensemble des noms ronflants pour l'espèce
de poisson blanc surgelé et les bouts de bidoche
que nous proposions aux clients.

« Non, ça ira, merci ! »

Je n'avais déjà plus envie de jouer. « Au fait, tu
penseras à me racheter des anxiolytiques, tu sais,
là, sur le vieux marché…

— Les faux ?

— Oui, les faux. Bien sûr, les faux. » Il m'avait
de nouveau agacé.

Je fis un ultime effort pour adoucir le ton
que j'employais : « J'ai l'impression qu'ils font de
l'effet… » Il me couvait des yeux avec affection,
sans faire mine de partir. « Allez, merci Enayat ! »
lui déclarai-je d'un ton excédé.

Une fois, il s'était risqué à me dire, le plus poliment possible : « C'est drôle, monsieur Pascal, tu
as quand même beaucoup de temps… je veux dire

pour… réfléchir… mais… tu sembles toujours… comment je… tu sembles tout le temps impatient !

— Ouais, ouais, t'as raison, avais-je concédé. On me le dit souvent. Mais bon… tu sais pas le stress que c'est de vivre dans ce… dans ton pays. »

Il sortit enfin. Je me frottai longuement les yeux. Je sentis qu'il me fallait encore cinq bonnes minutes pour refaire surface.

L'absence de Corto – dans ma tête, je n'employais pas le mot « disparition », que je trouvais emphatique, comme si mon ami, avec ses frasques incessantes, ne méritait pas que l'on dramatise son sort avant d'en savoir plus – m'avait plongé malgré moi dans des abîmes de cogitations rêveuses.

2

En 1952, le lycée Bellevue avait été créé sur trente-trois hectares de jolie nature – bois et prairies – tapissant un coteau des environs de Toulouse. Un terrain légué, le siècle précédent, par un banquier, Théodore Ozenne, qui souhaitait « favoriser l'épanouissement des lycéens à l'écart du centreville ». La pédagogie de cet établissement, à ses débuts, était basée sur des « classes nouvelles », des excursions, l'expérimentation.

Si l'enseignement était devenu plus traditionnel au fil des ans, il avait cependant gardé une partie de l'esprit originel quand, le 14 septembre 1972, j'entrai pour la première fois, fier et intimidé, dans cet eldorado de l'instruction. En sixième B.

J'avais mon père comme professeur de mathématiques. Cela n'était pas en soi un cadeau, mais comme à l'école primaire, j'avais toujours été le meilleur élève de ma classe, j'étais assez serein.

Les premiers jours s'étaient d'ailleurs passés au mieux. Nous partagions nos journées entre les cours avant-gardistes – avec, par exemple, le prof de français qui nous proposait d'installer les tables en rond, pour mieux débattre, ou la prof d'allemand, une jeune femme gironde, qui s'asseyait sur son bureau – et les jeux dans les bois, des aventures comme on n'en vivait généralement qu'en vacances. Des jeux qui, bien entendu, tournaient souvent à la bagarre. Mes camarades raffolaient de la « Saint-Barthélemy », qui consistait, depuis que je leur avais bêtement confié que j'étais protestant, à me lâcher dans la nature et, une fois retrouvé, à me massacrer à coups de branches d'arbre.

À midi, le collège étant perché sur une colline, tout en haut du domaine de l'établissement, nous devions parcourir un trajet de plus d'un kilomètre pour rejoindre, en bas, la cantine du lycée, puis remonter vers nos salles de classe après le déjeuner. Ce périple était l'occasion de laisser s'exprimer toute notre ardeur juvénile. Nous prenions à chaque fois des chemins de traverse différents, découvrant tous les coins et les recoins de cet immense parc arboré, sans être sûrs d'en connaître les limites.

Dans cette joyeuse bande de garçons, moi, le solitaire, je ne me sentais pas à l'aise, et aucun de ces petits Français moyens ne semblait pouvoir devenir un jour mon véritable ami.

En classe, au premier rang comme moi, j'avais repéré une fille au teint pâle, aux cheveux noirs, courts et frisés, vêtue la plupart du temps d'une blouse à fleurs bordée de rouge éclatant. Comme mon école précédente n'était pas mixte, et qu'à la maison je n'avais qu'un grand frère, je ne me lassais pas de ce spectacle à la fois insolite et délicat.

Mon père avait dû s'en rendre compte. Il m'adressait souvent la parole de manière gentiment ironique, relevant mes absences, mes rêveries. Quand il appelait Anne, l'élève en question, au tableau, il m'observait du coin de l'œil pendant qu'il l'interrogeait. Anne, pour sa part, ne s'intéressait certainement pas à moi, ni à aucun garçon. Elle étudiait sérieusement et ne jouait qu'avec ses copines. Tout cela était bon enfant.

Puis, je découvris, d'autant plus brutalement que je n'y étais nullement préparé, qu'un élève du fond de la classe commençait à avoir de meilleurs résultats que moi, et plus particulièrement en maths.

À la fin des cours, nous faisions le trajet entre le collège et chez nous, mon père et moi, dans sa vieille 4L, en parlant joyeusement de notre journée. À cette époque, j'étais encore avec lui un garçon agréable et bavard. Il essayait aussi de m'apprendre, patiemment, avec cette bonne humeur qui semblait ne jamais le quitter, quelques mots d'occitan et des couplets du chanteur et poète régionaliste, Marti.

Nous parcourions des rues calmes, lumineuses, bordées de « toulousaines », maisons traditionnelles sans étage, aux façades crépies. Des briques encadraient le tour des portes et des fenêtres, et leur toiture était couverte de tuiles roses. Ces quartiers résidentiels respiraient l'aisance qui accompagnait la fin des Trente Glorieuses, avant le premier choc pétrolier.

Au milieu d'une discussion sur les sous-ensembles complémentaires et autres patatoïdes – les mathématiques modernes venaient de faire leur entrée fracassante dans les programmes –, je fis allusion, mine de rien, à cet élève du fond de la classe qui enchaînait les bonnes notes, tout en restant discret pendant les cours.

Mon père se contenta d'une moue d'admiration qui en dit suffisamment long pour me rendre maussade pendant des heures, des jours.

Mon nouvel ennemi s'appelait Corto Da Costa. Il était non seulement excellent en classe, de plus en plus chaque jour, comme s'il avait commencé par observer avant de se lancer vraiment, mais il triomphait aussi en sport. Il était grand et athlétique. Increvable à la course de fond. Et cogneur. Il avait donné un aperçu de ses capacités en assommant d'un crochet du droit un élève de quatrième l'ayant traité de « négro ».

Il était brun de peau, avec une épaisse chevelure noire et bouclée qui lui tombait sur les épaules. Certains l'appelaient « le Portugais », d'autres « l'Espingouin »… Même si ses traits fins et son petit nez retroussé l'apparentaient davantage à certains insulaires de l'océan Indien.

Il semblait aussi qu'il plaisait aux filles. J'avais surpris Anne, à plusieurs reprises, se retourner pendant les cours, pour une raison ou pour une autre, et jeter des coups d'œil vers le fond de la classe, puis chuchoter à l'oreille de sa voisine, en pouffant, ce qui n'était pas dans ses habitudes.

Je ne voyais pas ce qu'elle pouvait lui trouver : il s'habillait comme un plouc. J'étais, moi, à cette époque, particulièrement fier de porter un pantalon « peau de pêche », avec de belles pattes d'éléphant, confectionné sur mesure par notre couturière. Qu'il soit rouge coquelicot ne me gênait pas, même si des grands du collège sifflotaient sur mon passage l'air de *La Panthère rose*.

Une fois, en fin de journée, alors qu'avec ma petite bande nous nous dirigions vers la sortie du collège, j'avais aperçu Corto devant nous. Il marchait seul, tranquillement. Depuis que je m'étais décidé à l'observer davantage pour déceler chez lui quelques points faibles, j'avais surtout commencé à l'admirer de plus en plus, particulièrement sa manière cool de se comporter en toutes occasions.

Mes copains lui trouvaient justement trop d'assurance, et le jugeaient prétentieux.

Nous nous rapprochions de lui. Je me mis soudain à courir dans sa direction et, sans hésiter, lui envoyai un coup de cartable dans le dos. Les garçons trop réfléchis agissent souvent de manière impulsive.

Il chancela. Et puis se retourna, calmement. Son visage impassible était seulement marqué par un peu d'agacement. J'étais figé, apeuré et honteux. Lui se contenta de hausser les épaules, comme s'il venait d'être piqué par un moustique. « Pourquoi t'as fait ça ? » me demanda-t-il, presque poliment. Je balbutiai : « Je sais pas... » Ce qui le fit sourire. « Bon, et ben... à demain alors ! » et il me gratifia d'un salut de la tête. Et de continuer son chemin d'un pas régulier.

Un peu d'action n'était jamais pour déplaire à mes camarades, qui vinrent me féliciter pour la leçon que je venais de donner à ce « con de macaroni », à cette « patate pourrie ». Mais, dans le fond, ils ne devaient pas bien comprendre ce qui avait pu provoquer mon geste.

Le lendemain matin, dix minutes avant le début des cours, alors que j'attendais seul dans le couloir de notre classe, ayant renoncé à une partie de foot improvisée avec une balle de tennis, Corto vint vers moi et me tendit la main, que je serrai un peu mollement. « Salut, ça va ? » me demanda-t-il avec un sourire dans lequel je perçus une légère ironie. « Oui, merci. Et toi ça va ? » Il haussa les épaules, goguenard : « Oui, ça va mieux. »

« Tu as réussi à faire l'exo de maths ? me demanda-t-il, soudain sérieux.

— Sur les bijections ? Non, j'ai rien compris ! »

Je devais avoir l'air penaud car il ajouta rapidement :

« T'es vachement bon en français ! T'as de ces idées !

— T'es pas mauvais non plus, hein.

— C'est sympa, mais non, j'aime pas ça. Je préfère ce qui est… ce qui est… enfin, tu vois, quoi… »

Il avait mimé un carré avec ses mains. Allez savoir pourquoi, je trouvai ce geste touchant.

Il me fixait de ses grands yeux calmes, des yeux très noirs. Je n'avais jamais remarqué auparavant que l'on pouvait avoir les yeux noirs.

Il semblait intrigué. « Pour les maths… tu demandes pas à ton père, quand tu sais pas ?

— Des fois… Il est toujours prêt à m'aider, hein ! Mais… heu… souvent je me sens tout mou quand je ne trouve pas et je préfère jouer… ou buller…

— C'est juste avant que tu ne regardes *Bonne nuit les petits* ? »

Il avait dit ça avec un sourire narquois, mais je n'arrivais pas à être certain qu'il plaisantait. Alors, je préférai afficher un air entendu.

Puis j'enchaînai, pour ne pas laisser s'envoler ce moment important.

« Et toi, alors ?

— Moi j'ai pas de père. Heu… l'exercice ? Ouais ça va.

— T'aimes bien C. Jérôme ?

— Connais pas.

— Si, le chanteur !

— Heu… je préfère le rock.

— Quoi ?

— Le rock. Tu sais, les Rolling Stones, tout ça.

— Ah… oui… comme Claude François. T'as pas de père ?

— Non. Il est mort. Je crois.

— Tu veux venir jouer chez moi un jour ?

— Oui, oui. D'accord. »

3

Vy govorite po-rousski ? me demanda en russe l'homme assis derrière son bureau. Il était calme, souriant et me paraissait jeune pour occuper cette fonction de commissaire. Bel homme, fine moustache, cheveux plaqués en arrière, il portait des vêtements occidentaux bien coupés. Une montre en or brillait à son poignet.

J'avais saisi sa question mais je lui répondis *niet*. Inutile de s'aventurer sur ce terrain. Même réponse pour l'allemand, le dari, le pashtoun. *Me English little little…*, précisa-t-il en souriant, avant de se mettre à rire carrément et d'enchaîner dans un anglais parfait. Il m'expliqua qu'il avait étudié la criminologie durant cinq ans au Pakistan, puis travaillé là-bas comme professeur d'anglais, avant de revenir en Afghanistan, après la chute des talibans.

Il retourna ensuite à ses affaires et sembla m'oublier.

Dans une vitrine, s'étalait une collection d'armes confisquées à des criminels, petits ou grands : vieux pistolet rouillé, couteau à cran d'arrêt, grenade, fronde… Le bureau était bien rangé, mais partout s'était déposée cette fine poussière de sable qui s'insinue sans répit dans les moindres recoins de Kaboul.

Monsieur le Commissaire semblait fier de son statut tout en restant affable, trônant comme un juge de paix alors que s'entassaient sur de vieux canapés verdâtres les différents « cas » du matin : plaignants et accusés serrés les uns contre les autres, attendant leur tour pour parler, gémir, supplier, pleurer parfois, avant de recevoir dignement la sentence du commissaire. Sur le bureau, trois téléphones portables sonnaient sans arrêt, en alternance ou simultanément. Il lui arrivait de décrocher, mais il préférait jouer avec une boîte de cigares, qu'il ouvrait et qu'il fermait avec délicatesse, tout en méditant sur la nature humaine et sur la culpabilité des hommes. Un gros bouquet de fleurs rouge vif en plastique ornait une table basse à côté de lui, alors que les portraits du président Karzaï et du défunt Massoud semblaient surveiller la scène, avec une sévérité bienveillante.

Sans que personne ne lui demande rien, un subordonné, dans une tenue vaguement policière, dépareillée, se tourna vers moi et fit une brève allocution dans un anglais académique : « Monsieur le Commissaire est heureux de vous recevoir et fier de la confiance que vous lui témoignez. Il remercie les nations étrangères de l'aide qu'elles apportent à notre pays. Il est à votre service. » Alors que j'allais répondre à l'officier, le commissaire s'était déjà tourné vers deux enfants assis par terre dans un coin, prostrés. Il demanda d'un signe de tête à un vieil homme enturbanné de quoi il s'agissait. Celui-ci, virulent, accusait les gamins d'être de « grands criminels, graines de gibet, à une autre époque on leur aurait, vite fait bien fait, coupé les deux mains, voire les pieds pour faire bonne mesure », ces voyous lui avaient volé un enjoliveur de vélo, ou un porte-bagages, le vocabulaire technique me manquait pour saisir tous les détails, mais le vieillard semblait indigné. Les vauriens avaient eu le culot d'essayer de revendre leur butin, dix fois moins cher que le prix officiel, et cela à seulement cinq cents mètres de sa boutique, à même le trottoir !

Le commissaire écoutait, tout en jetant un œil de temps en temps vers ses téléphones qui sonnaient, décrochant parfois, ce qui interrompait l'audience durant quelques minutes.

Je m'impatientais, en essayant de ne pas le montrer. Les codes d'honneur ici étaient tellement complexes que j'avais d'emblée renoncé à les maîtriser. J'étais nerveux, car je savais que de son côté Pia remuait ciel et terre, appelait les ambassades, contactait tous les journalistes de Kaboul et les fixeurs de Corto.

Le commissaire donna ensuite la parole aux jeunes accusés. Le plus âgé des deux leva une tête ahurie. Des larmes avaient laissé des traces plus claires sur son visage noir de crasse. Il ouvrit une bouche en partie édentée pour balbutier des explications, ou une supplique, qu'il me fut impossible de saisir. Le chef de la police tint à entendre aussi l'autre gamin, pour le principe du « droit à la défense ». En guise d'explication, le petit prévenu se mit à sangloter. Excepté le vieux vendeur de vélos sec de corps et de cœur, tout le monde semblait ému.

Le commissaire se fendit alors d'une leçon de morale, en anglais, afin que je puisse en profiter. Les temps qui changeaient… Les jeunes qui faisaient ce qu'ils voulaient… La police débordée… Il finit par envoyer deux de ses hommes au domicile des accusés pour tenter de retrouver le fameux objet du litige. L'atmosphère se détendit après le départ des deux chenapans et de leur accusateur.

Le maître des lieux laissa mariner d'autres accusateurs et accusés, et revint à ma requête, qui l'inspirait davantage, apparemment, que ces affaires de routine. « Donc, monsieur… monsieur Pascal Beck… » Je baissai brièvement les yeux. « Donc vous enquêtez sur la disparition d'un étranger – français comme vous… monsieur… Corto… Da Costa ? » Il ferma d'un coup sec sa boîte de cigares. Je me sentis dans la peau des deux gamins chapardeurs. Le commissaire ne se prenait plus pour Saint-Louis sous son chêne : il me fixait d'un regard aigu, bienveillant, certes, mais empreint de sévérité. « Oui… c'est ça… enfin en quelque sorte… » Je mélangeais dari et anglais, ce qui était non seulement inutile mais un peu ridicule. « Je n'enquête pas, ça c'est votre travail. Non, je cherche simplement à savoir ce qu'il a pu devenir. Nous sommes inquiets, d'habitude, il nous prévient toujours quand il part faire un reportage… »

Je repris mon souffle. Le commissaire affichait un sourire distant mais encourageant, comme un psychanalyste. Il avait glissé sa carte de visite sur le bureau : une œuvre d'art, lettres dorées sur fond noir. « Commissaire Abdoullah Wardak – Chef de la police – Quartier Parwan ».

Nous fûmes interrompus par l'entrée sans discrétion d'agents encadrant les deux petits voleurs accablés. Le policier le plus gradé exhiba fièrement un bout de ferraille, probablement le fameux enjoliveur. Suivait le boutiquier spolié et hargneux, avec des airs de Gengis Khan. La suite fut confuse, mais je devinais que les gosses n'avaient même pas réussi à brader leur butin, et qu'ils l'avaient rapporté chez l'un d'eux, le dissimulant naïvement sous un matelas. Le vieux, après avoir réclamé une peine exemplaire pour les coupables, finit par entendre raison et s'éclipsa avec son bien.

Abdoullah Wardak fit un long discours, qui semblait s'adresser à moi, sur le thème « qui volait un enjoliveur finirait grand malfrat » (et pourrait aussi bien faire disparaître son meilleur ami ?), visiblement motivé par l'envie de démontrer à un *khâledji*, un étranger, qu'ici aussi on était épris de justice, d'équité, et qu'on avait des principes. Il était satisfait d'avoir un auditoire pour une fois digne de lui. Mais il témoignait dans le même temps de l'affection pour les deux graines de gangsters. Il décréta *in fine* que ceux-là allaient passer la journée au poste, pour marquer le coup. L'affaire de l'enjoliveur en resta là.

Le commissaire revint à mon cas. « J'ai à peu près compris vos motivations, attaqua-t-il. À vous et à votre… ami… disparu. Vous vous ennuyiez chez vous, vous êtes de cette espèce d'Occidentaux qui ne croient plus en grand-chose et qui échouent ici ou là, par hasard, et qui y restent, par inertie… » J'étais bouche bée. Je ne savais pas s'il pensait ce qu'il disait ou s'il jouait avec moi. Son visage restait impassible. Après un silence pesant, il décida de redevenir affable et souriant. « Je vais voir ce que je peux faire, monsieur Pascal. Je vous appellerai si j'apprends quelque chose. Mais vous imaginez bien que j'ai d'autres priorités, que mon pays a d'autres priorités. »

Il fit mine de se lever pour mettre un terme à notre entrevue. J'allai l'imiter quand il décida de se rasseoir et de se caler dans son fauteuil, fixant d'abord un de ses téléphones, puis un autre, avant de me regarder dans les yeux. « Vous vous sentez bien dans ce pays, j'imagine. Vous parlez un peu la langue, vous connaissez du monde, mes compatriotes vous aiment bien, vous respectent. Vous êtes un peu comme chez vous ici, vous êtes... en famille. Mais un conseil : ne faites jamais confiance aux Afghans... Jamais. À aucun. Ici, tout change le temps d'un claquement de doigts : un ciel serein devient tempête de vent, l'affection se transforme en haine, la politesse en violence, l'ami en ennemi. Vous connaissez des Afghans sympathiques, fidèles, attachants. Ils trouveront certainement un intérêt à votre relation – ne me dites pas que vous n'avez jamais fait des cadeaux à votre ami, là, Enayat... » Il s'amusa de mon étonnement. « Mais, au bout du compte, de ce pays, quoi que vous fassiez, vous en serez chassé. » Il se caressait le menton. « C'est dans notre sang, on ne supporte jamais longtemps les étrangers. »

Il souriait, pour bien souligner qu'il ne s'agissait pas d'une menace, ni même d'une mise en garde, mais simplement d'un état de fait.

*

Alors que je rentrais au restaurant, épuisé par cette virée, j'aperçus quatre de mes serveurs se baignant, en caleçon, dans la piscine. Ce que j'avais formellement interdit, autant par principe que par hygiène. J'allais leur chanter la messe en breton quand Enayat me tomba dessus, paniqué.

« Monsieur Pascal, on a besoin de toi ! Massoud n'est pas venu ce matin et à part moi personne n'est capable de noter les commandes... »

Je jetai un regard circulaire sur la terrasse et le jardin et ne vis qu'une quinzaine de clients attablés. Puis je dévisageai Enayat : ses traits étaient altérés par l'angoisse. Il tenta, en vain, d'esquisser un sourire. « C'est très grave ! Tu vas m'aider ? » Il m'avait communiqué son stress. Les rares fois où j'avais officié comme « maître d'hôtel », j'avais perdu les pédales et je m'étais fâché avec la moitié de mes amis-clients, qui m'exaspéraient avec leurs exigences culinaires. Entre les Anglo-Saxons qui ne voulaient leur magret que « très très cuit », les Français qui râlaient s'il n'était pas « rosé », et mes cuisiniers qui faisaient à peine la différence entre les deux, j'avais rapidement craqué.

Je haussai les épaules en souriant. « Allons, Enayat, débrouille-toi tout seul ! Il n'y a pas grand monde ! Moi, j'ai plein de boulot… » Je le plantai là et, dans mon dos, il me sembla entendre un gémissement.

Je partis à la recherche de mes employés indisciplinés qui s'étaient éclipsés en m'apercevant, quand je découvris Pia, prostrée sur une chaise longue dans un coin du jardin. Il n'était pas habituel de la surprendre ainsi. Je m'approchai et m'assis sans un mot à côté d'elle.

Elle finit par se ressaisir. « Alors ? Ton commissaire ?

— Bof… C'est un premier contact… pas vraiment utile, mais j'ai eu une bonne impression. Je pense qu'il va se bouger… Et toi ?

— Rien. Personne ne sait rien. Et surtout personne n'a l'intention de faire quoi que ce soit. Certains ont même ricané, du genre "venant de lui, c'est pas étonnant" ou "il a une de ses crises, il réapparaîtra". Il n'y a que les Afghans qui ont montré un peu de sympathie envers moi. Mais ils n'ont aucune idée de ce qui a pu se passer. Farid attendait des nouvelles pour accompagner Corto dans le Kounar. Comme tu le sais, ils devaient essayer de rencontrer des talibans dans une semaine. Quoi qu'il en soit, il faut passer à la vitesse supérieure pour essayer d'obtenir des informations... »

Se pouvait-il que notre ami ait disparu pour de bon, corps et âme, gommé du monde des vivants, sans laisser de traces, comme englouti par ce pays ? Était-il au fond d'un puits, dans une cave avec des fers aux pieds, en cavale, dans une fumerie d'opium clandestine... ?

Mes sentiments étaient ambigus, difficiles à définir. Par chance, ma nonchalance jouait à plein son rôle d'amortisseur avec la dureté du monde.

Pia se tourna vers moi et tenta de lire dans mes pensées, ce qui me mettait toujours mal à l'aise. J'affichai une mine qui se voulait impassible, tout en étant assailli par des fragments de souvenirs douloureux. Deux scènes plus précises, l'une se déroulant dans la campagne cambodgienne, l'autre au fin fond de l'Afghanistan, me revinrent en mémoire, avant de s'effacer aussitôt... « Tu ne dis rien ?

— Pardon ?

— Tu n'es plus avec moi, Pascal.

— Excuse-moi. Je pensais à Corto. »

Je posai gentiment une main sur son genou. Elle ôta ses lunettes à la monture fragile, pencha sa tête de côté et la cala sur mon épaule. Je caressai ses cheveux si doux.

Pia avait souvent joué de mes sentiments à son égard, sentiments qui, fondés sur mes névroses vis-à-vis des femmes en général, atteignaient avec elle un sommet : un mélange détonnant de désirs contrariés, de misogynie assumée, de ressentiment et d'affection. J'étais le premier à l'avoir rencontrée, Corto l'avait connue grâce à moi, mais cette antériorité historique appartenait depuis longtemps au passé. Cette situation me convenait. J'aimais d'autant plus Pia qu'elle n'était pas disponible.

Je cherchai des mots affectueux à lui murmurer mais rien ne vint. Alors je décidai simplement de lui faire plaisir. « Je vais parler à José.

— Ton pote du Cambodge ?

— Oui. Il vient tous les jours ici. S'il y en a un qui peut nous aider, c'est bien lui.

— Oui, c'est une bonne idée. J'espère qu'il est déjà au courant ! C'est quand même son boulot. Et... Tu m'écoutes ?

— Oui. »

Elle sembla un peu apaisée et s'abandonna encore un instant contre moi, cherchant, sans y croire tout à fait, à recevoir un peu de ce qui lui avait toujours manqué, les hommes qu'elle avait connus ayant été plus enclins à prendre qu'à donner. Elle n'en avait d'ailleurs pas fait toute une histoire, jusqu'à ce jour. Cette âpreté, dans son travail comme dans sa vie sentimentale, elle l'avait choisie. Elle avait fui le Danemark en se libérant de lourdes chaînes : sa petite ville d'origine, figée dans ses conventions et ses routines, une famille oppressante, un père malfaisant, manipulateur… Elle avait ensuite pu jouir, pendant plus de vingt ans, de cette existence en apesanteur : voyages incessants, hôtels confortables, rencontres légères… Mais aussi perte de repères, relations insignifiantes, échanges dans une langue anglaise formatée, sans soubassement ni miroitements… Les saisons avaient filé et elle commençait à sentir venir ce moment où, femme dans la quarantaine, seule et sans enfants, il allait falloir s'acquitter du prix de toutes ces réjouissances, de cet excès de liberté.

Je la sentis se ressaisir. Sa nature à la fois anxieuse et combative ayant repris le dessus, elle se leva et décida qu'il était temps de se remettre au travail. Elle se sauva.

« Enayat ! » hurlai-je.

*

Nous étions entrés, mon ami afghan et moi, dans une bicoque insalubre d'un quartier périphérique de Kaboul et je me disais que Corto ne m'aurait jamais accompagné dans ce genre d'endroits. Non pas qu'il soit pudique ou simplement trop délicat, mais, ne cessait-il de me répéter chaque fois que je lui proposais de partager mes petites aventures à moi : « Je vis suffisamment de situations inconfortables pour remettre le couvert quand je ne suis pas en reportage. »

Ce lieu faisait office de hammam, selon Enayat. Une fois qu'on y était, que l'on s'était habitué aux murs suintants, couverts de moisissures et de taches noirâtres difficiles à identifier, et que les odeurs fortes de vieille crasse, de pieds, et d'autres parties de corps humains rarement lavés, devenaient familières, agrémentées du fumet piquant du bois qui brûlait dans les poêles chauffant l'eau, cette baraque où se pressaient des hommes de tous âges pour leurs ablutions hebdomadaires, ou simplement pour un moment de détente, pouvait devenir un espace privilégié où les corps s'aspergeaient, s'ébrouaient, respiraient enfin, loin des convenances sociales, débarrassés de toutes ces frusques superposées et des pieuses décences.

J'avais senti le besoin de m'éloigner du Bout du Monde, ainsi que des angoisses qui me terrassaient. L'état pitoyable de mon corps m'avait poussé à réagir.

Kaboul était une ville sèche et sale, ensevelie sous les miasmes, excrétions, excréments, immondices... Sans parler de la présence de toutes sortes de bêtes farouches mais tenaces : chiens errants, chats sauvages, rats voraces, cafards acharnés. Nous avalions, inhalions, absorbions sans trêve ces rafales d'émanations putrides, de fumées toxiques, de crasse collante… L'atmosphère, gorgée de relents de vieille barbaque de mouton, nous étouffait.

Les conséquences étaient là : maladies de peau, mains noires, pieds lardés de crevasses, gerçures… Les informations médicales concernant la population étrangère de Kaboul prenaient souvent une tournure poignante : « Damien a chopé un abcès au foie gigantesque », « Pierre-François héberge des amibes très rares »… L'Afghanistan usait, agressait sans relâche les corps et s'il était inconvenant d'évoquer nos inconforts de riches alors que les Afghans, eux, souffraient davantage encore et mouraient tôt, on ne pouvait passer sous silence ce qui nous menaçait, ici : la décrépitude accélérée.

Après nous être déshabillés, Enayat et moi avions franchi, la taille ceinte d'un fin tissu à carreaux bleus et blancs qui nous tombait jusqu'aux genoux, l'ouverture en arc qui donnait sur une petite salle chaude et humide. Là, autour d'une vasque d'eau, circulaient ou se reposaient des hommes et quelques enfants. Des pères frictionnaient gentiment leurs fils.

L'ambiance était paisible. Plus joyeuse, également, que celle des mariages, où les hommes et les femmes faisaient, là aussi, pièces à part, mais mangeaient, dansaient et tentaient de s'amuser dans une atmosphère lugubre, baignant dans la frustration.

Armés d'une cuvette et d'un gant de toilette, nous nous livrâmes à quelques ablutions. La peau des gens qui nous entouraient était purifiée, brillante.

Enayat m'avait promis un massage. Il n'avait pas précisé qu'il pensait me le donner lui-même.

Il avait quarante-six ans comme moi et, comme moi, en paraissait plus. Dodu, moins poilu que ses compatriotes en général, le visage rasé de près, il n'était pas repoussant, mais je n'avais pas envie d'abandonner mon corps entre ses mains.

« Et une fille, ce n'est pas possible ? » lui-demandai-je pour gagner du temps, alors que je connaissais bien sûr la réponse. Il ne comprit pas la blague, et se mit à parler à voix basse, en jetant des regards anxieux autour de lui. « Non, les filles, c'est *gôna*, c'est péché. Tu préfères que je demande à ce monsieur, là ? C'est un excellent masseur… » Il avait désigné un grand barbu, couvert de la tête aux pieds de poils très noirs. « Pourquoi pas. Ou… un plus jeune… celui-là par exemple ? » Un garçon de seize ou dix-sept ans, qui n'avait qu'un duvet sombre en guise de parure faciale, se frottait le ventre avec délectation, à quelques mètres de nous.

« Il ne voudra pas.

— Comment ça, il ne voudra pas ? Et si je le paye ?

— Il ne voudra pas non plus. Il vaut mieux ne pas insister.

— Et comment tu le sais ?

— Il est avec son père, qui est là-bas.

— Mouais… On n'est même pas sûr que ce soit son père. Vous êtes tous un peu louches, quand même… »

Le regard indulgent, comme à l'accoutumée, qu'Enayat posait sur moi était teinté d'un léger mépris qui m'était également familier.

J'optai, de mauvaise grâce, pour le colosse velu. Enayat alla lui parler et, tout en écoutant mon ami, il me regarda, impassible. « Pour Épicure, m'avait expliqué Corto, autrefois, l'Autre est celui qu'il faut charmer, par la douceur et par la sensualité. »

On m'indiqua un tapis de sol détrempé où m'allonger. Je me mis sur le ventre et l'homme s'attaqua à ma carcasse, alternant vigueur et délicatesse.

Me revint alors, sans raison évidente, une discussion avec Enayat sur l'islam. Nous partagions le même point de vue : la religion musulmane n'attribuait pas de connotation paternelle à la figure divine. À l'heure du grand déracinement, dans un monde à la dérive, ce n'était pas sans désavantage. J'avais alors demandé à mon ami afghan s'il voyait en quoi sa croyance influençait sa vision du monde. Il m'avait répondu en riant : « Tu sais, il y a beaucoup de musulmans… qui ne sont pas vraiment musulmans. On fait juste comme tout le monde, pour ne pas se faire remarquer. »

Le masseur m'étirait, malaxait les muscles, frottait le derme. Enayat s'était assis à côté de nous et me souriait, comme pour me rassurer.

« Enayatoullah ?

— Oui, Pascaloullah...

— Comment dire...

— Tu es triste, c'est ça ? Moi aussi, je l'aimais bien, monsieur Corto...

— Non, non, ce n'est pas ça. Et puis il n'est pas mort, Corto. Non je... voulais plutôt... Tu devines qu'un jour... je partirai... Tu sais que j'aime ton pays et que j'y ai été heureux. Mais tu devines aussi que ce n'est pas le genre d'endroit où on a envie de finir ses jours... Je veux dire : quand on est étranger.

— Oui, je comprends. Moi-même, j'irais bien vivre à Moscou. Ou à Paris !

— Oui, voilà... Et il y a quelque chose que je préfère te signaler maintenant. C'est que le jour où je partirai, il est probable qu'on perde peu à peu le contact... On va sûrement s'appeler de temps en temps. On sera peut-être amis sur Facebook, si tu arrives enfin à comprendre comment on se sert d'Internet. Mais, au fil des mois, des années, avec la distance... je connais tout ça... on n'aura plus rien à se dire, plus rien à partager... et... on passera à autre chose.

— C'est triste…

— C'est la vie, Enayat. Tu le sais. L'amitié, c'est comme l'amour, comme tout, ce n'est pas éternel… »

Il me regardait sans bien comprendre. Je rajoutai, davantage pour moi-même qu'à son intention : « Au moins, avec toi, j'en aurai parlé. »

Il jouait avec son gant de toilette. Ses épaules, bien rondes, s'étaient affaissées. Il hochait lentement la tête, pensif.

Après m'être enfin persuadé que les paluches de mon masseur ne seraient pas baladeuses, je me laissai aller à une douce torpeur.

4

Le jour se levait, un grand spectacle s'offrait à nous. La montagne qui dominait le lieu où nous étions était ronde, comme une moitié d'orange géante, verte, et s'y dressaient les silhouettes de quelques arbres, de quelques rochers. Un bois de bouleaux dessinait une courte moustache sur la face de ce dôme.

Le soleil émergeait et, tranquillement, étape par étape, projetait vers nous ses rais profonds, se heurtant aux obstacles naturels, mais allumant de belles éclaboussures de clarté sur de grands hêtres ou sur des parcelles de prairies.

En cette saison, de hautes graminées sèches et jaunes surmontaient, comme une deuxième strate, le vert dense des champs, et des touches colorées, des fleurs sauvages, surgissaient ici ou là. Ces vastes réserves d'herbes à foin étaient fauchées, fanées, puis entassées, à la fourche, sur des charrettes tirées par deux vaches, et enfin engrangées.

Le fond de l'air resterait frais jusqu'à midi, avant que tout ne s'embrase soudain.

Nous nous étions installés, Corto et moi, sur un surplomb rocheux, d'où nous jouissions d'une vue superbe sur la chaîne des Pyrénées. En bas, les vallées profondes ; en face, les montagnes couvertes de forêts de sapins sombres, aux reliefs marqués par des ombres dures, et, jaillissant vers l'infini ciel bleu, vers l'infini ciel léger, les sommets déchirés, tachetés de glaciers.

Dans notre dos se réveillait lentement le petit hameau, perché à 1200 mètres d'altitude dans le Luchonnais, où ma famille avait une maison de vacances et où j'avais invité mon ami, comme chaque été depuis trois ans.

Nous étions chez nous, ici. Nous avions nos habitudes, nos cabanes, et un bon copain, Gérard, dit Gégé. Nous avions aussi, bien sûr, nos coins à champignons, à fraises des bois et à myrtilles. Nos clairières secrètes, où nous observions les coqs de bruyère et parfois des chevreuils ou des sangliers, et notre rivière à truites.

Ce jour-là, assis tranquillement sur notre belvédère en pleine nature, nous attendions, en fixant la route qui montait de la vallée en serpentant et qui, après avoir traversé une forêt dense, débouchait à quelques centaines de mètres d'ici, à la sortie d'un dernier virage.

Le bruit courait depuis plusieurs semaines dans le village : une nouvelle famille de vacanciers avait acheté une maison et venait s'y installer cet été. Nous avions réussi à glaner quelques informations : le jour précis de leur arrivée, leur provenance – Bordeaux, ce qui, vu par des Toulousains, n'était pas de bon augure –, et, surtout, la composition de cette tribu : avec les parents, cinq enfants dont… quatre filles.

Nous nous étions levés aux aurores, pour ne pas risquer de rater leur arrivée. Ce projet, élaboré une semaine plus tôt, avait un fort parfum d'aventure.

« Tu as l'air triste… C'est toujours à cause du suicide de Mike Brant ? me charria Corto.

— Je ne suis pas triste, je suis crevé. Et on n'est pas sûr qu'il se soit suicidé…

— C'est vrai. Le Mossad…

— Ouais, ou la mafia, on ne sait pas.

— En tout cas, c'est con qu'il soit mort à vingt-huit ans, ton chanteur à minettes.

— Et pourquoi ?

— Parce que les grands rockeurs meurent un an avant : Jim Morrison, Janis Joplin… Et Brian Jones, et Jimi Hendrix… »

Nous entendîmes siffler et, en nous retournant, nous aperçûmes la silhouette trapue de Gégé qui gravissait, faux sur l'épaule, un raidillon au-dessus du village. Nous échangeâmes, de loin, un salut de la main. Il avait dû se lever tôt, lui aussi : fils d'éleveurs de moutons, il travaillait aux champs. Gégé était un peu plus âgé que nous – Corto et moi venions d'avoir quinze ans. Il était à la fois plus mûr, plus adulte, mais aussi enfantin, dans sa façon de s'exprimer, avec ses mots simples.

Je regardais les montagnes et Corto me regardait. « Tu ne m'avais pas dit que ton père devait nous rejoindre pour la fin des vacances ?

— Non. Ça m'étonnerait.

— T'es crevé ou t'es de mauvaise humeur ?

— Ouais, excuse-moi. C'est que… j'ai appris ça hier soir… en fait, mes parents vont se séparer…

— Merde alors… désolé.

— C'est la vie… Mon père a obtenu sa mutation à Paris. J'imagine qu'il va rejoindre sa nana.

— Et… comment dire… il n'est pas triste de te quitter, toi ? Ton grand frère, c'est pas pareil, il a déjà décampé, mais toi ?

— Il s'en fout, je pense. Non, en réalité, je crois plutôt qu'il n'avait pas envie d'attendre que je finisse ma crise et que je redevienne sympa avec lui.

— Donc tu imagines qu'il a quitté ta mère pour en fait… te quitter toi ?

— Oh bravo ! Monsieur Freud… Mais non ce que je veux dire c'est… Pff… J'en sais rien… Il ne m'a pas proposé de venir habiter à Paris.

« — Et ça te plairait ? Pas qu'il te propose, ça j'ai bien compris, mais d'aller vivre chez les Parigots ?

— Je ferais pas ça à ma mère. Mais plus tard, pourquoi pas. Tout le monde pense que je suis un garçon fragile, que j'ai peur de tout, mais tu verras, un jour. J'irai loin. Tu comprends ce que je veux dire ? Pas "loin" comme monter "haut". Loin dans le monde, je veux dire.

— Oui enfin… t'as envie de voyager, quoi.

— Ouais, si tu veux. Mais pas comme un touriste. Découvrir des trucs, explorer…

— Ah ben pour quelqu'un que j'ai quasiment dû forcer à lire Henri de Monfreid et Kipling !

— C'est vrai. Et Conrad…

— En tout cas t'es doué pour plein de trucs : le piano, par exemple. À ta place, je foncerais dans une seule voie, pour aller jusqu'au bout. Pour voir.

— Pourquoi pas. Mais tu sais quoi ? Je suis sûr que si tu t'y mettais, au piano, tu serais vite meilleur que moi.

— Arrête. »

Il me tapota dans le dos. Nous jetâmes un coup d'œil vers la route, au sortir de la forêt, au cas où. L'attente excitante devenait frustrante.

J'aurais bien continué à rêvasser sans parler, mais Corto n'aimait pas le silence. « Mon avis, c'est que tu as plus le désir de partir… que d'arriver quelque part.

— Hein ?

— Tu veux te barrer, Pascal !

— Mouais… C'est pas faux. Et toi ? Tu bougeras ?

— Moi ? Non. J'ai des voyages intérieurs à accomplir. J'aurais d'ailleurs bien continué les discussions avec ton père, sur les différents types d'infini, tout ça. Tu sais ce qu'on dit : la théorie des ensembles est un paradis créé par Cantor pour les mathématiciens… Eh bien c'est là que je pense vivre. En même temps, je commence à me dire que c'est trop beau pour être vrai. Ce monde fermé sur lui-même. C'est d'ailleurs pour ça que j'ai hésité à passer en seconde C.

— Ouais, mon vieux Corto, t'as choqué tout le monde, avec ça ! Remarque, je t'ai compris moi, les maths, depuis la quatrième, ça me gonfle.

— Je sais. Moi, c'est plutôt que j'ai envie de me consacrer à la philo. Les maths, je commence à en avoir fait le tour.

— Ta modestie fait toujours plaisir à voir.

— Non mais regarde, Pascal, tout ce qui est intéressant… J'ai pensé à ce qu'on s'est dit hier. Tu sais, sur le dahu : qu'on voulait faire la vieille blague aux Bordelais…

— Ouais, plutôt aux Bordelaises !

— T'as raison. Et je me suis dit : oui, mais bon, si ces filles y croient, au dahu, ou simplement l'imaginent, est-ce que finalement il n'existe pas, d'une certaine manière ? Et dans ce cas, ce serait nous les dindons de la farce, au bout du compte...

— On organisera une chasse aux dindons.

— Non, mais je suis sérieux. Je pense que je ne suis pas d'accord avec Kant, pour qui la réalité ne peut pas être atteinte et... Tu m'écoutes, Pascal ?

— Quoi ? Je pensais à ce que tu me disais... sur l'envie que j'avais de me barrer...

— Et moi, je te parle de Kant.

— Kant ?! Tu ferais mieux de lire Proust, comme tout le monde. Bon, arrête de nous saouler. »

Il tourna la tête vers moi, pour voir si j'étais sérieux. Je savais bien que je ne l'avais pas vexé, même s'il n'était pas un champion du monde de l'humour. C'était un animal à sang froid, difficile à déstabiliser, à émouvoir. Et qui maniait facilement l'ironie vis-à-vis des autres. Il dut deviner que je regrettais déjà mes paroles, mon ton. Il décida, comme à son habitude, de porter l'estocade. « T'as raison : continue d'écrire tes petits poèmes... »

Je me mis à bouder un peu, pour le principe. Avant de me rappeler que Corto était mon lecteur le plus enthousiaste. Et, surtout, je n'avais pas le désir de me retrouver seul dans mon coin. Je décidai de passer l'éponge et lui envoyai une bourrade. Il me regarda avec son air indulgent, comme si je n'étais qu'un enfant à qui on pardonne ses sautes d'humeur. « Tu sais quoi, Pascal ? T'es qu'une petite brêle…

— Et toi, un gros conneau…

— *Mé fas cagat…* »

Nous sortîmes la gourde en peau de chèvre dont mon père était si fier. J'avais mis dedans un peu de vin, dans la nuit, en rajoutant de l'eau, ce qui était un sacrilège. Nous bûmes à la régalade, à tour de rôle, en faisant gicler des filets de ce breuvage directement dans nos bouches.

Le soleil commençait à taper dur, et nous fûmes vite un peu saouls. Nous nous levâmes pour nous étirer.

Si, en sixième, c'était notre différence de taille qui frappait avant tout – sans parler, bien sûr, de la couleur de peau –, aujourd'hui, alors que j'avais grandi d'un coup, il s'agissait, entre nous deux, d'une opposition de carrures, de proportions, d'accomplissement physique. Corto était bien bâti, musclé, vigoureux, alors que j'étais malingre et souffreteux. Et, aussi, il avait le visage de Rudolph Valentino alors que j'étais le portrait craché de Stan Laurel.

Dans l'espoir de ressembler davantage à mon ami, je m'étais laissé pousser les cheveux, ce qui me donnait finalement un air d'enfant sauvage, alors que lui avait tout d'un prince indien.

Ses origines restaient pour moi un mystère. Corto m'avait pourtant invité plusieurs fois dans leur deux-pièces sombre de ce quartier populaire du Mirail, où il m'avait présenté sa mère, Yvette, et sa petite sœur, Dina. Mais, bien que bavard de nature, il évitait en revanche à son sujet, et surtout concernant sa famille, les confidences trop personnelles. Il localisait son ascendance dans une contrée d'hommes virils, au poil noir. Il m'avait révélé un jour, à moitié sur le ton de la plaisanterie, que son père était un pirate à la retraite, à ce jour probablement mort alcoolique, qui les avait abandonnés alors que Corto avait trois ans. Puis il avait rectifié, à peine plus sérieux : « Enfin, il était marin, quoi. » D'où, d'après lui, le choix de son prénom, en hommage à Corto Maltese, personnage que ses parents vénéraient, mais je n'avais pas réussi à y croire, et imaginer Yvette, femme illettrée, plongée, sur un canapé défoncé, dans la lecture de bandes dessinées, avait provoqué chez moi un fou rire, finalement communiqué à mon ami.

Il appelait Yvette « Mémé », en m'affirmant que c'était une tradition familiale. Et comme elle ne paraissait pas assez âgée pour être sa grand-mère, je l'avais cru.

L'abus invétéré de chocolats bon marché avait transformé Mémé, au fil des ans, en fantasme fellinien. Avenante et courtoise avec tous les étrangers à leur famille, elle cumulait, au sein de leur foyer, avec ses enfants, des défauts ordinaires, mais que l'on n'associe généralement pas : elle était tout à la fois surprotectrice et égoïste, possessive et punitive… Elle maniait avec la même maestria les tendres gentillesses et les coups de martinet. Dans une alternance sans logique. Ses enfants ne pouvaient donc pas prévoir, à tel moment donné, s'ils allaient tomber sur la maman d'Albert Cohen ou sur Folcoche.

J'avais fini par deviner, en surprenant une conversation entre Dina et sa mère, que cette dernière parlait couramment espagnol. Mais ce n'était en tout cas pas elle qui avait donné sa couleur de peau à son fils. J'aurais probablement pu en découvrir davantage en posant les bonnes questions, mais on se fiche un peu de tout ça, à onze ou douze ans, et, ensuite, on évite le sujet, gêné, quand on est censé connaître la vie de son meilleur ami.

Lui, connaissait la mienne : j'avais été trop heureux de faire étalage de tous les coins et recoins de mon existence bourgeoise. À commencer par notre belle maison, dans le quartier du pont des Demoiselles, rue du Japon. Corto avait tout de suite été fasciné par l'histoire de cette habitation, achetée par mes ancêtres à une riche famille toulousaine, les Labit.

À la fin du XIXᵉ siècle, le fils, Georges Labit, passionné par les arts orientaux, avait fait édifier, de l'autre côté de la rue, un musée portant son nom, destiné à abriter toutes les collections exotiques acquises au cours de ses multiples voyages à travers le monde. J'avais pris un air blasé pour raconter à Corto, dont les yeux brillaient, que ma famille avait acquis la demeure, destinée à ce Georges, à la suite de sa mort brutale et mystérieuse, à l'âge de trente-sept ans, la veille de son mariage. Son père, un homme d'affaires prospère, avait préféré, pour préserver l'honneur posthume de son fils, ne pas révéler les causes de son décès, et s'était opposé à toute enquête. Ce qui avait déclenché, bien entendu, toutes sortes d'hypothèses farfelues : castration par une ancienne maîtresse, assassinat en pleine rue à l'aide d'une flèche empoisonnée... De belles morts pour cet aventurier.

J'avais alors amené Corto visiter le fameux musée, magnifique villa de style néo-mauresque, au dôme couvert de tuiles émaillées bleu turquoise. Je pensais l'impressionner avec la présentation d'une momie, enveloppée d'un linceul au fond de son sarcophage, la tête enserrée dans un suaire réduit à l'état de charpie. Mais mon ami avait haussé les épaules et s'était dirigé vers des sculptures du Bouddha. Il était resté là un bon moment, concentré, fixant ces œuvres du Gandhara, le nom antique d'une région située dans le nord-ouest de l'actuel Pakistan et dans l'est de l'Afghanistan.

Après le musée, je lui avais fait découvrir mes cachettes, dans notre jardin à la végétation luxuriante et exotique, où s'épanouissaient

harmonieusement grands cèdres du Liban, palmiers, acacias, pommiers du Japon, cerisiers
orientaux, forsythias, bambous, mimosas, lauriers-
roses... Puis nous avions enchaîné par la visite de
ma vaste chambre, dans une sorte de belvédère
avec vue sur le canal du Midi. Corto avait eu
droit à mon piano droit Steinway, qui trônait
dans un petit salon réservé ; à notre télévision
Pathé Marconi avec deux chaînes en couleurs ; aux
appartements de mon grand frère, au sous-sol, qui
avaient tout d'une boîte de nuit à la mode, avec ses
boules à facettes, ses spots à lumière noire et son
bar. Mais Corto avait surtout été impressionné en
pénétrant dans le bureau de mon père, aux murs
couverts de livres. Par la suite, lors de chacune de
ses visites, mon ami baissait respectueusement la
voix lorsqu'il passait devant ce qu'il voyait comme
le sanctuaire du savoir (et qui n'était pour moi
qu'une pièce avec mon père dedans).

Outre leur connivence de matheux, autre chose
rapprochait Corto et mon père et me rendait
jaloux : tous les deux étaient issus d'un milieu
modeste. Corto y était encore immergé, alors que
mon père s'était élevé dans la hiérarchie des classes
grâce à l'école et son ascenseur social. Et par son
mariage avec ma mère issue, elle, de la bourgeoisie
intellectuelle et huguenote.

En accueillant Corto chez moi, j'étais tiraillé
entre deux arrière-pensées. Qu'il constate à quel

point je m'épanouissais dans un cadre exceptionnel, entouré par une famille aimante et soudée, les preuves matérielles de ma plénitude s'étalant autour de nous. Mais qu'il se rende compte, également, et qu'il en soit compatissant, que, contrairement aux apparences, j'avais une vie tragique.

Quand on visitait les coulisses de notre existence idyllique, on découvrait que mon père profitait de ses longues heures passées dans son bureau pour cloper des gauloises sans filtre, et cela malgré une toux chronique. Il traînait ce vice depuis ses treize ans. Si je souhaitais être plaint par Corto pour cette addiction paternelle, il me semblait également édifiant, pour mon nouvel ami, qu'il prenne conscience qu'on ne naît pas fils d'ouvrier ou de pirate sans impunité.

Ma mère, elle, ne souffrait pas de telles dépravations, mais, justement, son manque de défauts s'apparentait, pour moi, à une tentative de nuire à mon équilibre personnel. Elle était l'une des premières femmes à être devenue ministre du saint Évangile. Pasteur calviniste de l'Église réformée de France. Au service de Jésus-Christ, mais aussi de ses enfants, qu'elle vénérait autant que le Seigneur, d'un amour puissant mais âpre, ascétique. Un sacerdoce pesant, qui avait suscité chez moi un penchant congénital pour l'examen de conscience et une mortification abusive de la chair.

Enfin, mon frère, lui, pas traumatisé par la religion, ne pensait qu'aux filles et au rugby – surtout aux bagarres générales qui allaient avec ce sport –, et ratait avec détermination ses études.

Nombreux sont les enfants à survivre à cet environnement atroce, me répétais-je jour après jour. Mais j'avais ajouté à cette situation familiale anxiogène ma touche personnelle, une complexion morale toute particulière. Après une enfance solaire, j'étais devenu, dès l'apparition de mon premier poil pubien, l'incarnation de l'inhibition et du mal-être. J'étais prédestiné à être damné. À douze ans, ma conviction était faite : ma vie était derrière moi.

Corto, lui, plongé d'un coup dans cet univers, ne sembla ému ni par notre nirvana de nantis, ni par mon mélodrame personnel. Il était là comme un poisson dans l'eau ou, plutôt, comme Mowgli dans la jungle : à l'aise, sans appréhension, sans complexe.

*

En milieu d'après-midi, surgit, enfin, du dernier lacet de la route menant au village, un Combi Volkswagen orange, sur lequel étaient peints des nuages et des fleurs. Nous nous étions réfugiés,

Corto et moi, à l'ombre d'un bosquet de noisetiers et n'avions pas vu arriver assez tôt ce véhicule d'extraterrestres. Nous allions maintenant nous contenter de le regarder passer, spectateurs passifs, juste en dessous de notre repaire. Mais le conducteur, après nous avoir aperçus, eut la bonne idée de s'arrêter. Sa passagère, une femme d'une quarantaine d'années, abaissa sa vitre et nous fit un signe amical de la main. Elle était vêtue d'une veste en jean et avait d'épais cheveux ébouriffés. Autour de son cou, un gros collier en coquillages complétait le tableau.

« Des hippies… » chuchota Corto. Excités, nous nous étions levés d'un bond. Juste le temps de réenfiler mon tee-shirt, Corto, lui, préférant rester torse nu – il ne détestait pas exhiber sa musculature. Alors que nous dégringolions le talus qui surplombait la route, toute la tribu surgit en même temps des deux côtés du Combi pour venir à notre rencontre. Nous vîmes tout d'abord quatre enfants – trois filles et un garçon – et nous fûmes déçus. Puis surgit, derrière eux, une jeune fille qui devait avoir à peu près notre âge. Celle dont on rêvait, sans oser y croire… Je crus avoir une hallucination : elle était le sosie d'Agnetha, la chanteuse du groupe Abba. Mais pas question de partager mon impression avec Corto, qui méprisait ce genre de musique. Blonde, jolie et, surtout, bien gaulée. Vêtue de blanc cassé : longues bottines, jupette et bustier échancré, qui laissait nus le ventre, les bras et une bonne partie de la poitrine.

Corto pouffa, ce qui n'était pas forcément, selon moi, la meilleure attitude à adopter. Peut-être essayait-il de dissimuler un accès de timidité inattendu de sa part... Encore que, sans gêne apparente, il s'adressa directement à la fille de nos rêves : « C'est vous, les Bordelais ? » Elle sembla déconcertée par cette entrée en matière et fit un pas de côté, laissant son père s'imposer dans notre champ de vision. Un barbu jovial, moins déguisé que sa femme et sa fille.

« Oui, jeune homme, c'est nous. Bonjour ! Vous êtes d'ici, peut-être ? Excusez nos enfants, ils ont l'air un peu sauvages, en fait ils ont été impressionnés par la route. Il faut dire que ça grimpe, hein ! »

Tout le monde s'observait, mal à l'aise. Seul Corto était décontracté.

Le père nous demanda si on pouvait leur montrer le chemin jusqu'à leur maison et l'on s'entassa avec eux dans le camping-car. Corto et moi encadrions Agnetha, que ses parents appelaient Val, diminutif qui l'agaçait. Elle nous demanda d'utiliser son véritable prénom, Valérie. Elle avait un accent bordelais délicieux, plus léger, à mes oreilles, que le toulousain.

Je réalisai que Corto et moi devions puer comme des boucs : alors que, pendant ces vacances

à la montagne, nous n'étions pas des incondi-
tionnels de l'hygiène, nous venions de passer une
bonne partie de la journée à transpirer au soleil,
sans parler de notre haleine, révélant forcément
que nous avions bu du gros rouge. Cela n'empêchait pas Corto de se serrer contre Valérie et de
plonger son regard, sans vergogne, dans son décol-
leté. Je la sentais mal à l'aise. Elle se tourna vers
moi, cherchant à entamer une vague discussion.
Et n'obtint en retour que quelques grognements.

« Tu devrais remettre ton tee-shirt, glissai-je à
mon ami, ce serait plus… convenable. » Il éclata
de rire, imité, pour ma plus grande confusion, par
Valérie, puis par tous les enfants autour de nous.

Après une courte bouderie, apercevant un
tourne-disque dans un coin de l'habitacle, je tentai
de reprendre la main. « Tu connais Abba, Valérie ?

— Oui, bien sûr ! C'est très très chouette !
Waterloo…

— Oui, et *I do, I do, I do*…

— Super bath ! »

Elle se tourna vers Corto. « Et toi ? » Il fit
une grimace et je parlai à sa place : « Oh lui ! Il
n'aime que des trucs comme… Violet Foncé, les
Flamants Roses…

— Deep Purple, Pink Floyd, bougonna-t-il en
haussant les épaules.

— Ah oui ? J'aime bien ça aussi ! » s'écria
Valérie. Et elle se mit à fredonner *Sugar baby*

love. Corto s'esclaffa, en lui posant la main sur la cuisse. «Non, ça c'est The Rubettes... Faudrait demander à Pascal son avis, il connaît bien... En tout cas, c'est pas du rock!» Elle rit de bon cœur à son tour, puis passa le reste du trajet à écouter mon copain étaler ses goûts musicaux.

*

L'été d'avant, les jeux d'enfants avaient cessé de nous intéresser. Nous continuions à élever des têtards, à organiser des courses d'escargots et à bombarder de merises pourries les voitures des étrangers au village, mais le cœur n'y était plus.

Corto nous avait trouvé de nouvelles occupations, des pis-aller en attendant on ne savait quoi, mais qui allait bien finir par arriver.

Il s'était découvert une passion pour les plantes, par exemple. Il apprit ainsi à Gégé que dans la famille des urticées, on trouvait les banales orties, mais aussi les «orties puantes», nom vulgaire des stachydes des forêts, appelées encore «orties des crapauds». Gérard avait été fasciné. L'expression «orties puantes» avait déclenché chez lui une admiration sans bornes pour Corto, admiration qui ne devait jamais s'atténuer au fil du temps.

Avec la puberté et son cortège d'excitations qui nous tenaillaient, tous les trois, les connaissances naturalistes de Corto étaient moins destinées à nous édifier qu'à évoquer plus ou moins subtilement ce qui devenait, étape après étape, notre centre d'intérêt quasi exclusif. Vautrés dans nos cabanes secrètes, nous nous laissions bercer, et émoustiller, par la poésie de notre mentor qui, plongé dans ses grimoires, égrenait sans se lasser : « Trique-Madame ; Broute-Biquette ; Peigne-de-Vénus ; Clitopile-Petite-Prune ; Verge-d'Or ; Cucubale-à-Baies ; Aimez-Moi et Ne-M'Oubliez-Pas ; Queue-de-Loup ; Gants-de-Bergère ; Filasse-Bâtarde ; Toute-Bonne ; Brome-Mou et Brome-Dressé ; Langue-de-Femme ; Jonc-Fleuri et Jonc-Bulbeux ; Lactaire-Toisonné... » Chacun de nous, au fil des vacances scolaires, de nos transformations physiques et des humeurs de Corto, avait eu droit à plusieurs surnoms. Gégé passa ainsi de Herniaire-Glabre à Genêt-Velu en moins de deux mois, pour devenir, à la Toussaint suivante, Artichaut-Bâtard, sobriquet suivi assez vite, après la magistrale torgnole administrée par son père, par un Barbe-de-Bouc qui semblait définitif.

Une fille du village, plus âgée que nous et que Corto ne pouvait souffrir à cause de sa laideur, eut droit à Renoncule-Scélérate, Laiteron-des-Champs, Porcelle-Enracinée... pour finir en Bec-de-Grue.

Mon sort fut plus enviable : après un Houque-Molle de courte durée, je restai Gratiole. Gratiole ou l'Herbe-au-Pauvre-Homme. Une plante de marécages. Toxique.

Corto plongea également dans l'histoire des Pyrénées, ses contes et ses légendes. Les pierres dressées, censées attirer la puissance fécondante du soleil, le passionnaient, avec des rituels comme les danses nocturnes autour du « cailhaou d'Arriba Pardin », dans la vallée de Luchon, dont l'obscénité provoqua jadis la colère du clergé. Il nous fit un cours également sur les pierres à cupules, roches creusées par l'homme, abandonnées sur d'anciennes pistes de transhumance et liées aux civilisations pastorales. Corto considérait comme acquis qu'on y versait des libations de sang d'animaux, mais nous, nous préférions des versions plus légères, lait ou eau de rosée ou simple eau de pluie.

Il se mit ensuite à graver sur des troncs d'arbres, avec son Opinel, de schématiques sexes féminins, pour attirer fertilité et prospérité sur la commune, mais cette manie ressemblait plus, à mon avis, à une compulsion d'adolescent.

Ce rôle d'animateur de colo, il ne le jouait qu'en vacances. Au collège, chez lui ou chez moi, il était sérieux comme Kierkegaard. Il acceptait de faire des parties de Mastermind ou de ping-pong uniquement parce qu'il adorait me battre. Et il ne se lassait pas, non plus, de parler des filles, avec gravité. Mais ce qu'il préférait, et de loin, c'était rester plongé dans ses bouquins de sciences, de philosophie et, pour se détendre, d'aventures. Il considérait ces derniers comme une approche d'univers ignorés, comme une confrontation avec l'étranger. Sortir de la « prison que l'on se construit », ne pas rester enfermé dans « ce que l'on imagine être soi » lui semblait nécessaire pour mieux comprendre le monde. Je m'inquiétais un peu pour lui, car, s'il raisonnait souvent comme un vieux sage, il s'exprimait parfois comme un fou.

À chaque début de congés scolaires, nous redevenions vraiment complices, tous les trois – Gérard essayait tant bien que mal de nous suivre dans nos délires –, nous faisant la courte échelle à tour de rôle, pour gravir plus rapidement les échelons qui nous séparaient de l'âge adulte et de tous les projets prévus, pour rendre ce futur glorieux. Nous n'étions plus seulement une bande de copains, nous étions unis pour la vie.

Les étés nous paraissaient de plus en plus courts, au regard de ce qu'il nous restait à réaliser, pour achever les fondations de nos entreprises ambitieuses – accomplir des prouesses et faire des découvertes importantes, devenir célèbre, épouser une femme formidable et avoir des enfants –, et les loisirs de Corto me semblaient être une perte de temps. « Ne sois pas aussi sérieux ! » me taquinait-il, mais je voyais bien qu'il respectait mes aspirations à aller de l'avant et se montrait décidé à me suivre, voire à me précéder.

Il grava encore sur des arbres quelques sexes masculins, pour rire, avant de passer à autre chose. Nous nous étions alors mis à attendre que des filles arrivent dans nos vies. Et Valérie avait répondu à notre appel secret, à notre désir pressant.

*

Nous avions eu, Corto et moi, une idée géniale : organiser une partie de cache-cache, un soir, et inviter les Bordelais à y participer, une semaine après leur arrivée remarquée dans le village.

Les échanges avec Val avaient été rares, jusque-là. Ses parents, aussi babas cool qu'ils prétendaient être, la surveillaient de près. Corto ne l'avait vue en tête à tête que deux fois. Il me jura qu'il ne sortait pas – « pas encore ! » – avec elle. Et il affirma que si elle le trouvait « crâneur mais craquant », elle avait aussi un faible pour moi. « Elle te trouve touchant et ç'a l'air d'être un compliment… Tu la fais flipper également, à ne jamais rien dire. Je lui ai expliqué que lorsque tu es à l'aise, et que tu te sens aimé, il n'y a pas pire gros bavard chiant que toi. Elle trouve aussi touchant – c'est vraiment une fille ! – notre façon de penser pareil, d'utiliser les mêmes mots. Elle est plutôt fine. Pour une Bordelaise… »

Notre jeu de nuit était habituellement surtout prisé par les grands. Une bonne partie des gens du village y participaient. Tout le monde se retrouvait à la fontaine, sur la place, et deux équipes étaient alors constituées : les gendarmes et les voleurs. Les voleurs disparaissaient, les pandores devaient faire des prisonniers et commençaient par les gosses. Tout était alors bon pour atteindre la fontaine et libérer ses coéquipiers. Il n'y avait pas de règles du jeu précises : bien connaître le village et avoir de l'imagination étaient les principaux atouts. Certains sautaient tout à coup depuis le toit d'une grange au risque de se rompre les os, d'autres surgissaient des potagers avoisinants, après avoir piétiné les légumes, sans que personne n'y trouve rien à redire. Les comptes se réglaient le lendemain, quand les grincheux pleuraient leurs pieds de tomates ou leurs carrés de haricots verts saccagés.

Ces parties, au-delà du divertissement, étaient une plongée initiatique, brutale pour les plus jeunes, excitante pour les plus âgés, dans le monde d'un village de montagne, la nuit, avec ses mystères effrayants, ses renfoncements obscurs, les bêtes qui rôdaient… Les effluves de goudron chauffé par une journée de soleil, de foin engrangé dans l'après-midi, et les remugles de purin. C'était aussi les étoiles. Toutes les étoiles à portée de main, dans un ciel pur, unique.

Le soir prévu pour cette nouvelle partie, les parents de Valérie passèrent leur tour mais, soucieux de s'intégrer au plus vite à la vie du village, envoyèrent leurs cinq enfants y participer. Valérie arriva vêtue d'une simple salopette déchirée. Elle avait accepté l'idée qu'on ne s'habille pas comme une starlette de la chanson pour vivre dans ce pays bouseux.

Corto et moi franchîmes les premières étapes sans encombre : Valérie était dans notre équipe ; son frère et ses sœurs dans l'autre ; elle était suffisamment froussarde pour ne pas nous lâcher d'une semelle... Je n'étais pas sûr d'avoir bien saisi les règles du jeu imaginé par Corto et m'étais contenté de lui faire part de mon malaise : si l'occasion se présentait, je serais bien incapable d'entreprendre quoi que ce soit avec Valérie.

Une grange débordante de foin nous servit de cachette. L'odeur suave, miellée et entêtante, nous enveloppait et la poussière d'herbe sèche nous collait à la peau.

Nous fîmes chacun notre nid, pas trop éloignés les uns des autres. Gégé fut ensuite chargé d'aller éteindre l'unique ampoule nue qui pendouillait au-dessus de nos têtes, autour de laquelle s'agglutinaient des insectes. Une fois dans le noir, nous nous tûmes, à l'affût des bruits venant de l'extérieur. La voix étouffée de Valérie finit par rompre le silence : « Oulala, j'ai peur… » Un doux cri du cœur, suivi par des bruissements de foin piétiné discrètement. Puis le retour du silence. Ou presque. Quelques frôlements. « Non ! » jaillit, encore la voix de Valérie. Gérard pesta et alla rallumer.

Saisissant tableau : Corto était collé à la Bordelaise en partie dénudée, le haut de son vêtement baissé. D'une main, elle semblait repousser le torse de Corto, alors que, de l'autre, lui tenant la nuque, elle le rapprochait goulûment d'elle. Ils nous regardèrent, à peine gênés, Valérie tentant de dissimuler ses seins derrière son bras droit. Alors que Gégé restait debout, figé, rouge d'émotion, Corto jugea plus sage de battre en retraite et, après avoir chuchoté à l'oreille de sa partenaire, alla retrouver sagement sa place. Valérie se rajusta, les yeux baissés. Puis elle leva la tête et me fixa, en souriant gentiment. De la pitié, probablement ? Gérard prit l'initiative d'éteindre à nouveau et tout parut rentrer dans l'ordre. Dehors, un groupe d'enfants passa en courant et en poussant des petits cris à la fois joyeux et apeurés.

Dans la grange, à nouveau des piétinements, des frôlements. Ce qui se tramait dans ce foin restait énigmatique. Gégé craqua à nouveau, se leva en jurant et ralluma. La scène qu'il découvrit, et qu'il ne sembla pas trouver à son goût, ressemblait à la précédente.

Cette fois, c'était Valérie qui s'était déplacée, et c'était avec moi qu'elle batifolait. Derrière Gérard, Corto leva son pouce en signe d'approbation et me fit un clin d'œil complice.

5

Nous étions debout dans le jardin. José se tenait face à moi, mais son regard vagabondait, comme si un danger rôdait. Il était anxieux de nature. Et il était, de surcroît, agent de renseignement français.

Son arme de service était camouflée sous sa chemise – il n'aimait pas, contrairement à beaucoup, jouer au cow-boy.

En le voyant arriver, précédé de ses gardes du corps, Enayat s'était précipité dans mon bureau pour m'inciter à sortir de mon canapé.

Ni Pia ni personne n'avait encore obtenu la moindre nouvelle de Corto. L'ambassade de France préférait se tenir à l'écart de cette histoire, du moment qu'il ne s'agissait pas, à ce stade, d'un kidnapping revendiqué. J'avais appris, une heure auparavant, que José allait venir déjeuner dans mon resto quand ses hommes de main étaient venus réserver deux tables, comme d'habitude : une pour José et son adjoint, et une pour eux, ni trop près ni trop éloignée de la première, afin qu'ils puissent veiller à la sécurité de leur chef.

Pas loin de nous, dans des fauteuils en rotin disposés sur un coin de pelouse, à l'ombre d'un prunier rabougri, deux Américains descendaient des triples whiskies depuis un bon moment. Je les avais souvent repérés là, à toute heure de la journée. Boire semblait être leur activité principale. Des mecs costauds, certes, mais à la peau suintant ce mal indéfinissable affectant ceux qui ont passé trop de temps dans les pays en guerre, dans un environnement détruit et chaotique, dans la chaleur ou le froid, et souvent eux-mêmes intoxiqués par tous les poisons que l'on se procure sans peine, à condition d'y mettre le prix.

Des espions ? Ce genre de soupçon pesait sur beaucoup d'étrangers, en Afghanistan. Avec mon air ingénu, je suscitais moi aussi des rumeurs, ce genre de rumeurs tenaces qui vous collent à la peau, quoi que vous fassiez. Mon indolence associée à un certain mutisme semblait louche à certains. Une semaine auparavant, un jeune Français, nouvellement débarqué à Kaboul et encore candide, m'avait abordé, à la fois timide et mystérieux. Et un peu cuit après un abus de mon fameux B-52 (triple sec, crème de whisky et liqueur de café). Il était vêtu d'un *shalwar-kamiz*, la tenue traditionnelle afghane – ample pantalon et tunique tombant jusqu'aux genoux. « Excusez-moi, monsieur, avait-il bredouillé. Je ne sais pas si je m'adresse à la bonne personne. Mais depuis plusieurs jours, je vous observe, et je suis sûr que vous devez travailler dans… dans le… enfin vous comprenez… » Je pris un air entendu, laissant planer une ambiguïté de bon aloi.

« Je m'appelle Arthur. Je cherche du boulot. J'ai fait des études d'agronomie, mais finalement je pense que ce n'était pas ma voie… Je voudrais faire… ça… chercher des informations. Je fréquente du monde, je passe un peu inaperçu… »

Je restais coi, craignant, si j'ouvrais la bouche, que la magie du personnage que j'incarnais aux yeux de ce garçon naïf ne s'évanouisse, et je hochais la tête, pour indiquer que j'écoutais sa requête mais qu'elle demandait à être étudiée. Enfin, j'espérais que c'était là l'idée générale que je transmettais.

« Voilà, insista-t-il, le message est passé, j'espère. Si je me suis adressé à la bonne personne… on verra bien…. Désolé de vous avoir dérangé. » Il avait disparu.

Quand nous étions en terminale, Corto m'avait initié aux romans d'espionnage. Il ne jurait que par Graham Greene. J'imaginais que la jeunesse difficile de cet auteur expliquait en grande partie la passion que mon ami éprouvait pour lui. Les doutes moraux qui assaillaient les personnages de ses livres, également. Car, pour Corto, commençait alors une longue période d'affres et de questionnements, qui n'allaient que s'amplifier avec le temps.

Je trouvais Greene, pour ma part, un peu trop « catholique ». Mais cet univers romanesque, dont Corto s'était par la suite éloigné, avait fini par me rattraper, moi, quand je m'étais installé dans des pays « sauvages et éloignés ». Ce monde des espions, que je finis alors par fréquenter régulièrement, devint pour moi un de ces substituts familiaux que j'essayais inlassablement de m'inventer.

*

Baissant la voix pour ne pas être entendu par nos deux Américains alcooliques, je tâchais de soutirer quelques informations à José.

Ce trentenaire grassouillet n'avait vraiment pas la tête de l'emploi : visage caoutchouteux, glabre, cheveux blonds bouclés comme un angelot, yeux myopes derrière des lunettes hors d'âge – on aurait même pu se demander s'il n'en avait pas rafistolé lui-même la monture avec du fil de fer.

Quand je l'avais rencontré pour la première fois, au Cambodge, une quinzaine d'années auparavant, il était soi-disant touriste. Puis je le revis deux ans plus tard, alors qu'il exerçait l'activité de cinéaste documentariste pour l'armée française. Il était caporal en mission dans le sud-ouest du Cambodge et filmait des casques bleus, notamment lors de leurs rencontres avec des Khmers rouges. José vénérait Pierre Schoendoerffer, réalisateur des films *317ᵉ section* et *Le Crabe-tambour*. Déjà à l'époque, il m'avait parlé avec enthousiasme de *La Passe du diable*, écrit par Kessel, coréalisé par Schoendoerffer, et qui se déroulait en Afghanistan.

À mes questions pressantes, il se contenta de bredouiller : « Des nouvelles de Corto ? Je n'en ai pas. » Et sourit, vaguement confus par une réponse aussi succincte. Il laissa son regard repartir en tous sens puis s'arrêta un instant sur un de mes clients les plus fidèles, Vova, Ukrainien homo qui, tous les jours, venait s'accouder au bar dès trois heures de l'après-midi, en sortant de son travail de consultant au ministère de l'Énergie, jusqu'à la fermeture de mon bistroquet, aux environs de minuit. Il enchaînait les gin-pomme en jacassant de manière de plus en plus incohérente au fil des heures, et en lorgnant sans retenue les fesses mus-clées de mes serveurs (j'avais délibérément choisi pour leur tenue – style « brasserie parisienne » – des pantalons noirs moulants, pour donner une raison de plus à la clientèle féminine de fréquenter mon établissement. Le calcul étant que ces jeunes filles allaient, à leur tour, attirer une cohorte de gros lourds dont les nerfs étaient vrillés par ce pays sans femmes).

« José… il va falloir m'en dire plus. Sinon, on n'est pas à l'abri d'une connerie de Pia. Elle est capable d'aller brutaliser les uns après les autres tous les chefs de guerre de ce pays. Et je te rappelle que Corto est mon meilleur ami, et que lui, toi et moi, on a fait les quatre cents coups. » Il regarda sa montre, pour gagner du temps, j'imaginai. Soupira. « Il faudra qu'on parle plus longuement. Mais pas ici. » Il se tut. Cela devenait exaspérant. Si ses deux hommes de main n'avaient pas été dans les parages, je l'aurais volontiers empoigné pour le secouer un peu. Il dut percevoir chez moi un air déterminé inhabituel. « Quand tu dis que c'est ton "meilleur ami"… À quel point penses-tu le connaître ? »

La question était pertinente, mais ce n'était, à mon avis, ni le lieu, ni le moment d'en débattre. J'avais bien entendu commencé à me la poser, il y avait belle lurette, avant même que José ne finisse sa puberté et ne décide de devenir agent secret. Corto Da Costa. Trente-cinq années que j'en avais fait mon ami, et cependant son identité restait pour moi encore floue, pleine d'ombres et de sombres cachettes, et, à l'air déconcerté qu'il prenait souvent quand il me regardait, ce devait être réciproque. Comme je ne m'étais jamais bien compris moi-même, et comme lui non plus, au fond, ne devait pas se connaître, cela faisait, quand on y pense, une foule d'énigmes en suspens, et un assez grand nombre de malentendus possibles.

Je restais sans voix. José enchaîna, parlant encore plus bas, ce qui m'obligea à tendre l'oreille, en grimaçant, pour signifier à mon interlocuteur qu'il pourrait faire un effort et monter le son.

« Tu as exploré des pistes ? Comme ces enquêtes qu'il menait ? Le trafic de drogue, la corruption, et tout le reste ?

— Non, mais tu as peut-être raison...

— Corto s'intéresse aussi... s'intéressait – et depuis longtemps – à tout ce qui touche à... l'islam. Et il passait des heures et des heures sur des sites... tu vois... un peu extrémistes...

— Évidemment ! Il est journaliste, je te rappelle ! C'est son métier ! Et on est en Afghanistan, *for Christ's sake...* »

J'avais presque crié. Devoir dépenser de l'énergie en énonçant des évidences m'agaçait toujours. Et j'aimais bien jurer en anglais, je trouvais ça cinématographique.

José était embêté. Soit il me plantait là, avec mes frustrations, en colère, ce qu'il n'aimait pas car, bien que militaire, il supportait mal le ressentiment à son égard (je l'imaginais mal, d'ailleurs, sur un champ de bataille). Soit il m'en disait plus, mais il savait que j'étais un mélange imprévisible de taiseux et de pipelette, selon mon humeur et selon les personnes à qui j'étais confronté.

Il coupa la poire en deux, en quelque sorte. Il murmura très vite une phrase qui avait l'air lourde de sens, mais dont je ne saisis pas tous les mots. J'avais pourtant essayé de me concentrer. Il était question de « faux passeport », d'un « nom à consonance musulmane », de « réseau », de « zones tribales au Pakistan », mais tout ça largement tempéré par des « probablement », « peut-être », « à mon avis »… ce qui permettait d'imaginer que tout ce qui venait d'être dit n'était pas seulement brumeux, mais également hypothétique. Alors que je réfléchissais encore aux questions judicieuses que je pourrais poser, il enchaîna, plus explicite : « Mais comme tu sais, ce n'est pas l'Indochine ici. Ni l'Afrique ! Nous, Français, on ne sait pas grand-chose… C'est le Grand Jeu des Anglais et des Russes, cette région. Enfin… aujourd'hui, disons des Américains surtout, et des Chinois, des Pakistanais, des Iraniens… L'Afghanistan, carrefour de civilisations ! »

Il rit, puis tourna les talons, et alla droit vers la table près de la piscine où l'attendait son collègue. Je restai là, sonné, le regard dans le vide, un long moment.

Je réussis enfin à me diriger vers le hall d'entrée, à grimper lentement l'escalier, une marche après

l'autre, sans forcer, pour regagner mon bureau, que je n'aurais peut-être pas dû quitter.
J'avais besoin de faire le point.

*

Cinq minutes plus tard, Enayat débarquait. « Monsieur Pascal, viens vite ! De gros malabars ont gardé leurs pétoires ! »

Je le suivis dans le jardin et aperçus, au bar, un groupe de mercenaires – ils se désignaient eux-mêmes, pour faire plus chic, comme des *contractors*, des agents de sociétés de sécurité, et je les avais surnommés les *musclors*. Ils composaient une des tribus qui fréquentaient mon point d'eau.

Le groupe présent ce jour-là était un assemblage de Sud-Africains et de Gurkhas népalais. Ils enchaînaient les *heart attack specials* (vodka et Red Bull), fidèles à une réputation qui reposait sur quelques qualités indéniables : incroyable descente, maniement intempestif d'armes à feu, insensibilité à leur environnement humain et culturel...

Malgré l'affection éprouvée pour mes clients mercenaires – qui, eux, continuaient à fréquenter ma taverne même quand de pauvres roquettes, tirées à la va-comme-je-te-pousse par des « étudiants en religion » analphabètes, crépitaient par-ci, par-là et que les poltrons de l'humanitaire restaient confinés chez eux –, j'exigeais d'eux qu'ils se dessaisissent à l'entrée des attributs de leur virilité. Pistolets, couteaux, fusils d'assaut... devaient être confiés à mes gardes.

Quand je découvris que les mecs avaient tous conservé avec eux leur arsenal, j'eus un coup de sang et je fonçai dans le tas en leur indiquant la sortie, sur un ton qui n'admettait pas de réplique. L'un d'eux ne m'était pas inconnu : par sa taille, surtout, nettement supérieure à celle de ses camarades, eux-mêmes déjà grands. Il baissait les yeux, ce que je trouvai flatteur. Une semaine auparavant, alors qu'une de ces fameuses grosses soirées du jeudi battait son plein, il avait cherché, et trouvé, la bagarre avec deux autres rustres de son espèce, tous les trois saouls comme des soldats bulgares. Après avoir pris quelques coups de poing dans le pif, il s'était précipité au bar pour acheter une bouteille de whisky, payée cash – geste appréciable –, en avait descendu la moitié avant d'aller la casser sur la tête de l'un de ses adversaires. Enayat était venu me chercher à ce moment-là, alors que j'étais en train de plumer des amis au poker. Corto venait de laisser sur le tapis ses dernières économies. Je le soupçonnais de ne faire aucun effort pour gagner : l'argent ne l'intéressait pas. Il ne jouait d'ailleurs que rarement, ne venant presque plus dans mon établissement : il passait, à l'occasion, comme un fantôme, lugubre. Et je ne faisais aucun effort pour le mettre à l'aise.

Plus étonnant, en revanche, Charles perdait, lui aussi. Ce jeune diplômé d'HEC, qui avait créé à Kaboul une florissante société de conseil, était, lui, un compétiteur hargneux, d'une intelligence structurée. Il détestait d'ailleurs Corto, qui lui semblait être un individu étrange, hors de ses catégories de pensée. Ils étaient qui plus est souvent en rivalité, tous les deux, dans leurs conquêtes féminines.

Enayat avait insisté : l'affaire, en bas, était urgente. « Ça pisse le sang ! »

« Je prends mon arme ? » avais-je demandé, mais devant la mine horrifiée de tout le monde, j'avais renoncé. Charles et Corto m'avaient accompagné, tout en restant quelques pas derrière moi. Mes serveurs avaient ceinturé l'animal enragé puis l'avaient plaqué au sol. Son camarade blessé était assis, couvert de sang, appuyant un gros paquet de serviettes en papier sur son crâne. J'avais donné l'ordre de transporter l'agresseur dehors, non sans lui avoir balancé au passage un petit coup de pied vengeur dans les côtes, pour tout ce désordre occasionné.

Revenu sur les lieux du crime donc, avec ses collègues sud-africains et népalais, je ne pensais pas qu'il se souvenait avec précision de cette soirée. Il n'avait probablement pas peur de moi, mais devait simplement avoir honte d'être une caricature de cette guerre vaine qu'ils menaient tous : ivre en milieu de matinée, son M16, la kalachnikov américaine, pendouillant à son épaule.

*

Depuis mon bureau, j'appelai Pia pour lui rapporter ce que j'avais appris de José. Elle me fit répéter deux ou trois fois chaque bout de phrase, tant mon récit lui paraissait non seulement incomplet mais absurde. Et comme je n'avais pas voulu citer José nommément, pour ne pas le compromettre si nous étions sur écoute, cela ne rendait pas mes propos particulièrement limpides.

Pia s'énerva dans un premier temps, puis se ressaisit. Elle accepta de mauvaise grâce d'entreprendre des recherches de son côté, de creuser pour savoir si cette piste pakistanaise – Corto avec de faux papiers, devenu djihadiste – avait une quelconque crédibilité, alors, qu'en fait, nous n'y croyions ni l'un ni l'autre.

Elle me raconta sa descente à l'ambassade de France, où elle avait fait un scandale, interrompant un de ces petits concerts de musique traditionnelle afghane dont Son Excellence Hubert de La Ville de Mirmont raffolait. Si, pour l'ambassadeur, Kaboul était un placard (en or, le placard, avec les primes de risques et les frais de représentation qu'il se gardait bien de dilapider, offrant du thé à ses visiteurs qui tous, sans exception, n'espéraient pourtant qu'une chose en venant à la résidence : du camembert et du pinard), cela tombait bien malgré tout, car il avait deux passions dans la vie : le robab – une sorte de luth afghan – et les domestiques virils. Hubert de Mirmont n'était pas réputé parmi ses homologues pour ses analyses politiques pointues mais certains appréciaient sa compagnie raffinée. Il avait toujours une mise impeccable et un foulard de soie porté comme les jeunes enfants trimbalent un objet transitionnel. Il avait daigné venir deux fois dans mon restaurant, l'air pincé devant l'hygiène des lieux et la qualité de la nourriture, mais il était impossible pour lui de faire l'impasse sur un des fleurons de la présence économique française dans le pays. Dans les années 70, la France vendait des verres Duralex en Afghanistan, aujourd'hui c'étaient des steaks-frites.

L'ambassadeur avait, paraît-il, trépigné sur son tapis persan quand Pia avait élevé la voix, réclamant des nouvelles de Corto, obligeant l'orchestre de chambre à s'arrêter en plein râga (une musique au rythme lent et progressif, pouvant durer des heures... Je m'étais déjà endormi à un des concerts de Son Excellence et n'avais pas été réinvité depuis... Je préférais de toute façon les mélodies d'Ahmad Zahir, prince de la variété afghane, qui avait associé pour la première fois la guitare électrique aux instruments traditionnels comme le tâbla, petit tambour d'origine indienne. Assassiné en 1979, à l'âge de trente-trois ans, soit en raison de ses positions anti-communistes – les Soviétiques allaient bientôt débarquer et le régime leur était favorable –, soit par un mari jaloux : le chanteur avait la coucherie facile). L'ambassadeur avait éconduit Pia, avec ce subtil mélange de courtoisie et de sécheresse propre aux diplomates.

De me raconter tout cela énerva Pia, à nouveau. L'évidence du moment était que personne ne savait où était notre ami, ni même s'il était encore vivant.

Pia raccrocha. Je ne l'avais jamais sentie aussi paniquée. J'avais été le témoin privilégié d'une suite ininterrompue de drames au sein de leur couple, depuis quasiment le début. Les reportages inutilement dangereux de Corto, ses trahisons sexuelles, ses descentes en enfer... elle avait eu tant d'occasions de souffrir à cause de lui. En avait-il été conscient ? Pia avait, à chaque fois, fini par prendre sur elle, lui prouvant un attachement sans limites.

Mais, cette fois-ci, tout était d'une autre nature. Comme si cette absence inexpliquée avait rompu le seul fil auquel était accrochée l'existence de Pia.

*

Je venais juste de me laisser choir lourdement sur mon canapé, quand Enayat entra, sans frapper, et me demanda s'il pouvait m'entretenir d'un problème de logistique. Ce devait être une demande d'augmentation, encore, ou alors un client qui se plaignait que le foie gras avait un vague goût de pâté bas de gamme, et si c'était le cas, il serait difficile de lui donner tort.

Je fis mollement non de la main, et de la tête, et peut-être aussi du bout des lèvres, avant de couler à pic dans des profondeurs d'inconscience salvatrice.

6

« Emmanuel Levinas évoque trois nudités : celle du paysage, celle du corps, et, la "nudité même", celle du visage. Le visage dans ce qu'il exprime. Eh bien, ce visage de l'autre fait naître en nous une bienveillance… des poussées de moralité. Tu comprends ? Si je me détourne, je cesse d'être moi. Pour Levinas, l'identité est définie par la responsabilité. Nous pouvons être irrités par l'autre, chercher même à l'éliminer… nous avons besoin de lui pour exister. Oui, je sais, ce n'est pas forcément une bonne nouvelle… »

Corto avait retrouvé la flamme. Nous étions installés sur des chaises longues et, de la terrasse de la maison, nous avions une vue panoramique sur l'ensemble du village : la cinquantaine de maisons et de granges en pierres grises, aux toits couverts d'ardoises, longeant en désordre serré, solidement accrochées, le flanc de la montagne. Nous n'étions pas lassés, non plus, par la vue sur les Pyrénées : murailles crénelées et pics enneigés, façade brutalement dressée (alors que le versant opposé, en Espagne, descendait plus tranquillement, en glacis et en plissements).

C'était durant l'été 1988. Je m'en souvenais bien car nous avions eu un échange au sujet de notre âge. Vingt-huit ans. Comme Mike Brant l'année de sa mort.

J'étais inquiet pour Corto. À cette époque, il me vantait le grunge, un « sous-genre du rock alternatif ». Mon attrait pour les chansons d'Images le rendait malheureux. J'en rajoutais, en fait, car je n'étais pas spécialement fan – je préférais Gold –, mais j'aimais bien provoquer mon ami. Et je souhaitais que, lui, commence à évoluer, à aller de l'avant.

Cela l'amusait, que je sois inquiet pour lui. « T'as raison, je pourrais finir à moitié dingue et reclus comme Syd Barrett.

— …

— Un des fondateurs de Pink Floyd… »
Par chance, les jours de son addiction pour le rock étaient comptés car, comme il le prétendait lui-même, ce genre était en train de s'éteindre. « Avec le reste », rajoutait-il. Ses outrances nihilistes me réjouissaient plutôt.

Corto était affalé sur sa chaise longue, alors que, personnellement, je veillais à toujours garder une certaine tenue. Quoi qu'il en soit, nous restions tous les deux en position allongée la journée entière. Nous avions d'ailleurs une passion commune pour Oblomov, le personnage de Gontcharov, qui partageait son existence avec un divan.

Corto affichait un de ses sourires un peu niais et sans joie qu'il gardait en toutes circonstances, comme pour tenir le monde à distance. Sa fine moustache et sa barbichette semblaient être de faux poils tracés au feutre noir sur son visage plutôt glabre alors que sa chevelure était plus longue et plus touffue que jamais. Il ressemblait à Jim Morrison – mais avec le teint basané –, et d'ailleurs en jouait, en mettant des tee-shirts noirs ou des blousons de cuir à même la peau, ou en se promenant torse nu dès que l'occasion s'offrait à lui.

Depuis le lycée, Corto avait enchaîné les conquêtes féminines à un rythme déraisonnable et, pour ménager ma pudibonderie, ou, plus simplement, parce qu'il était devenu plus secret et plus ténébreux au fil des ans, il avait cessé de s'en vanter.

Nous nous confiions d'ailleurs de moins en moins l'un à l'autre. Je savais seulement que Mémé, devenue de plus en plus acariâtre avec le temps, ne sortait pratiquement plus de sa chambre.

Corto devait enchaîner les petits boulots pour payer ses études et celles de sa sœur.

Il avait pleuré avec moi la mort de mon père, à la suite d'un cancer du poumon. Nous venions alors de décrocher notre bac. C'était la première fois que je voyais mon ami en larmes. Nous lui avions proposé de choisir les livres qu'il souhaitait, dans la bibliothèque paternelle. Pour ma part, j'avais continué ma route, en essayant de me retourner le moins possible. Je m'étais installé à Paris peu de temps auparavant, alors que mon père était hospitalisé à Toulouse. Je ne l'avais pas revu.

*

Étendus sur nos chaises longues, nous nous adonnions à une sorte de recensement des habitants du village : « gens du pays », les autochtones, et « vacanciers », venus de la ville. Parmi ces derniers, quelques-uns s'étaient installés ici à demeure, les « gens du pays » continuant cependant à les appeler les « vacanciers ». Seuls Valérie et son fils de deux ans, Séraphin, avaient droit à ne plus être considérés comme des « vacanciers », sans devenir pour autant officiellement des « gens du pays ». D'ailleurs, on les nommait toujours les « Bordelais ».

Les parents de Val, établis au loin, ne venaient plus au village depuis un certain temps déjà, et ses frères et sœurs, rarement. Mais, elle, s'était installée définitivement ici, élevant poules et lapins, parlant le patois, s'impliquant dans la vie du village. Elle n'en partirait plus. Corto et moi avions gardé pour elle, depuis notre première rencontre, une profonde affection. À tel point que lors de sa grossesse, les rumeurs étaient allées bon train concernant l'identité du père de cet enfant à naître. Valérie restait silencieuse à ce sujet et Corto et moi n'en parlions jamais, entre nous. J'avais en tout cas senti, ou cru sentir, chez mon ami, le désir de ne pas évoquer le sujet.

Nous avions confié à Gégé le soin de veiller sur les Bordelais. Notre ami était toujours prêt à nous rendre service, même si l'adolescent plein de force et d'enthousiasme avait commencé à décliner, usé par le quotidien, les mornes habitudes, par les voies toutes tracées, se trouvant mille excuses pour abdiquer, laisser d'abord tomber les études, puis les projets de voyages, et enfin l'idée même qu'un autre destin que celui de son père, de son grand-père et de tous ses aïeux était possible. Même en écumant les fêtes de village, il n'avait pas réussi à trouver une compagne acceptant de partager son existence.

Corto et moi étions allés de l'avant sans lui tendre la main.

*

Je souhaitais, lors de ce séjour pyrénéen, aborder sérieusement avec Corto la question de son avenir professionnel. Après ses neuf années d'études – math-sup, math-spé, puis philo, médecine, de nouveau philo –, aucune vocation ne se dessinait à l'horizon. Difficile pour moi de lui jeter la pierre. Selon lui, une grande fracture aurait déséquilibré la conscience occidentale, et cela depuis plusieurs décennies. Il se mettait alors à citer Schopenhauer, car il savait que cela m'agaçait (je m'étais une fois moqué de l'esprit « classe terminale » de ses digressions philosophiques). « On peut encore considérer notre vie comme un épisode qui trouble inutilement la béatitude et le repos du néant. »

Nous avions déjà eu ce genre d'échanges. Ce qui était différent, cette fois-ci, c'était que je venais de donner enfin un coup d'accélérateur à ma carrière, en commençant à réaliser des reportages à l'étranger, et en décidant de partir vivre en Asie, d'où l'impression de prendre l'avantage sur mon ami, et, dans l'euphorie de cette petite supériorité, je me laissai aller à de la méchanceté (« quelle surprise ! », auraient pu dire ceux qui pensaient me connaître) en le traitant de « grosse feignasse ».

Il sourit, avec cette manière exaspérante qui lui était propre de laisser glisser dans une indifférence affichée les désagréments récurrents et les moqueries des amis. « Alors comme ça, ironisa-t-il, tu as maintenant des certitudes, pour tes activités professionnelles et pour le reste ? » Son sourire moqueur était plein de cette affection qu'il n'avait jamais cessé de me témoigner, depuis le fameux coup de cartable, en sixième. « Je suis content pour toi », continua-t-il.

Il prit soudain un air sérieux, et ajouta : « Je te souhaite bien du plaisir, petite brêle… » Je haussai les épaules. Mais ressentis un frisson me parcourir le corps.

Je réfléchis alors à une manière plus subtile d'aborder la question de sa stagnation, essayant de l'obliger à se dévoiler, à révéler ses désirs profonds, à imaginer la suite… « Bon, alors, tu vas pas gagner ta croûte comme serveur toute ta vie, si ? » fut tout ce qui me vint. Il ne semblait plus m'écouter et fixait la chaîne de montagnes.

Mes mots étaient pourtant prêts. Je souhaitais m'adresser à lui comme lui me parlait, quand nous avions quinze ans. Je me serais exprimé hâtivement, évitant ainsi que mon ami n'ait tout loisir de m'observer, et j'aurais pris une voix grave, pour donner du poids à mes arguments, et affirmer toute ma maturité : « Corto, rappelle-toi, cette force que tu dégageais, quand nous nous sommes

connus. Cette vitalité... Même plus tard, quand
tu as attaqué tes études avec cette détermination,
cette confiance à toute épreuve. Tu n'étais pas
arrogant, malgré ce qu'en pensaient les autres,
seulement sûr du chemin que tu allais suivre, sûr
d'arriver à franchir tous les obstacles... Que s'est-il
passé ? Pourquoi cet élan s'est-il... ? » Mais j'étais
moi-même un peu las. Je connaissais ses discours
par cœur, et il n'allait pas se gêner pour me les
ressortir : « L'attente de ce qui ne vient pas » ;
« nos quotidiens monotones » ; « nos identités
éparpillées, sans substance » ; « on est arrivés après
toutes les batailles... même pour 68, on était trop
jeunes... ceux des générations avant nous avaient
encore la religion, des obligations sociales, ils
ont eu l'après-guerre, puis le maoïsme, des aspirations et des barricades et toutes ces conneries
qui excitent la jeunesse et donnent l'impression
que son existence a du sens... » « Tu es paumé,
Corto », aurais-je fini par lui balancer, et il m'aurait répondu : « Je suis trop lucide, au contraire.
Le monde dérive. De plus en plus vite... » Là,
j'aurais eu ma meilleure réplique : « Justement,
mets-toi donc en mouvement. Car ce sont les
plus rapides qui rafleront la mise... »

Il cessa sa contemplation et se tourna vers moi.
Je le regardai dans les yeux, ce qui n'était pas dans
mes habitudes. J'attendis un instant qu'il revienne
sur terre. Je devais partir prochainement m'installer

au Cambodge. C'était lui qui aurait dû larguer les amarres le premier, lui qui m'avait fait découvrir les écrivains-voyageurs, lui qui possédait un cerveau plus rapide que le mien et qui était doué pour les langues étrangères, et qui aurait pu devenir un excellent agent secret... Ou un homme d'affaires, comme Danny Wilde, du feuilleton *Amicalement vôtre*, que nous regardions ensemble, avec moi qui me prenais pour Lord Brett Sinclair.

Je ressentais un peu de pitié à l'idée de le laisser ainsi en arrière – ou alors était-ce seulement moi qui ne réussissais pas à voir mon avenir sans lui ? Je parvins finalement à lui dire ce que je jugeais essentiel. « Tu sais, Corto, dans la vie, j'imagine que les moments qui valent vraiment le coup sont rares, tu risques de regretter un jour de ne pas avoir, à deux ou trois reprises, donné ta pleine mesure. »

7

Lors de mes premières semaines passées sur des terrains qualifiés d'hostiles, me revenait en boucle la bande originale d'*Apocalypse Now, The End* surtout. Les Doors, de manière lancinante… *La chevauchée des Walkyries* prendrait le relais, lors d'une descente en hélico chez les Khmers rouges. Mais le début de mon séjour n'avait rien de comparable à un scénario de film, m'amenant à considérer mon statut de reporter de guerre comme une vague imposture.

J'avais rejoint Phnom Penh, la capitale du Cambodge, en 1989, à une époque où la guerre civile grondait encore rageusement, même si langueur et palu avaient mis les belligérants à plat. Le pays avait connu le régime communiste prochinois des Khmers rouges dans les années 70, puis le régime communiste pro-vietnamien dans les années 80. Ce dernier luttait contre une guérilla multiple : polpotistes, nationalistes, sihanoukistes… Écrasé par des enjeux géopolitiques qui l'avaient dépassé, minuscule domino de la guerre froide, le Cambodge était exsangue.

J'étais arrivé de Saigon dans un vieux zinc soviétique. Tupolev, Antonov, ou Yakovlev… je ne savais plus, un de ceux émettant des bruits louches, avec les sièges cassés et du brouillard dans l'habitacle en guise de climatisation. La carlingue était chargée jusqu'à la gueule : mobylettes, sacs de riz, cochons ficelés…

Ce que j'avais vu depuis l'avion avant d'atterrir m'avait tout de suite emballé : baigné dans une douce lumière de soleil couchant, un paysage de campagne hors du temps, ne ressemblant à rien de connu. Des rizières sèches, dorées, et le rouge ocre de la poussière, de multiples taches vertes aussi, des bosquets, des bananiers, les bouquets de palmiers à sucre – les thnots – aux troncs interminables coiffés d'une ramure en houppe effilée, quelques vaches paisibles vaguement gardées par des gamins à la peau sombre… Un groupe de femmes aux épaules nues faisant la lessive dans une flaque boueuse. Certaines avaient la tête couverte d'un krama, d'autres, grâce à cette même pièce de coton à damiers, portaient leur bébé en bandoulière.

Le petit aéroport Pochentong n'était pas des plus modernes, à cette époque. Il était surtout fantomatique. Mon arrivée avait été annoncée, soi-disant, par télégramme depuis le consulat cambodgien au Vietnam, mais ce bout de papier avait dû finir son cheminement archaïque sur un bureau métallique dans une vaste pièce vide et décrépie où une poignée de fonctionnaires venaient boire du thé deux ou trois heures par jour. Quoi qu'il en soit, pas de visa pour moi à ma descente d'avion. Les douaniers, souriants, étaient un peu gênés. Je m'énervai. On avait l'impression de pouvoir se le permettre, dans ces pays. Jamais je ne me serais autorisé d'engueuler un douanier français comme j'ai traité des types en Indonésie, en Birmanie ou au Pakistan. À Kaboul, plus tard, il m'arrivera de bousculer, dans des attroupements, de grands barbus à l'air farouche. Être occidental conférait un statut à part, dans ces coins reculés du monde, et on ne pouvait nier que cela procurait une certaine jouissance.

Un petit diplomate vint gentiment m'annoncer que mon problème de visa serait réglé dès le lendemain. Et ? Et que je devais passer la nuit… dans l'aéroport.

Chez les jeunes douaniers, ou soldats, dépenaillés, mal nourris, et impaludés pour la plupart, qui m'entouraient, la gêne fit place à de la rigolade. Ils allèrent chercher un chariot qu'ils installèrent à la sortie de l'aéroport, pour me permettre d'avoir un peu d'air, puis y jetèrent un immonde matelas en mousse après avoir attaché une moustiquaire bouffée de trous. Je fis comprendre que j'avais faim, avec de larges sourires et des gestes explicites. Branle-bas de combat. On m'apporta une baguette de pain cambodgienne et deux « vache-qui-rit »... Ému par tant de prévenance, j'observai, attendri, mes nouveaux amis écrire quelque chose avec application sur un vieux bout de papier gras. Ils me tendirent ce qui était, en fait, l'addition à régler pour le gîte et le couvert : cinquante dollars. Dans ces pays, l'hospitalité était souvent synonyme de vénalité.

Les jours suivants furent plus âpres encore. Un pays fracassé – j'en connaîtrai d'autres –, même si son esthétique romanesque pouvait séduire les esprits occidentaux décadents, un peu tordus et enclins au désenchantement, vous sautait à la gorge à chaque fois que vous baissiez la garde. À cause de la misère sans limites, bien sûr, à laquelle on s'habituait peut-être. Ou peut-être pas... Mais aussi, et je n'avais pas honte de le reconnaître, à cause des difficultés que cela suscitait pour sa propre vie quotidienne... Il me fallait de l'aide.

J'avais fait la connaissance du jeune Seun comme « moto-dop » – conducteur de ces motos-taxis qui sillonnaient Phnom Penh. C'était un bon gros jovial, avec une courte moustache ridicule, et je l'avais tout de suite adopté. L'ayant pris à mon service exclusif, comme homme à tout faire et comme professeur de khmer (en fait, c'est lui qui avait vite appris le français), je le faisais également travailler la nuit comme gardien de ma maison, et de cette période lui restait le surnom de « Seun, ot mien pleung ! » (« Seun, pas d'électricité ! ») : cet appel au secours impliquait pour lui de mettre en route un énorme générateur pétaradant. L'opération se répétait souvent et Seun ne rechignait jamais à la tâche. Il était de toute confiance, doué en français et en anglais, débrouillard, et il m'aida très vite dans mes reportages – j'étais le seul correspondant francophone et j'étais une petite entreprise à moi tout seul, travaillant pour plusieurs radios et pour la presse écrite.

Seun écoutait toute la journée, et une partie de la nuit, des chansons populaires, que j'aimais bien aussi, car elles étaient souvent mélancoliques, voire déchirantes, et un peu sirupeuses. Son artiste préféré s'appelait Sin Sisamuth, le « king » des années 60. J'avais imaginé avec candeur que cette combinaison de sons traditionnels khmers et de rythm and blues aurait pu nous réconcilier, musicalement parlant, Corto et moi.

Sin Sisamuth avait probablement été tué entre 1975 et 1979, durant le régime de Pol Pot. Comme la quasi-totalité des artistes, intellectuels, médecins, enseignants… La légende prétend qu'une fois arrêté, Sisamuth aurait chanté devant les Khmers rouges, mais que ceux-ci n'auraient pas caché leur ennui et, à la fin du morceau, l'auraient exécuté. (Chez nous, les bons chanteurs se suicident ou meurent d'overdose, alors que dans les régimes tyranniques, ils sont liquidés.)

Pendant ses heures libres, Seun allait souvent consulter un krou khmer, un médecin traditionnel, qui lui recommandait du pancréas de serpent venimeux, pour la fièvre, ou de l'écorce à fumer, pour les maux de tête. Mais qui, le plus souvent, faisait simplement parler un esprit, grâce à des rituels magiques. C'était l'esprit qui exprimait les souffrances du malade, ses tourments, car il était mal vu pour un Khmer de parler en son nom propre, d'exprimer ses problèmes personnels. Une bonne leçon pour nous, Occidentaux, fatigués de nous-mêmes, m'étais-je dit, alors que je me trouvais dans cette phase où l'on découvre avant tout ce qu'il y a de différent dans une autre culture, avant de concevoir, avec le temps, ce que nous avons en commun.

Phnom Penh était un gros bourg plus rural que citadin, où les gens se déplaçaient principalement à deux-roues ou en cyclo-pousse. Les étrangers – appelés *barangs* par les Cambodgiens – étaient très peu nombreux.

À la tombée de la nuit, Seun m'emmenait dîner d'une soupe chinoise dans une des gargotes au bord du Mékong. Il tenait à payer sa part. Il était fier. Et pudique : il refusait de parler du passé, des années noires de son enfance, de la disparition de toute sa famille.

Nous discutions avec les « lanceuses de bière », jeunes filles vêtues des couleurs de marques – Tiger, Heineken… – qui proposaient leurs boissons aux clients des restaurants. Seun m'apprit à reconnaître les Vietnamiennes, aux yeux bridés, des Cambodgiennes, à la peau plus foncée et aux yeux en amande. « Nous, les Khmers, ne faisons pas partie de l'Asie jaune, mais de l'Asie brune. D'ailleurs notre culture, nos danses traditionnelles, notre alphabet… sont d'inspiration indienne. » Il semblait satisfait de ne pas être de la même race que les frères ennemis du Vietnam.

Seun m'avait plusieurs fois suggéré de partir avec une des filles, mais j'étais trop intimidé, et je prétendais être contre ce « genre de pratiques ». Lui-même restait sage, ayant décidé d'être fidèle à sa fiancée, qui vivait en province.

Un jour, cédant devant son insistance, je finis par accepter d'aller avec lui dans un « salon de massage ». Il m'emmena « rue des petites fleurs », voie bordée de dizaines de cabanes éclairées de loupiotes colorées, devant lesquelles se tenaient des jeunes femmes trop maquillées. Seun stoppa sa mobylette devant un de ces baraquements de misère. Il semblait familier avec le lieu et salua une femme qui avait tout d'une maquerelle. Ils parlèrent un moment, me jetant des coups d'œil gênants, puis regardant le groupe de filles qui se dandinaient en ricanant et en me matant, elles-aussi. « Massa, miam-miam, boum-boum », me lança l'une d'elles, avec des gestes explicites.

Seun vint vers moi. « Tu veux laquelle ? » me demanda-t-il, sûr de son fait. « Attends. On a dit un massage, hein. Un vrai. Tu penses que c'est l'endroit ?

— Oui, oui, elles font tout. Les massages aussi. J'ai négocié le prix, ce sera pas cher.

— Ce n'est pas la question. Elles ont l'air jeunes quand même. Tu es sûr qu'elles sont majeures ? »

Il rit, puis écarta les bras, fit des moulinets, pour signifier que non seulement il ne savait pas, mais, qu'en plus, c'était impossible d'obtenir ce genre d'informations. « Il n'y a que l'argent qui compte, aujourd'hui », déclara-t-il, fataliste.

Je regardai les filles une nouvelle fois. L'une d'elles semblait un peu plus âgée que les autres, ayant au moins vingt ans. Elle avait de longs cheveux, plus lisses que ceux de ses copines, et la peau plus brune également – les adolescentes qui l'entouraient devaient être vietnamiennes. Je la désignai, discrètement. Seun soupira devant mes manières et apostropha la taulière. J'aimais l'idée qu'ils soient en train de se mettre d'accord sur un contrat clair, car cela permettrait d'éviter, pensais-je, d'éventuelles embrouilles, mais surtout des sentiments, des attachements mal venus.

Je n'avais plus qu'à y aller. Nous pénétrâmes dans une piaule sombre et cradingue, occupée entièrement par un grabat couvert d'un drap immonde.

Elle s'appelait Chenda. Il se trouva qu'elle parlait plutôt bien anglais et qu'elle avait l'air futée. Elle prétendait être étudiante, et que ses parents étaient morts. Elle me racontait des histoires en gardant un sourire malin, m'examinant de ses beaux yeux noirs, n'essayant même pas de bien mentir, acceptant l'idée que je n'étais pas dupe.

Je souhaitai prendre une douche, ce qui la mit en joie. « No water ! You… beer… » Elle me tendit une canette de bière et un krama qui avait l'air propre, et m'indiqua une planche trouée dans le plancher, au fond de la bicoque. Je me déshabillai et fis une toilette rapide, apercevant à travers l'ouverture une rigole nauséabonde qui coulait en contrebas. En me retournant vers le lit, je découvris qu'elle s'était mise nue. Son corps gracieux était un stéréotype, tant il ressemblait à celui des Apsaras, nymphes célestes de l'hindouisme. Taille fine, poitrine joliment charnue. Je ne pouvais m'empêcher de fixer, d'un regard en biais, son sein gauche, que je trouvais légèrement plus bombé que l'autre, et surtout prolongé par un mamelon saillant et foncé tout à fait fascinant.

Semblant gênée devant ma timidité, Chenda couvrit pudiquement son bas-ventre de ses mains. Elle me demanda de m'allonger sur le ventre, ce que je fis, non sans avoir étalé d'abord le krama sur le drap taché. J'essayai d'engager la conversation mais elle ne m'écoutait pas, concentrée sur son travail. Elle s'était posée à califourchon sur mon dos et me pétrissait gentiment les muscles du cou et des épaules, puis, changeant peu à peu de position, descendit ainsi jusqu'aux cuisses. Il faisait une chaleur de buffle, et nous mêlions nos sueurs. Au bout d'une vingtaine de minutes, il y eut, entre nos corps, une intimité, une complicité tendre. J'avais l'impression de mieux la connaître. Quand elle me souffla à l'oreille de me mettre sur le dos, j'étais tombé amoureux.

Je voulais lui parler mais, par peur de la froisser, je lui laissais d'abord finir son travail. Elle mettait d'ailleurs de la passion dans ses derniers gestes. Nos deux corps solidement emboîtés, amarrés, elle donna à notre assemblage un rythme vif, propice à l'emballement de la libido, puis à la jouissance.

Notre fièvre retombée, je lui proposai, après m'être raclé la gorge, de dîner avec moi le lendemain. J'étais prêt à essuyer ses sarcasmes, mais, d'une petite voix, elle me répondit que c'était d'accord.

*

Un homme jeune, un Blanc, assis à quelques tables de la mienne, me fixait sans discrétion. J'étais seul, en train de grignoter des cuisses de grenouille braisées au gingembre, dans une guinguette au bord du lac Boeng Kak. Seun était allé s'enquérir de Chenda, qui m'avait fait faux bond. Je n'arrivais pas à accepter l'idée qu'elle ne vienne pas. Seun m'avait expliqué que c'était normal, qu'on ne pouvait pas faire confiance à « une pute », mais devant mon air malheureux, il avait accepté d'aller faire un tour « rue des petites fleurs ». J'avais pris deux résolutions : ne plus jamais mettre les pieds dans ce genre de lieu dégradant. Et sortir Chenda de cette vie misérable, en l'épousant s'il le fallait.

Le jeune étranger se leva et vint s'asseoir à ma table, sans me demander la permission. Un sourire chaleureux barrait sa bonne bouille de binoclard grassouillet. Il regarda un moment autour de nous, semblant vouloir transpercer de son regard de myope la nuit sombre qui nous enveloppait. Puis revint vers moi. « Excusez mon intrusion. Vous êtes Pascal Beck, c'est ça ?

— Oui. On se connaît ?

— Moi, je vous connais. Je m'appelle José.

— José... comment ?

— Disons... José... c'est suffisant. Je suis français. Je suis... touriste.

— Touriste ! C'est une blague. Il n'y a pas un seul touriste dans ce pays.

— Vous n'êtes pas obligé de me croire. Disons que je visite ce pays. Et que je n'arrive pas à aller dans certains coins, où j'ai entendu dire que vous comptiez vous rendre...

— Et comment tu aurais appris ça ?

— Je connais pas mal de monde. C'est petit, Phnom Penh.

— ...

— Savez-vous qu'il y a un agent... un espion... à chaque carrefour ? En fin de journée, les services de sécurité du pays sont capables de retracer tous vos mouvements de la journée, en détail. N'avez-vous jamais surpris quelqu'un chez vous ?

— Non. »

Si, justement, j'avais surpris un homme chez moi deux jours auparavant. Il fouillait ouvertement dans mes affaires, plus particulièrement dans mes carnets. J'avais hurlé, et il s'était alors éclipsé, calmement.

« Et pour mes déplacements, rajoutai-je, trop sûr de moi, je brouille les pistes. Je prends parfois des cyclo-pousses... » José sourit, mais sans chercher à m'humilier. « Écoutez. Vous me trouvez certainement jeune. Et louche. Mais nous sommes des compatriotes. On peut se donner un coup de main, non ? Je suis tous les matins à neuf heures à la terrasse de l'hôtel Blanc. Passez me voir. Je ne cherche pas grand-chose. Seulement quelqu'un qui va dans certains coins du pays, avec l'armée cambodgienne par exemple, chez les Khmers rouges notamment, vers la frontière thaïlandaise. Et qui puisse nous donner quelques infos. Je vous laisse à vos grenouilles. Elles sont bien cuisinées, hein ? Ç'avait du bon, les colonies ! » Il se leva et quitta le restaurant.

Seun revint, sans avoir pu obtenir des nouvelles de Chenda. La mère maquerelle avait affirmé ne rien savoir, et avait demandé à Seun une somme exorbitante, m'accusant d'avoir volé sa fille. Seun lui avait ri au nez, puis il avait abandonné les recherches.

Je ne réussis pas à obtenir les autorisations nécessaires pour aller en territoire khmer rouge. Ma carrière de grand reporter avait du plomb dans l'aile. Je continuai à faire des piges sur la culture locale, sur la renaissance du bouddhisme et sur les tatouages traditionnels.

Quelques mois plus tard, je décidai d'aller en Birmanie couvrir des manifestations en faveur d'Aung San Suu Kyi, opposante à la junte militaire, en résidence surveillée.

Ce fut là que je rencontrai Pia, pour la première fois.

*

Elle était assise, bien droite, dans un majestueux siège en rotin de l'hôtel Strand, près de la fenêtre. Elle tenait avec délicatesse une tasse de thé de sa main gauche, si menue, et de l'autre main tournait les pages d'un livre de Somerset Maugham posé à côté d'une assiette de pâtisseries inentamée. Un doux rayon de soleil de fin d'après-midi alluma quelques reflets dans ses cheveux châtains vaguement ébouriffés. Son long visage très pâle était concentré. Elle n'était encore qu'un profil fascinant, je verrai plus tard ses yeux d'un bleu si clair, si lumineux, presque surnaturel. Ses pommettes peut-être un peu dures, osseuses, étaient adoucies par des lunettes à la monture légère. Vêtue d'un tailleur strict, un peu démodé, elle aurait pu avoir vingt-cinq ans ou aussi bien dix de plus. J'imaginai, tout attendri, que la Birmanie était son premier poste. Diplomate ? Femme d'affaires ?

L'idée incongrue de me présenter à elle comme un spécialiste de la Shwedagon ne m'aurait certes pas mis dans une position des plus valorisantes, pour la suite de notre relation. Je venais juste de visiter pour la première fois de ma vie cette ravissante pagode. Mais en lui effleurant légèrement la main, je lui aurais raconté qu'un diamant de soixante-seize carats brillait sur le faîte de l'immense stupa dorée, ce qu'elle aurait déjà su, évidemment, mais cela aurait dû suffire, comme première étape.

Pour le moment, je ne souhaitais pas la déranger dans sa lecture. Je m'assis à bonne distance, jetant des regards appuyés dans sa direction, tout en donnant le change, au cas où, en tripotant le menu. Je devais avoir l'air légèrement dérangé… Je me sentais orphelin, exilé, dans cette ville brisée.

Que m'arrivait-il ? Un coup de mou après un abus d'efforts ? Trop d'excursions en solitaire, ces derniers mois, dans cette Asie du Sud-Est où j'avais posé mes bagages ? Les temples d'Angkor où j'avais erré, émerveillé mais mélancolique, à une époque où les touristes n'avaient pas encore débarqué… Puis Luang Prabang, au Laos, Huê, au Vietnam… Trop de grands hôtels à la majesté coloniale délabrée, dans lesquels j'étais souvent l'unique client… J'avais passionnément aimé être seul à jouir de ces lieux, à m'imprégner de ces atmosphères. J'avais passé des journées entières et parfois même des nuits, allongé dans des hamacs de toile, au bord du Mékong, ou sur des rivages déserts face à la mer de Chine. Mais le désir de partager avec d'autres humains finit par vous rattraper, bêtement.

Et voilà que ce jour-là, dans cet hôtel de la capitale birmane, j'aperçus cette silhouette de jeune femme, au comportement un peu rigide, avec cependant de brefs instants d'abandon, de fragilité. De temps en temps, elle posait sa tasse de thé et passait furtivement sa main sur les boutons de son chemisier, entre ses seins, comme pour ôter d'invisibles miettes de gâteaux – auxquels elle n'avait pas encore touché. Elle lisait vite, tournait les pages avec régularité, d'un petit geste sec. Je sentis qu'elle agissait de manière méthodique en toutes circonstances, y compris lors de ses rares loisirs.

J'avais lu un livre de Maugham, quand j'étais au lycée, j'aurais pu aussi bien l'aborder par ce biais, au point où j'en étais. Nous aurions parlé de Graham Greene, dans la foulée, puis de John Le Carré.

Des écrivains majeurs, tous les trois. Tous des espions.

Elle grappillait maintenant ses pâtisseries. Son livre était refermé, rangé dans un porte-documents cartonné de couleur grise. Elle avait ôté ses lunettes et se massait la nuque, en regardant par la fenêtre. Elle finit par se retourner, elle m'aperçut, je souris. Elle inclina poliment la tête, en m'observant. Une légère myopie donnait à son regard un trouble qui adoucissait l'ensemble de son visage. Elle tapota deux ou trois fois sur la table avec ces doigts fins, osseux, que je ne me lassais pas d'observer. J'imaginais que les rares étrangers établis à Rangoun se connaissaient entre eux et je la voyais réfléchir, mais rien ne lui revint, me concernant. Alors elle retourna à ses rêveries. Et moi aux miennes.

La suite aurait été réglée comme une partition de musique de chambre, composée dans mon esprit tropicalisé. (Avoir lu tout Jean Hougron, et Lucien Bodard, Jean Lartéguy… n'était pas bon pour la santé mentale de l'asiate, déjà atteint par le climat émollient, la lascivité des autochtones, la délectation des sens.) Après avoir payé l'addition et distribué de généreux pourboires, elle aurait rassemblé ses affaires, avec des gestes saccadés et précis, prête à partir. J'aurais choisi cet instant pour me lever, et serais venu me planter devant elle, sans avoir la moindre idée de ce que j'aurais bien pu lui dire. Mais c'est elle qui aurait parlé la première. « Bonjour, on se connaît peut-être ? » Sa voix douce contrastant avec tout ce qui chez elle avait de déterminé, un peu brusque, tourné vers l'action. J'aurais balbutié : « Non, non non, enfin… non. Je viens d'arriver. Je suis français et… je suis à Rangoun pour la Shwedagon… Mais je ne sais pas, j'avais envie de vous saluer, comme ça… » Elle aurait peut-être éprouvé de la pitié à mon égard, à ce moment-là ? Un peu de pitié, certainement mêlée à du plaisir, quand même ? Et aurait contrôlé un début d'impatience, pour me déclarer, tout de go : « Là, je dois vraiment y aller, mais nous pourrions reparler de... la... pagode, plus tard, non ?

— Oui, oui, bien sûr. Quand ?

— Je finis vers dix-neuf heures, ce soir. Je suis tout près. Retrouvons-nous ici pour un verre, si cela vous convient ? Je n'aurais pas beaucoup de temps à vous consacrer, j'ai un dîner important, et ennuyeux, avec des généraux birmans.

— Ici, ce sera parfait. Merci.

— À plus tard. »

Elle aurait tourné les talons et se serait dirigée à pas vifs vers la lourde porte du Strand.

Mais, en réalité, elle ne bougeait toujours pas et avait même repris sa lecture finalement, après avoir ressorti du porte-documents ce bouquin qui commençait à m'énerver. Même position : bien droite dans son fauteuil, cambrée. Pas du genre à s'affaler. Elle passa une main légère dans ses cheveux.

Il allait donc me falloir la séduire, inventer des histoires, provoquer au moins un sourire, sinon, avec la nuit, sa silhouette allait disparaître à jamais, et l'aube ne verrait qu'une brume déjà brûlante recouvrir la ville, m'abandonnant à cette ultime solitude qui marquait chacune de mes journées depuis trop longtemps. Quel sens donner à ma vie ? Que restait-il à prouver ? Et surtout : à qui ?

Mais elle continua à lire, apparemment captivée par la prose de cet auteur démodé. Ah ! Mes propres récits auraient été tellement plus ancrés dans notre monde !

Nous allions nous embarquer pour une dernière aventure, elle et moi, main dans la main, dans ce pays si loin du monde, puis nous rejoindrions les humains, riches de notre amour, et si forts, magiciens de l'existence, admirés et enviés.

J'étais prêt. Je m'approchai. Elle me sentit venir. Elle tressaillit. Tout alla si vite, la scène se déroula sans aucun témoin, même le serveur s'était éclipsé, par discrétion, sentant le dénouement inéluctable. J'allais parler. Elle me regarda enfin, tenant toujours son livre ouvert. Sa main gauche, libérée après avoir brusquement posé la tasse sur la table, se rapprocha de son visage, index tendu, comme un chef d'orchestre ou un dompteur de fauves qui va donner un ordre.

« Chut », dit-elle simplement. Un « chut » plein d'autorité, de persuasion, mais aussi, me sembla-t-il, de tendresse, de sensualité. Un « chut » dans lequel je devinai de l'espoir, des lendemains, du rêve. Le « chut » d'une vie.

Comment sut-elle que j'étais français ? Comment se dit « chut » en anglais ? Tant de questions qu'il me restait encore à lui poser.

Mais là, elle sembla insister, son doigt posé sur ses lèvres, elle appuya fort, écrasant à la fois son menton et son nez, hideuse grimace, elle ne fit plus dans la demi-mesure, elle en finit avec moi, avec le peu qu'elle connaissait de moi, une fois pour toutes.

L'hôtel Strand semblait déserté. Silence de fin du monde, si ce n'était, venant de la rue, quelques cris d'enfants tristes, étouffés par l'épaisse couche de chaude humidité qui rongeait la ville, et par ce crépuscule qui tombait bien avant l'heure.

8

Je reçus la visite du commissaire Abdoullah, trois jours après notre première rencontre dans ses bureaux.

Il débarqua dans mon restaurant sans prévenir. Les gardes, qui avaient pour consigne de refuser l'entrée à tout ce qui ressemblait de près ou de loin à un terroriste potentiel, n'avaient même pas osé le regarder dans les yeux, tant l'autorité qu'il dégageait intimidait ceux qui croisaient son chemin.

Il m'avait fait demander et m'avait attendu patiemment, accoudé au bar, refusant de consommer malgré l'empressement déférent de mes serveurs, jetant un regard amusé sur les jeunes femmes en maillot au bord de la piscine.

« J'ai quelque chose à vous montrer », s'était-il contenté de me dire et je n'avais eu d'autre choix que de le suivre jusqu'à sa voiture.

*

Le commissaire Abdoullah était calme au volant, non pas habité par une quelconque spiritualité méditative mais plutôt comme quelqu'un sûr de sa puissance : chaque fois qu'un chauffard se comportait mal, il le fixait d'un air féroce, à un point tel que je craignais toujours que cela ne finisse en pugilat.

Nous étions coincés dans un embouteillage chaotique, après avoir traversé le quartier animé de *Chicken street*, la « rue des poulets », où poussaient des tours de cinq ou six étages, destinées à accueillir des boutiques. Cette société de consommation qui s'annonçait était inexistante jusqu'à ce jour, ce qui avait tant séduit les étrangers à la recherche de nouveaux modes de vie. Mais les Afghans, eux, aspiraient plutôt à tourner la page des années de guerre et de vaches maigres.

Personne n'avait appris à conduire ici, et la philosophie afghane encourageait plutôt à n'en faire qu'à sa tête, sans se soucier des règles. Les chauffeurs s'imposaient, en force.

Le commissaire alluma une cigarette et me raconta en souriant qu'il ne fumait jamais chez lui, par respect pour sa famille – il vivait non seulement avec sa femme et ses enfants mais aussi avec ses parents, et deux frères, dont un était marié. Avant de rentrer chez lui, le soir, il se brossait les dents et se parfumait. Je lui demandai si ce comportement imposé ne relevait pas d'un conservatisme excessif et s'il n'était pas au contraire un des mieux placés pour faire bouger la société afghane, ces histoires de cigarettes me paraissant bien dérisoires par rapport au statut moyenâgeux des femmes.

Il rit, gêné, haussa ses larges épaules, puis, tout en tambourinant sur son volant, se lança dans un plaidoyer qui se voulait convaincu sur les valeurs ancestrales de son pays, qui avaient au long des siècles préservé le pays des tentatives répétées de colonisation plus ou moins avouée, de la part des Anglais, des Russes, des Pakistanais... Puis il se moqua de lui-même, en concédant que le fait de fumer ou non en famille n'allait pas forcément changer la face du monde. Il reconnut que c'était sa femme qui le sermonnait à ce sujet, et que, oui, sa femme, à sa manière, l'intimidait. Après s'être assuré que je ne me moquais pas de lui, il se replongea dans le silence.

Je ne pouvais m'empêcher de jeter des coups d'œil à son profil de guerrier perse, avec ce nez spectaculaire, long et fort.

« Il est beau comme un toréador », aurait glissé une de mes clientes à sa copine, quand nous nous étions éloignés du bar. Les étrangères étaient sensibles au physique du mâle afghan, à cette virilité belliqueuse souvent nuancée par des mines de jeune fille.

Alors que nous traversions le centre-ville, j'aperçus des gamins régler un différend entre eux à grands coups de poing dans la figure. Abdoullah refusa de s'arrêter, m'expliquant que ses compatriotes aimaient se taper dessus, et qu'il n'y avait rien à faire à cela.

Pia ne s'était jamais habituée à ce côté rugueux du pays. Elle prétendait d'ailleurs qu'on n'arrêtait pas de lui mettre des mains aux fesses dès qu'elle faisait deux pas dans la rue. « Couvre-toi ! » lui balançait Corto, car elle refusait de mettre son voile, et ils partaient alors dans une discussion sur la culture afghane, la place des femmes ici et l'exemple que les étrangères devaient montrer. Corto était fier de l'audace de sa compagne. Ce n'était pas la provocation qui le dérangeait – cela faisait des années qu'il avait lui-même décidé de ne plus respecter les règles, ni ici ni ailleurs – mais, quoi qu'il ait pu en laisser paraître, il était simplement inquiet pour Pia. Quand celle-ci, peu à peu, était rentrée dans le rang, renonçant à révolutionner les mœurs de ce pays, on avait senti chez Corto comme de la déception. Le sentiment de sécurité, pour lui-même surtout mais également pour les autres, l'ennuyait, finalement.

Pia n'aimait pas non plus les volutes de poussière, en été, ou la boue épaisse, en hiver. En fait, elle n'aimait pas l'Afghanistan. Corto et moi, comme au Cambodge ou ailleurs, nous aimions nous vautrer dans la fange, nous aimions les « rats et les cafards », selon notre expression, cela nous donnait l'impression d'exister intensément, d'approcher au plus près la réalité du monde, de découvrir ses recoins inaccessibles au commun des hommes.

Le commissaire se gara à l'entrée d'un parc que je connaissais un peu, les jardins de Babour. Il y avait eu là des travaux financés par la communauté internationale, et ce n'était plus ce vaste terrain vague que j'avais découvert en arrivant à Kaboul, en 2002, et qui était devenu, avec le temps, si peu digne de la mémoire du célèbre empereur moghol. Un mur d'enceinte avait été rénové et de nombreux arbres plantés. Dans un coin des jardins se déroulaient régulièrement des combats de coqs, peut-être aussi de chiens, mais je n'étais pas allé vérifier, ayant déjà vu trop de sang.

Le joli petit mausolée de marbre du descendant de Gengis Khan et de Tamerlan avait aussi été restauré. Plus bas encore, un bassin, large, profond, était à moitié rempli d'une eau croupie, alimenté seulement par les rares pluies et la fonte des neiges.

Quand il faisait chaud, des bandes d'adolescents venaient se baigner, s'aspergeant les uns les autres en se rudoyant de manière sauvage.

Nous entrâmes sans nous presser dans les jardins. Les montagnes, qui se refermaient comme des griffes géantes sur cet encaissement dans le sud de la ville, assombrissaient encore le ciel déjà sinistre, en cette journée au temps exceptionnellement couvert. Je suivis le commissaire dans un labyrinthe de sentiers caillouteux, avant qu'il ne s'arrête brusquement, devant une étroite bande herbeuse bordée de buissons desséchés. « C'est là qu'ils viennent », déclara-t-il, l'air de rien, sans me regarder. « Pas tous les soirs », rajouta-t-il. Puis, comme s'il en avait fini avec ce qu'il avait à me dire, il fit demi-tour et reprit le même chemin qu'à l'aller. Au bout de quelques minutes, il consentit à s'arrêter et à se tourner vers moi. « Rien du tout. Des petites cérémonies soufies. Une douzaine de personnes, quelques musiciens, du haschich, et plus rarement un peu d'alcool. Ils ne font rien de mal. Mais des mollahs ne l'acceptent pas, et viennent souvent se plaindre chez nous. On n'intervient pas – le soir, on dort ! – mais on a infiltré quelqu'un, pour surveiller un peu. Cette personne est venue me voir, hier. »

Il vit que je comprenais, et afficha un sourire satisfait, qui signifiait : « Eh oui, on a quelques nouvelles de votre ami disparu. C'est cadeau. »

Je restai interdit, n'arrivant pas à faire un quelconque rapprochement entre Corto et le soufisme.
Le commissaire reprit : « Il semblerait que ce soit
récent. Sa participation aux pratiques. Il est venu
là quelques fois, mais il aurait fait aussi de courtes
retraites dans une petite maison, là-haut, sur les
hauteurs. Nous sommes allés voir, bien sûr, elle est
complètement abandonnée, et, d'après les voisins,
personne n'y est venu ces derniers jours. C'est
tout ce que l'on sait pour le moment. Je ne vous
cache pas que je n'ai pas très envie de perdre
mon temps avec ces lubies d'étrangers... Mais je
suis un bon professionnel. Je vais continuer à me
renseigner... »

Nous en restâmes là et il me ramena au Bout
du Monde. Conduisant d'abord en silence, il finit
par évoquer la situation française, qu'il trouvait
inquiétante : « Votre pays semble cassé, non ? » Je
haussai simplement les épaules.

« Nous nous reverrons », me dit-il quand je le
quittai.

*

J'essayais de m'y voir, dans cet univers de
recueillement et de rites qu'aurait pu se créer Corto
dans un faubourg de Kaboul, et je m'y transportais

en imagination. Pour cela j'avais dû me couper du monde encore plus que d'habitude, sourd même aux bruits extérieurs, au bourdonnement familier de mon restaurant qui tournait à plein régime sous mes fenêtres.

Déjà en temps normal, je ne regardais jamais de films, ni n'écoutais de musique et j'avais exigé que mon barman baisse la sono à certaines heures de la journée, car il abusait de certains morceaux dès que quelqu'un le complimentait sur ses talents de disc-jockey. On avait eu la période Édith Piaf, qu'un vieil Américain, expert en « économie de guerre » de la boîte de conseil McKinsey, avait eu l'air de trouver à son goût. Puis Carla Bruni en boucle, période *Quelqu'un m'a dit...*, finalement détrônée par Amy Winehouse, qui faisait la quasi-unanimité chez mes clients et chez mes serveurs. C'était Corto qui nous l'avait fait découvrir.

Je devais donc, ce jour-là particulièrement, faire abstraction de tous les problèmes qui pouvaient ressurgir – les seuls qui, dans le passé, avaient réussi à me faire sortir de mes gonds, et de mon canapé –, comme ce groupe d'humanitaires qui fumait des pétards géants dans un coin du jardin, cet Afghan-Américain enrichi par la corruption qui tentait de dealer de la coke à ma clientèle, cette fille qui faisait l'intéressante en sautant chatte à l'air dans la piscine ou ce couple qui avait trouvé un fourré accueillant pour tenter une levrette expresse, maillots sur les chevilles. Ou, plus anodin a priori mais exaspérant en réalité, quand arrivait, chaque jour de la semaine, à midi trente pile, le texto de l'attachée culturelle empâtée de l'ambassade, Myriam Valdiguié, attablée, me réclamant un supplément gratuit de frites.

J'avais demandé à Enayat de ne me déranger sous aucun prétexte, sauf peut-être si un commando de kamikazes se pointait pour tout faire péter, et même dans ce cas, agir risquait de n'être d'aucune utilité.

Y être, imaginer écouter en boucle de la musique soufie, abandonné sur un *toshak* – ce fin matelas posé sur le sol – et la tête bien calée par un gros coussin rouge brodé de motifs fleuris.

Comme lui, Corto, peut-être, l'avait fait – et le faisait encore –, des journées entières, quelque part dans les faubourgs de Kaboul. Pour le gros coussin rouge, je n'étais sûr de rien, c'était ma touche personnelle.

J'y étais, à l'intérieur de cette pièce nue comme un tombeau, et il allait maintenant falloir que je m'y mette, à je ne savais quoi, que mon corps entre en action, d'une manière ou d'une autre.

Léger éveil de mes forces vives et, en même temps, toujours englué dans cette mélancolie, lourde, sombre, qui ressurgissait encore et encore, comme ce vaste fleuve, là-bas, de ma vie d'avant.

*Je n'ai rien reçu de ce que je désirais... J'ai reçu
tout ce dont j'avais besoin.*

Cela faisait des heures que mon livre de poèmes
avait chu. Et le culte du mystère mais aussi les
chansons de Nusrat Fateh Ali Khan commençaient
à me soûler. Une certaine fatigue s'était emparée
à nouveau de moi. Le soir me tombait dessus
comme une masse.

J'appelai Enayat qui, dans mon scénario,
m'avait suivi, bien entendu. Mais il ne vint pas.
À l'heure du vin, il préférait rentrer chez lui, il
n'appréciait pas la touche festive que j'apportais
à ma quête. (Sans me le reprocher ouvertement
– il avait peur de trop perdre en me contrariant.)
Quand j'attaquais les stupéfiants pour donner de
l'élan à mon âme, je voyais dans son regard la ten-
tation de me traiter d'imposteur, ce qui pourrait
se justifier, et ceci dans de nombreux domaines
d'ailleurs.

Dans la réalité, Enayat ne s'était aperçu de
rien, pensant que j'étais en train de somnoler,
comme d'habitude, sur mon canapé. (Comment
lui expliquer que, par une sorte de concomitance
irréelle, j'étais aussi sur ce vieux *toshak*, à tenter
mollement de reconnecter des fils avec Corto ?)
Dans mes rêveries, l'idée de cette retraite l'avait
déconcerté, mais il s'était résigné, à la longue, à
ce décalage qu'il percevait entre la norme et moi.

Mentalement, je m'étais installé dans une de ces petites maisons de glaise accrochées de manière anarchique sur les flancs escarpés des hauteurs, fondues dans un paysage couleur de pierre et de terre. Il n'y avait pas d'eau, pas d'électricité. Il n'y avait rien. J'avais appris, après quelques lectures rudimentaires sur le soufisme, qu'ici aussi les maîtres en sagesse poussaient à annihiler l'ego, comme en Extrême-Orient. Ils étaient tous pénibles, avec ça.

Le commissaire ne m'avait quasiment rien dit, il n'en savait d'ailleurs pas beaucoup plus : un Français qui répondait à la description de Corto avait été vu à plusieurs reprises participant à des rituels de ce courant ésotérique et initiatique musulman, qui avait eu ses années de gloire en Afghanistan avant d'être farouchement persécuté par tous les normopathes de l'islam.

Corto aurait également pratiqué des exercices de contemplation dans une maison en terre des environs, abandonnée depuis. La dernière fois qu'il avait été aperçu, en pleine transe, paraît-il – mais la fiabilité des informateurs de la police afghane était sujette à caution – remontait à une dizaine de jours, soit peu de temps avant que nous constations sa disparition.

*

À ma manière, et malgré quelques réticences plus ou moins conscientes, j'avais donc franchi une étape, en essayant de mieux comprendre Corto. Cela me permettait au moins de parcourir un bout de chemin, même si à cette époque les questions liées à la spiritualité ne me tourmentaient pas outre mesure.

Dans la demeure perchée là-haut que je m'étais figurée modeste et spectrale, abandonné dans mon voyage imaginaire et mystique par mon fidèle Enayatullah, je dus me remettre debout, seul. Diminué. Ce combat, j'avais décidé de le mener jusqu'au cœur, jusqu'au noyau intime et c'était douloureux. Surtout quand on avait passé son existence à chercher la position la plus confortable.

Je me dirigeai à pas lents vers la fenêtre, aux vitres maculées de poussière collante et de taches de boue séchée. Les sommets qui m'entouraient, tout proches, et ceux au loin, qui ceinturaient les étendues de la capitale afghane, étaient coiffés de neige. Spectacle grandiose qui m'exaltait encore par moments, comme après la prise d'une boulette d'opium.

Ce serait un bel endroit pour me remettre à écrire, un jour, si l'envie m'en reprenait. Dans ma minuscule habitation, je nommerais une pièce, celle où je passerais mes journées allongé – et mes

nuits aussi –, « bureau Joseph Kessel », pour faire
« genre ».

Quel sacré coup de théâtre je m'offrirais alors :
installé là pour des années, alors que, jusqu'ici, je
m'étais imaginé finir mes jours dans une noncha-
lante plaine tropicale, au bord d'une rivière, bercé
dans mon hamac par un souffle chaud, ou dans
un rocking-chair avec vue sur la mer d'Andaman.

J'étais encore tenté de me punir, probablement,
pour avoir provoqué, subi, ou seulement imaginé
des histoires qui ne se racontent pas, mais que
tous ceux qui ne ferment pas les yeux sur leurs
propres faiblesses connaissent. Me punir même si
ma conscience calviniste, me semblait-il, s'était déjà
infligé tous les châtiments mérités.

Dans ces parages austères, un léger voile de
brume et de poussière de sable rendrait le pano-
rama comme irréel. En été. L'hiver, l'air serait pur
et la vue insensée.

Quand je me lèverais, vers midi, parce qu'il
faudrait bien vivre et aussi pour justifier mon statut
de *salîk*, de voyageur – même s'il était fait allusion,
avais-je cru deviner dans des textes somme toute
ésotériques, de voyage intérieur.

Entendant son appel, je me suis approché de la
demeure de Laïlâ. Nous serions à l'heure du soir,
du vin et de la déréliction. La douleur et la nuit
auraient pénétré telles de longues lames effilées
dans mon cerveau déjà fracassé, déliquescent.

Ô puisse cette voix si douce ne se taire jamais !
Elle m'accorda sa faveur et m'attirant vers elle, m'in-
troduisit en son domaine, avec des paroles pleines
d'intimité… Et retira le vêtement qui la voilait à
mes regards…

Mon corps serait soumis au cruel raffinement de
l'absence. Tous les fantômes de la journée dévorés
par l'obscurité profonde de ces temps sans lune.
Si ce n'est pour un œil exercé capable de percevoir les petits rougeoiements discrets de quelques
fumeurs de haschich.

L'extrême violence de la vie ferait place à un
vide sidéral. Comme si un torrent de lave et de
sang chaud, dévalant des pentes abruptes, empor-
tant les rares arbres tordus et les broussailles sèches,
arrachant ce décor hanté de souffrances et de hur-
lements, avait balayé les cauchemars des heures
passées.

M'ayant tué et réduit en lambeaux, elle trempa
ces restes dans son sang. Puis, me ressuscita : Mon
astre en son firmament brille.

L'union, l'essence divine, l'extase… avant la
destruction.

Al-hamdu li-Llâh, « Louange à Dieu. »

Un écrin de nature à la fois douce et brutale,
fraîche aux esprits échauffés et aux corps dénudés,
une scène de théâtre antique. Mes rêves s'expri-
meraient mieux que moi et il me tarderait de
dormir à nouveau. Pour que tout soit exaucé :

les ambitions secrètes, les désirs inavouables et les frustrations amoureuses, les retrouvailles inespérées.

Va, et pose ta tête sur l'oreiller, laisse-moi seul.

Quitte ce pauvre qui est condamné et qui passe ses nuits à errer.

Les nuits, jusqu'au matin, nous les passons à lutter, à nous débattre dans les vagues de l'Amour.

Si tu le veux, viens et pardonne-nous

Si tu le veux, va-t'en et tourmente-nous.

Concernant l'étymologie du mot « soufi », j'avais retrouvé dans deux suppositions un écho de mes goûts personnels : *Ahlal-soufa* – « les gens du banc », qui a donné le sofa. Ou encore, en référence au cœur réceptif, *souffat al-kaffa* – « éponge molle ».

L'un des maîtres a dit : « Celui qui est purifié par l'amour est pur, et celui qui est absorbé dans le Bien-Aimé et a renoncé à tout le reste est un soufi. »

J'ai vu Dieu avec l'œil de mon cœur. Je lui ai demandé : Qui es-tu ? Il m'a répondu : Toi.

*

Mes pieux recueillements, ma douce songerie, furent brutalement interrompus par l'entrée intempestive de Pia dans mon bureau. Elle se figea devant mon canapé, les mains sur les hanches, me fixant d'un œil soupçonneux. J'aperçus Enayat à moitié planqué derrière elle, embêté d'avoir échoué dans sa mission consistant à me protéger des intrusions intempestives.

« Pascal, c'est quoi ces histoires ? »

Je me levai vite, me passai la main dans les cheveux pour les remettre en ordre, et tentai de revenir au monde des vivants. « Comment ?

— Ces histoires de soufisme ou je ne sais quoi ? Tout Kaboul ne parle que de ça... »

L'expression « tout Kaboul » évoquait les quelques dizaines d'étrangers qui fréquentaient Le Bout du Monde. « J'allais t'en parler. Mais je voulais d'abord faire quelques vérifications, pour ne pas t'alerter pour rien. » Elle fit une grimace qui signifiait : « OK, à d'autres, vas-y crache ce que tu sais. »

Je lui fis un rapide topo de ce que j'avais appris par le commissaire, ce qui se limitait à peu de chose, et passai bien sûr sous silence cette idée qui m'avait d'abord traversé puis envahi l'esprit de me plonger dans ce qui aurait pu être une partie de la vie de notre ami, et qui nous aurait échappé.

« Je suis sûr que le commissaire continue l'enquête sérieusement, il cherche à rencontrer des témoins, et à découvrir si quelqu'un pourrait savoir ce qu'est devenu Corto, et d'abord si c'est vraiment lui qui a été vu. » J'avais avancé ça au culot, essayant de passer du baume sur l'irritation de Pia. Abdoullah ne m'avait rien dit de la sorte, mais je l'imaginais titillé à l'idée de résoudre une énigme qui le sortait de ses afghaneries ordinaires.

« Oui, bon… Tout ça me semble absurde. Je ne vois pas comment je n'aurais pas été au courant de cette dérive religieuse de Corto. Il n'était pas bavard ces temps-ci, d'accord, mais il ne faut pas dramatiser non plus. S'il était devenu derviche tourneur, je m'en serais aperçue.

— Les derviches tourneurs, c'est plutôt en Turquie…

— On s'en fout un peu, non ? Bon, je veux bien, s'il faisait un reportage un peu bizarre, dans ce cas-là, oui, il n'en aurait pas forcément parlé, mais ça ne colle pas avec ce que tu racontes, si ? » Elle se tut, pour bien me faire sentir que ce que j'avais cru découvrir de mon côté – sans y croire tout à fait moi-même – était du flan. Même si l'esprit méthodique de Pia n'allait pas éliminer d'emblée une piste, fut-elle a priori peu vraisemblable.

« Par contre, reprit-elle, j'ai eu des infos sur cette histoire de zones tribales pakistanaises, de réseaux djihadistes. Par un contact à l'ambassade britannique…

— Et ? »

Je me rassis, en prenant cet air pénétré, mis au point depuis belle lurette, destiné à mettre en évidence l'intérêt que je portais à ce qu'on me racontait. Le plus difficile étant de garder la pose si les récits se prolongeaient.

« Ils n'ont rien de précis, pas de noms, mais ils ont découvert des notes, en français, abandonnées dans un camp d'entraînement d'Al-Qaïda. Des théories y sont développées, des bouts, rien de très structuré, mon contact m'en a rapporté quelques phrases, de mémoire, il n'a lui-même jamais vu les originaux. Et franchement, en l'écoutant, j'avais parfois l'impression d'entendre Corto, tu sais le Corto d'il y a quinze ans, quand il jouait encore au philosophe rebelle. Ça ne veut rien dire, bien sûr, mais ça m'a glacé le sang.

— Ça dit quoi ?

— Des trucs comme : l'islamisme instrumentalisé par les Occidentaux... Complicité entre adversaires de l'islam et islamistes qui véhiculent une vision de leur religion vidée d'elle-même... Une vague citation sur l'acculturation des peuples colonisés, et cette haine que cela provoque chez eux. Et aussi qu'on prend la caricature pour la réalité, avec cette peur de la "charia", alors que le droit islamique est divers et que la charia en soi n'existe pas, mais qu'elle est multiple, sujette à interprétations... Et, oui, que l'islam ne propose aucun dogme, mais une pratique, elle-même diversifiée... Etc. »

Si nous restions rationnels, elle et moi, nous aurions admis que n'importe quel type aurait pu griffonner sur un bout de papier ce genre de considérations somme toute banales. Mais malgré tout ce que cela pourrait impliquer – s'il était confirmé que notre ami ait basculé dans un sens ou dans un autre –, l'essentiel pour nous, à cet instant, fut de retrouver l'esprit de Corto jeune, le Corto d'avant les reportages suicidaires, d'avant la noirceur ultime, l'ami qui avait condamné gentiment l'agitation du monde, la vanité de tous les arrivistes, ceux qui creusaient leur propre tombe...

« Peut-être qu'au fond, dit Pia tristement, tu as raison, avec tes histoires de mysticisme. Peut-être que Corto a accompli un chemin, souterrain, profond, sans en parler à quiconque, et que cela l'a mené dans des coins du monde trop dangereux pour lui, encore plus que d'habitude, car il n'y est pas allé avec son expérience de journaliste, des garde-fous, des contacts... mais la fleur au fusil... »

Nous nous regardions en silence. Enayat était toujours dans l'encadrement de la porte et suivait ce que nous disions, ne comprenant peut-être pas tout, mais il approuvait régulièrement par des hochements de tête.

Nous n'avions rien à ajouter, tant se dérobaient les certitudes, les faits avérés, et que tout ce nous pouvions imaginer à cette heure était pure spéculation, voire délire. Nous étions surtout malheureux de ne plus avoir en face de nous notre ami, en chair et en os, que ce soit avec ou sans ses théories sur la vie et sur le reste. Corto, nos souvenirs communs, nos joies et nos blessures partagées, nous manquaient, tout simplement.

Néanmoins, je n'étais pas prêt à lui pardonner ce qui avait eu lieu, deux ans auparavant, dans cette vallée du nord de l'Afghanistan.

Pia me fixa longuement. Elle me jaugeait et je sentais venir le reproche : je ne me bougeais pas assez, je ne mettais pas tout en œuvre pour retrouver son bien-aimé. Elle n'écouterait aucune de mes justifications, comme ma conviction qu'il était plus utile, pour lever une partie du voile sur le mystère de sa disparition, de se souvenir plutôt que d'agir, de creuser le passé plutôt que de foncer tête la première. Mais elle ne dit rien. Elle me salua d'un simple hochement de tête et sortit.

9

À midi, Pia apparut sur la terrasse, encore ensommeillée. Elle était en petite culotte, sa poitrine scandinave à peine couverte par un minuscule tee-shirt. Elle n'était pas d'une beauté à couper le souffle, mais tout son corps révélait une culture de la liberté, ainsi qu'une alimentation à base de baies et de poissons pêchés à main nue.

Elle ne ressemblait plus à l'austère diplomate que j'avais cru pouvoir séduire à Rangoun, en la fixant avec insistance.

Ce jour-là – « le jour de notre coup de foudre amical à l'hôtel Strand », selon ses mots –, par chance pour mon amour-propre, après avoir réagi tout d'abord avec une âpreté proportionnelle à la singularité de ma démarche, elle s'était ensuite adoucie en découvrant mon air pitoyable. Elle avait accepté de prendre un verre, à la va-vite. J'avais alors puisé dans mes ressources d'être humain attendrissant et elle avait consenti à me revoir pour un déjeuner en tête à tête, le lendemain.

De visites de pagodes en discussions littéraires et géopolitiques, nous avions passé de longues heures ensemble dans la capitale birmane, et nous étions devenus intimes, jusqu'à un certain point. Elle m'avait d'emblée fait comprendre que je n'étais pas son genre. Je l'appréciais pour sa franchise, tout en la maudissant pour cette frustration qu'elle m'infligeait. Une frustration qui suivait la même pente ascendante que sa sensualité, celle-ci s'exprimant de plus en plus librement maintenant qu'elle se sentait en confiance avec moi.

Nous étions restés en contact. Elle avait encore travaillé quelque temps à l'ambassade danoise de Rangoun, où elle était deuxième conseillère, puis vint me retrouver au Cambodge à plusieurs reprises. Ce fut lors d'un de ses séjours que je lui présentai Corto, qui avait consenti à me rendre visite au pays des Khmers, lui qui, évoquant je ne sais plus quelle théorie, se disait opposé aux voyages.

Corto, contrairement à moi, était manifestement le genre de Pia. Et réciproquement. Ils partirent ensemble visiter les temples d'Angkor et revinrent rayonnants. Entre eux, c'était à la fois cérébral et charnel, plus rock and roll que musique pop, d'une évidence et d'une profondeur qui laissaient supposer que cette relation allait durer.

J'étais heureux pour eux. Et j'aimais bien la compagnie des couples. Corto m'avait même déjà traité de « couplophile ». Ça l'arrangeait d'en être convaincu, car il n'avait ainsi pas à culpabiliser, lorsqu'il me piquait une fille. Et si je me plaignais de son comportement de prédateur, il répliquait que j'étais bien possessif pour quelqu'un qui se voulait sans attaches !

C'est ainsi que nous nous retrouvâmes tous les trois, quelques mois plus tard, lors de l'été 1992, en vacances dans cette maison des Pyrénées aux minces cloisons de bois, qui laissaient filtrer tous les bruissements et tous les gémissements de volupté.

Avec Corto, nous avions repris notre position habituelle, côte à côte sur la terrasse, dans ces chaises longues de plus en plus déglinguées avec le temps. Contrairement à nous, Pia vivait debout.

C'est cet été-là que j'avais décidé mon ami à me suivre au Cambodge et à exercer le métier de reporter, car il n'avait pas encore trouvé d'activité professionnelle digne de ce nom, le monde devenant, ratiocinait-il, « encore plus étrange, fêlé, vertigineux… inapte à offrir à notre moi un équilibre, des certitudes ».

Un jour, au moment le plus chaud, Pia nous avait entraînés contre notre gré dans une balade.

Elle avait choisi bien entendu le chemin le plus
escarpé, le plus caillouteux.

Je soufflais comme un vieil ours phtisique,
transpirais à grosses gouttes et me rappelais comment, jadis, avec Corto, tout en discutant de notre
avenir et des filles, nous grimpions allégrement des
pentes aussi abruptes.

Et voilà que je fixais le sol devant moi, avançant
péniblement. J'écoutais le discret crissement des
touffes d'herbes sous mes pas et tout ressurgissait
dans ma mémoire. Je reconnaissais les chardons, les
véroniques, les angéliques, et tant d'autres variétés
de fleurs sauvages, émaillées de sauterelles, et les
caillasses éparses, jusqu'aux arbustes jalonnant le
sentier envahi par des fougères et par quelques
touffes d'orties.

Pia et Corto batifolaient, déjà sur les hauteurs.
Je m'arrêtai : je souhaitais reprendre ma respira-
tion, mais je fus comme pris de vertige face à tant
de beauté, et envahi par mes souvenirs.

Vastes prairies vertes, aux reflets jaune paille,
surplombées par des bosquets éparpillés, bouleaux,
hêtres et frênes, avec leur feuillage lumineux, brillant. Étendue mauve de bruyères, ponctuée par les
arbrisseaux verts des myrtilles et des bouquets de
fougères, ainsi que par quelques grandes gentianes
solitaires. Derrière moi, la montagne s'élançait,
puis se prolongeait par des clots – petits cirques –,

des contreforts, des tucs – pointes secondaires –
et des pics.

Mais pourquoi aller vivre à l'autre bout du
monde ?

*

Au retour, nous étions tombés sur Valérie
accompagnée de son petit Séraphin, âgé de six
ans. J'avais fait les présentations et expliqué à Pia
que Valérie était une vieille amie et, qu'adolescents,
nous jouions ensemble dans le village, pendant
les vacances.

Soudain, Séraphin m'avait appelé « papa » et
tout le monde avait sursauté, surpris et amusé (et
moi un peu gêné). J'avais froncé les sourcils en
regardant Valérie. Je la soupçonnais de ne pas être
assez claire à ce sujet avec son fils, qui n'était pas
le mien. Valérie avait haussé les épaules. Elle n'était
pas du genre à se laisser rappeler à l'ordre. Et ses
beaux yeux calmes m'avaient transmis le message
habituel : « Non, je ne dirai rien à Séraphin sur son
père, il n'est pas prêt. Le père non plus, d'ailleurs. »
Corto s'était permis une blague : « C'est quand
même vrai qu'il te ressemble de plus en plus,
regarde, ces yeux verts, cet air rêveur. » Valérie en

avait profité, espiègle : « Et il a lui aussi beaucoup d'imagination. Il élève un troupeau de moutons, il les sort tous les matins et les rentre à la bergerie le soir. Voilà qu'il hésite à prendre en plus une vache ou deux, hein Séraphin ? » L'enfant avait rougi et baissé les yeux.

Pia m'avait bombardé de questions, ce qui avait fait rire Corto. Oui, Valérie était fille-mère, oui, nous avions été amants, jeunes, non, je n'étais pas le père de Séraphin.

*

Douze ans plus tard, je revins au village, seul cette fois. J'avais laissé mon resto de Kaboul à Corto. Il offrit bien entendu plus de tournées générales qu'il n'encaissa d'additions. Cela ne me réjouissait pas tant que ça, cette solitude forcée dans les Pyrénées, mais je n'avais trouvé personne désirant m'accompagner.

Un matin, alors que je me prélassais sur un transat flambant neuf, écoutant la radio et râlant qu'ils aient osé réaliser une adaptation puérile de *Popcorn*, comme si la version culte de Hot Butter, qui avait accompagné notre année de 5e, en avait eu besoin, le fils de Valérie s'approcha, à pas de loup.

Séraphin était grand et noueux. Il était blond comme sa mère. Je le trouvais intelligent et mûr, pour ses dix-huit ans, et j'avais une affection paternelle pour lui. Il venait de commencer une fac de lettres à Toulouse, mais revenait tous les week-ends voir Valérie.

Il s'assit sur un banc de pierre, un peu en retrait, attendant sagement que je reprenne mon histoire, là où nous l'avions laissée la veille : le récit des aventures que nous vivions, dans le village, avec sa mère, Corto et Gégé.

« Le visage de Corto est près du mien. Nous avions alors quinze ou seize ans, mais c'était lui le plus mûr, à l'époque, mon aîné, en quelque sorte, le frère protecteur. C'était ainsi depuis notre première rencontre, quand nous avions onze ans, jusqu'à nos vingt, vingt-cinq ans. Puis cela s'est peu à peu inversé... curieusement. Son visage est tranquille. Sa peau, en ce milieu d'été, a pris des tons encore plus chauds et plus dorés que d'habitude. Un minuscule voile de sueur scintille sur le duvet léger qui ombre ses joues. Ses lèvres pleines sont d'un rose éclatant et ses grands yeux noirs me regardent, paisibles. Je suis assis sur un mur de pierres et il s'est voûté pour me parler. Il a cette allure de héros grec. Ta mère était amoureuse de lui. Nous étions tous amoureux de lui. Il me parle. Sa voix est douce, profonde, presque adulte. Ce qu'il dit n'est pas l'essentiel : il me raconte gravement – mais en souriant légèrement – un fait que je dois absolument connaître, partager avec lui, car nous nous disons tout, ces temps-ci. Ce qui compte est cette façon qu'il a de s'adresser à moi, concentré, évaluant l'effet de chacune de ses paroles, comme si j'étais la personne la plus importante pour lui.

— Comme si tu étais son fils ? osa m'interrompre timidement Séraphin.

— Oui, peut-être…

— C'est triste.

— Non, non, cette image me rend heureux. Je vais essayer de la garder le plus longtemps possible dans ma mémoire. J'avais oublié son visage, à cet âge-là, mais, surtout, j'avais oublié les sensations. Cette harmonie miraculeuse. Corto ne semblait ni tourmenté ni seul. Plus tard, sa gentillesse, ses sourires, continueront à masquer ce qu'il ressentira vraiment, ce qui l'habitera, ou plutôt ce qui lui manquera, profondément, et qu'il ne trouvera jamais, nulle part. »

Nous gardâmes le silence longtemps. Nous fixions l'Aneto, le plus haut sommet des Pyrénées qui semblait nous narguer, là-bas, côté espagnol. Je l'avais gravi, trente ans plus tôt, avec mon père, quand on croit encore qu'il y a des cols et des glaciers à franchir, des buts à atteindre, des exploits à accomplir.

Séraphin s'était raclé la gorge. « J'écris. Un peu. J'ai commencé un roman, une… saga. L'histoire d'un jeune homme. Mais c'est pas moi, hein ! Un destin humain bref, mais composé de tant de fragments, de détails, que rien ne permet de le raconter entièrement. Tu vois ?

— Je crois. Oui, oui. »

Il m'avait observé un moment, en penchant légèrement la tête sur le côté, comme pour me découvrir sous un nouvel angle, puis demanda brusquement : « Tu penses que Corto est mon père ? »

Pris au dépourvu, je l'avais fixé sans rien dire. Il avait attendu, puis s'était fait une raison. Il avait détourné la tête.

« J'aimerais venir à Kaboul, un jour…

— Oui, oui. Pourquoi pas ? On verra… Faut… Ah, cette pauvre Valérie ! »

J'avais aperçu un bout de papier blanc qui dépassait de la poche de son pantalon.

« Ton roman… Tu m'en lirais un bout ?

— Oui, bien sûr. » Il sortit fébrilement une feuille toute froissée, couverte de pattes de mouche.

« La fin ! Je n'ai écrit que le début… et la fin.

— C'est l'essentiel », avais-je énoncé docte- ment, parce que je n'avais rien trouvé de spirituel à répondre. Avec l'âge, je devenais moins méchant, mais aussi moins drôle.

« Pas un jour loin d'ici. Inclus dans ces pierres mornes, touffe de mauvaise herbe asséchée par les vents d'Espagne. Jeune buse qui tournoie dans un ciel restreint. Où sont-ils tous ? Que se passe-t-il donc ailleurs où partent les hommes ? Je n'attends rien, aucun signe humain de vie humaine, pas d'appel venu des horizons du monde, ni de nouvelles des gens qui festoient, et je ne suis pas triste. Personne ne connaîtra ma tristesse que je ne partage pas et que d'ailleurs je ne ressens pas. Je chante sur les chemins qui montent. Ils sont tous en bas, ils sont tous loin. Ce type qui est venu et qui n'est pas mon frère, ce type qui est venu et qui n'est pas mon père, cette ombre qui s'est posée comme de la mélancolie sur mon été sans souci, alors que je ne demandais rien, alors que la compagnie des hommes ne m'était pas nécessaire… À cette heure du jour, quand le cri des corbeaux sonne le glas du soleil, je quitte les sommets, je retourne vers les habitations grises où l'on va souper sans se parler, car c'est ainsi que nous vivons, car c'est ainsi que je vivrai encore, longtemps, toujours, jusqu'à la fin des temps, car c'est ma vie, c'est ma vie et je ne suis pas triste. »

10

Le fleuve sentait la vie, et il sentait la mort.

Indolent mais puissant, et menaçant, d'une couleur brune écœurante, sa masse boueuse était partout, qui semblait ne pas avoir de limites, laissant apparaître quelques bancs de sable dans un de ses bras plus nonchalant, se faufilant ailleurs, dispersant des fragments d'îles, les enserrant dans ses nœuds, tout en mêlant ses eaux à une végétation de manguiers et de jacquiers, d'épaisses bambouseraies.

*

Profitant de la nuit – je ne dormais vraiment que dans la journée –, lorsque plus rien ne bougeait dans Kaboul, si ce n'était quelques chiens errants et féroces, mon esprit était reparti vagabonder au Cambodge, où Corto avait fini, alors, par me rejoindre pour de bon.

*

Des rayons de soleil de fin d'après-midi perçaient un ciel chargé, venant adoucir cette vaste plage grise où nous nous étions posés après avoir emprunté une longue route de latérite au parcours labyrinthique. Nous avions laissé nos motos près d'une pagode entourée de maisons aux volets bleus, à l'orée de ce lieu paisible, au milieu du Mékong, hors du monde, qui accueillait quelques familles, des bandes de jeunes.

Certains se baignaient tout en restant prudents. Un groupe de filles en chemisier jouaient sur une chambre à air de camion au milieu d'une flaque profonde et s'esclaffaient bruyamment.

Sur un bras du fleuve, des pêcheurs remontaient leur filet depuis des jonques à l'équilibre précaire.

Corto et moi finissions notre repas composé de quelques œufs couvés, arrosé d'un jus de noix de coco, allongés sur une natte devant une cahute en bambou. Mon ami avait, bien entendu, refusé que je l'invite.

Des vendeurs ambulants défilaient et nous proposaient en souriant des crabes braisés, de petites bananes vertes, des canettes de bière ou de Fanta. Seun, mon homme à tout faire, avait préféré partir faire un tour, seul de son côté. Même s'il appréciait notre compagnie, le jeune Cambodgien s'éclipsait dès qu'il en avait l'occasion pour marcher en silence, pensif et grave. « Seun ot mien pleung » avait perdu du poids et un peu de sa joie de vivre. Il s'était rasé la moustache.

Il travaillait beaucoup avec Corto, l'accompagnant dans des reportages aux quatre coins du pays, et, parfois, en dehors du Cambodge : chez les Karens par exemple, une ethnie rebelle de Birmanie, ou chez des Hmongs, cachés dans une jungle du Laos et traqués par le régime communiste pour avoir collaboré avec les Français pendant la guerre d'Indochine, et avec les Américains pendant la guerre du Vietnam.

Corto s'était approprié Seun et je râlais un peu. Notre fixeur était devenu moins disponible pour moi, mais j'avais compris qu'il avait besoin d'action et que mon travail avait basculé dans une certaine routine.

Corto, lui, se donnait à fond. Alors que j'avais dû le pousser pour qu'il accepte de me suivre.

Il s'était élancé. Mais pas à ma manière, mélange de désinvolture et de gentil cynisme. Il avait décidé, du jour au lendemain, d'y aller tête

baissée. Il s'était déclaré prêt à tout pour faire au
mieux son job de reporter, mais, selon moi, vu
comment il se comportait, prenant tous les risques,
y compris les plus inutiles, c'était dans l'intention
plus ou moins consciente de prendre une balle,
de sauter sur une mine, de se faire rouler dessus
par un char d'assaut.

Il accepta de réaliser à ma place certains reportages que l'on me commandait. Très vite, il fit
mieux que moi, comme il m'avait toujours surpassé
en tout. Son travail photographique, surtout, était
carré, exécuté avec son intelligence mathématique,
et le résultat reflétait sa vision du monde, désen-
chantée mais en même temps cartésienne, logique.
Il scrutait avec méthode la complexité des évènements et la mettait sous nos yeux. Cela donnait un
style fort à ses images, qui allait faire sa renommée :
photos glaciales, découpant leur sujet au scalpel,
donnant à voir la réalité dans toute sa crudité, sa
violence. Il avait, en revanche, plus de mal pour les
textes, cherchant à utiliser les mots les plus précis
– il évoquait par exemple le « retour de flammes
des lance-roquettes », employait une douzaine de
couleurs pour décrire le sang, comparait le bruit
de l'AK-47 à celui d'un « marteau-piqueur lent et
assourdi », ou, encore, utilisait l'expression « bles-
sure par arme blanche pénétrante » pour parler…
d'un coup de couteau –, ce qui rendait sa prose

un peu indigeste. Et je n'hésitais pas à le chambrer à ce sujet.

Quand il me demanda de partir à ma place couvrir une offensive de l'armée cambodgienne à Païlin, un fief des polpotistes réputé pour ses mines de rubis, j'acceptai avec soulagement. Je n'adorais pas crapahuter pendant la saison chaude, et j'avais déjà un fait divers à relater : une embarcation transportant un groupe de vieux touristes français avait coulé dans le Mékong, les propriétaires du bateau s'étaient enfuis à la nage, laissant leurs clients se noyer, et je devais aller voir les dizaines de corps, déposés dans une pagode.

Corto proposa à Seun de l'accompagner, mais il déclina l'offre et garda ensuite, pendant des heures, un air buté, farouche, comme s'il avait été blessé. Puis ils se parlèrent, longuement. Je devinai que Corto avait réussi là où j'avais lamentablement échoué : amener Seun à évoquer son enfance sous le régime khmer rouge, la terreur, ses proches massacrés. Cet échange les rapprocha. Mais Seun refusa quand même de participer à ce reportage.

Pour l'occasion, Corto adopta une tenue à laquelle il ne renonça plus : tee-shirt noir, pantalon noir à poches, et boots noires. Il se fit raser la tête par un coiffeur de rue, abandonnant sur un trottoir de Phnom Penh ses belles boucles de corsaire. Il aurait pu passer pour un Khmer. Il était prêt pour sa nouvelle vie. Et il commença à sniffer de l'héroïne.

En route pour l'ouest du Cambodge, le char sur lequel il était monté sauta sur une mine – il s'en sortit sans égratignure – et il arriva sur le front à pied avec les premiers hommes de troupes, dont la plupart étaient couverts de sang. Il prit des photos – maisons brûlées, trous d'obus, corps déchiquetés, enfants en pleurs –, et empocha discrètement, au passage, quelques pierres précieuses abandonnées par des Khmers rouges en fuite. Il fit la route du retour sur une mobylette – achetée avec un des rubis –, dormit deux heures dans un fossé, rentra écrire son reportage et développer ses photos. Puis il partit se saouler au Martini, établissement bas de gamme à la mode chez les étrangers, « western disco style », où il avait ses habitudes et des copines cambodgiennes.

*

Quelques mois après ce premier reportage, Corto, au bord du Mékong où nous nous prélassions, interpellait en plaisantant chaque Cambodgien qui passait à sa portée. Il testait son vocabulaire : *niam baï* (manger) ; *tcharan* (beaucoup) ; *loho* (bien) ; *oté* (non)…

« Hé Gratiole ! *Niam baï tcharan, loho, oté ?* » Il me regardait avec ses longs yeux rieurs, ses yeux si noirs, insondables, et avec cette expression de contentement que je ne lui avais pas vue depuis longtemps, et qui lui était pourtant propre, autrefois. *Loho, enculat !* lui répondis-je, *ot mien pleung, mé fas cagat...*

Il s'esclaffa, radieux, puis s'alluma une cigarette. Il dut voir à mon air attristé que je considérais toujours cela comme le plus grave des péchés. Il avait déjà essayé de me faire plaisir en arrêtant, mais ces tentatives s'étaient, chaque fois, soldées par un échec. « J'ai l'impression de vivre plus intensément quand je fume. »

J'avais profité de ce moment de détente pour lui faire raconter les obsèques de sa mère. Mémé était morte deux semaines auparavant, pendant son sommeil. « Tu aurais dû voir ça ! » s'exclama-t-il. « Au fait..., glissai-je, piteux, encore une fois... désolé... de ne pas avoir été là. C'était vraiment compliqué, avec le boulot, ici.

— Je sais. Tu aurais dû voir ça, je disais : des milliers de personnes dans la basilique Saint-Sernin... Le maire, tous les amants de Mémé en pleurs...

— ...

— Qu'est-ce que tu veux que je te dise : on était à peine une dizaine, ma sœur, moi... des voisins. Dans la mosquée toute pourrie près de chez nous.

— La… mosquée ?

— Ben, oui. Mémé était musulmane.

— Mémé était musulmane ?

— Oui. C'est ce qu'elle disait. Elle n'avait pas l'air sûre, hein. Elle s'est retrouvée toute petite à Mayotte, sans ses parents. Ensuite, elle a été élevée par des bonnes sœurs, donc sa religion avec tout ça… Tiens, en parlant de mère, Pascal…

— Ah non !

— Ben si. Elle est drôlement inquiète.

— Je devine. En même temps, je lui ai bien dit qu'ici, ce n'était pas non plus vraiment la guerre. Ce n'est pas la Bosnie. Imagine, Corto, si je m'installais en Irak.

— Tu pourrais simplement lui donner plus de nouvelles. Enfin, il me semble. Tu te souviens quand tu souhaitais ne jamais quitter Toulouse, pour ne pas la laisser seule ?

— C'était il y a longtemps. »

Après notre goûter, nous avions fini la journée dans deux hamacs de toile bleue, face aux étendues aquatiques.

Ce pays était à genoux, dévasté. Corps meurtris et âmes noires. Mais nous baignions dans une mélancolie sensuelle, dans un monde loin du monde, un bout de planète pour nous seuls, plus un rêve que le réel, si proche de notre âme d'enfant.

*

José était devenu un bon copain. Je n'avais pas pu lui fournir un seul renseignement intéressant, étant donné que j'étais incapable d'en obtenir moi-même pour mes propres articles, mais il ne m'en tenait pas rigueur et semblait apprécier ma compagnie. Quand il revenait de sa province de Kampot, dans le sud-ouest du pays, où il était basé avec des casques bleus français, et qu'il s'arrêtait quelques jours à Phnom Penh, nous passions des heures à parler cinéma et littérature. Ce garçon d'une vingtaine d'années avait une culture impressionnante, plutôt orientée vers les univers militaires et, plus particulièrement, expéditionnaires. Comme de nombreux explorateurs et écrivains ayant sillonné cette région – Pierre Loti, Francis Garnier, Auguste Pavie… – avaient été officiers de marine, il avait des références qui lui tenaient à cœur.

Je finis par lui présenter Corto. J'avais hésité, car j'aimais bien l'idée d'avoir des relations bien à moi, que je ne partageais pas.

Nous avions déniché une table accueillante dans un bistrot français, près du palais royal, où l'on servait du fromage et du vin rouge, nos deux trésors nationaux. Très vite, nous avions attaqué un de nos sujets favoris : Auguste-Jean-Baptiste-Marie-Charles David de Mayrena, aventurier français du xixe siècle qui s'était autoproclamé « roi des Sedangs », un peuple des hauts plateaux du Vietnam, sous le nom de Marie Ier. Personnage haut en couleurs, qui avait notamment inspiré Malraux pour son Perken, le hors-la-loi de *La Voie royale*. Une figure digne des romans de Conrad, orgueilleuse épave humaine courant après des chimères. Mayrena avait fini ses jours sur un îlot malaisien, fumant de l'opium, haranguant les vagues et les astres, essayant en vain de rejoindre son royaume. Il était mort seul et paranoïaque, mordu par un serpent, ou assassiné d'une fléchette empoisonnée.

Nous débattions de la possibilité que Mayrena ait été manipulé lorsqu'il était parti explorer cette région annamite, zone stratégique entre l'Indochine et le royaume de Siam. Manipulé soit par les Français, pour élargir leur protectorat, soit par les Anglais, pour aider les Thaïs… et emmerder les Français. Nous n'avions pas d'avis tranché. Corto avait profité de cette discussion pour affirmer, sans avoir l'air de plaisanter, qu'il finirait ainsi, prince d'une tribu isolée, et j'avais perçu chez José poindre de la curiosité, voire de l'admiration. Ces deux-là allaient se revoir, et sans moi la plupart du temps.

Quelques mois plus tard, nous fûmes à nouveau réunis, tous les trois. Un Australien, un Britannique et un Français avaient été kidnappés par des Khmers rouges alors qu'ils circulaient en train entre la capitale Phnom Penh et le port de Sihanoukville, dans le Sud. José accepta de nous aider à réaliser un reportage. Nous rejoignîmes Kampot, bourgade à proximité du Phnom Voar, la « montagne des lianes », où les rebelles et leurs otages avaient été repérés. Dans le seul hôtel à peu près correct de la ville, nous nous étions retrouvés avec deux ou trois journalistes et quelques personnes de différentes nationalités, tellement discrètes que cela sautait aux yeux qu'elles étaient là pour négocier la libération de leur compatriote.

Le soir, José, Corto et moi, nous avions fait une virée en « ville ». Le patelin étant plongé dans le noir, nous nous étions dirigés, attirés par quelques lampions rouges et verts, vers la large rivière Teuk Chhou et nous avions atterri dans un rade, une sorte de bungalow flottant. On y accédait par un ponton branlant. Là, des hôtesses fardées, en tenue légère, nous avaient mis aussitôt le grappin dessus. Des putes vietnamiennes, bien sûr.

Assises sur nos genoux, ces joyeuses courtisanes nous avaient encouragés à enchaîner les verres d'alcool de riz et les bières. Corto avait sorti un gros joint, l'avait allumé puis l'avait fait tourner.

L'ambiance était chaude. Des haut-parleurs grésillants déversaient sur ce lieu loin de tout du rock and roll local.

Assez vite, Corto et José s'étaient laissé entraîner par les filles dans des danses impudiques et désordonnées. Tout le monde avait trop bu. J'avais réussi à me déplacer en titubant jusqu'à un hamac installé dans un coin du cabanon et à m'y allonger. J'assistai au reste de la soirée à travers un brouillard épais. À un moment, j'entendis Corto parler de moi à José, comme si je n'étais pas là. « Non mais lui, il rêve d'un amour impossible... avec une prostituée romantique... une Suzy Wong de littérature... laisse-le... c'est une petite brêle... » Peu de temps après, deux filles entièrement nues, que je n'avais pas remarquées auparavant, s'étaient mises à s'injurier brièvement, puis l'une d'elles s'était allongée sur moi et, tout en m'écrasant de son poids, avait entrepris de me déshabiller, ou plutôt d'arracher mes vêtements. Elle dut y arriver, car je me réveillai deux heures plus tard à poil, l'inconnue toujours collée à moi, ronflant. La scène alentour n'était pas plus glorieuse : Corto, José, et quatre filles étaient également endormis, couchés à même le sol, enchevêtrés. Leurs fringues étaient éparpillées dans la pièce. Réussissant à m'extirper du hamac, je réveillai tout le monde. Il était temps de rentrer à l'hôtel.

Après avoir dormi deux ou trois heures, nous nous étions mis en route, à l'aube, avec une belle gueule de bois, empruntant des chemins difficilement carrossables, pour arriver finalement au pied du Phnom Voar, la petite montagne où étaient retenus les otages. La voiture ne pouvait pas aller plus loin, une rivière coupant la voie. « Allons-y à pied », avait proposé Corto. « C'est trop dangereux, avait décrété José. Même les troupes d'élite de Phnom Penh n'y vont pas, pour le moment.

— Oui, mais pour prendre des photos, j'ai juste besoin de faire encore quelques centaines de mètres. »

Sans plus attendre, il avait déjà sorti de la voiture son matériel et allait se mettre en route, tout seul. « OK, je t'accompagne », avait soupiré José. « Ben moi aussi, dans ces cas-là », avais-je dit. « Je ne suis pas sûr que ça soit une bonne idée, Pascal, avait tranché Corto. On passera moins inaperçus à trois. Et puis, ce serait quand même bien de garder la bagnole, non ? »

Les seules photos qu'ils réussirent à prendre, ce jour-là, furent celles de forêts denses et d'une crête rocheuse, au loin. Personne ne revit les otages vivants, ils furent massacrés un mois plus tard.

Pendant cet épisode, des intermédiaires disparurent avec des sacs de dollars, des journalistes achetèrent des informations aux autorités locales, des mouvements de troupes compliquèrent les négociations, à un point tel qu'on soupçonna le gouvernement de pourrir la situation pour obtenir une aide militaire des pays étrangers… Et se posa alors la question de réintégrer dans la société une partie des Khmers rouges – excepté bien entendu les dirigeants, coupables de crimes de masse – pour en finir une fois pour toutes avec cette guérilla. De Pékin, où il se faisait soigner pour un cancer de la prostate, le roi Sihanouk, qui n'avait pas réussi, depuis son retour en 1991, à retrouver le rôle politique qui avait été le sien dans le passé, observait l'évolution des rapports de force entre « ses enfants ».

Ces évènements tragiques révélèrent brutalement le chaos qui régnait encore dans le royaume malgré l'opération de maintien de la paix de l'ONU, en 1992-1993, qui avait vu débarquer 15 000 casques bleus, des milliers de policiers et de civils, sans compter les humanitaires et les journalistes, pour un budget d'un milliard et demi de dollars. Une mission chargée de reconstruire un État, de faire surgir de nulle part une démocratie… et qui provoqua surtout la déstabilisation de la société locale et l'explosion des prix, de la prostitution, du ressentiment de la population envers les étrangers… Il fut convenu, à la fin de l'opération, qu'elle n'avait pas été bien « formatée », et qu'elle devrait servir de « contre-modèle », pour l'avenir.

*

Vers la fin de l'année 1995, Pia mit brutalement fin à sa relation avec Corto, l'accusant, et elle n'avait pas tort, d'être tombé à Phnom Penh dans le double péché de la luxure et de la dope. Elle le rejoignait au Cambodge pour quelques semaines (elle travaillait à l'époque pour MSF en Bosnie, à Srebrenica) et certains des bons amis de Corto s'étaient empressés de lui confirmer des ouï-dire. L'un d'eux l'emmena même un soir – alors que Corto était occupé chez lui par la rédaction d'un papier – au Martini, et lui désigna une demi-douzaine de filles de bar, toutes du même profil : jeunes, petites et rondelettes, timides. « Les copines de ton mec, une belle brochette ! »

Elle réfléchissait au moment le mieux choisi pour le larguer, mais aussi au meilleur moyen de se venger. Je décidai, sans penser à mal, pour éviter le pire, de proposer à Corto un reportage pour lequel j'avais été pressenti : une dizaine de jours avec les forces gouvernementales – qui devaient préparer l'offensive de je ne sais plus quelle saison, saison chaude ou saison des pluies… Pia et Corto allaient s'entretuer, la tension montait chaque jour d'un cran, jamais je n'avais vu mon ami perdre autant son légendaire sang-froid. Ils avaient même commencé à se jeter à la tête des bouddhas de grande valeur, saisis directement dans ma collection personnelle.

Quand Corto repartit, donc, sur les routes de la guerre, Pia débarqua chez moi un soir, en larmes. Elle pleurait le départ de l'homme qu'elle aimait encore.

Quand je la vis ainsi, dans sa détresse, je fondis. Sans ses lunettes, elle avait un regard fragile, enfantin. J'avais toujours imaginé avoir envie, en premier lieu, de faire l'amour à son intelligence, mais dans ce pays où on vivait quasiment nus, cela se déroula naturellement : peaux et muqueuses moites, qui entrèrent en contact, se collèrent, et son corps blanc, délié, et ruisselant, m'engloutissant d'un coup. Mes actes étaient enfin aussi impudiques que mes rêves et nous allâmes, pendant des heures, dans toutes les positions inventées par les dieux, les hommes et les animaux, jusqu'au bout d'un désir qui flottait autour de notre relation depuis longtemps. La nature eut raison de la morale.

Mais il fallait quand même l'avouer... Pour moi, au plaisir purement sexuel s'en superposa un autre, plus subtil, plus tordu : celui de trahir Corto, de lui porter un coup, sans prendre le risque de l'affronter.

Pia quitta le pays le lendemain, me chargeant d'annoncer à mon ami sa décision de rompre. Je fus surtout soulagé qu'elle n'aborde pas le sujet de notre relation, entre elle et moi.

Elle fut malheureuse de partir ainsi. Je fus triste, également, car elle faisait partie de nos vies, depuis quelques années, et sa présence nous avait aidés, Corto et moi, à ne pas nous éloigner l'un de l'autre.

Corto, lui, en apprenant la nouvelle, ne laissa apparaître aucune émotion.

*

Je découvris que, dans le cheptel de Corto au Martini, même si elle ne correspondait pas aux critères de mon ami, se trouvait Chenda. Chenda, mon Apsara-masseuse, que je n'étais pas parvenu à oublier et que je recherchais depuis des mois, en vain. Quand je finis par apprendre qu'elle avait ressurgi là, et que j'en parlais à Corto, avec un ton un peu trop pathétique, il me répondit seulement que des filles, il y en avait partout, et que, lui aussi, s'était attaché à elle. « Oui, mais moi, j'étais prêt à l'épouser », dis-je bêtement, ce qui le fit bien rire. Nous eûmes cette discussion juste après avoir forcé un barrage de l'armée, en plein centre-ville. J'avais voulu impressionner Corto et je ne m'étais pas arrêté – la plupart du temps, ça passait, il suffisait de montrer sa bonne figure de blanc à la fenêtre –, mais cette fois des soldats, encore adolescents, avaient ouvert le feu à la kalache, explosant la lunette arrière de ma vieille Toyota et m'obligeant à accélérer, en baissant la tête. Dès que nous nous étions sentis à nouveau en sécurité, je m'étais arrêté dans une ruelle sombre. Des tas d'immondices putréfiés stagnaient dans des flaques d'eau croupie et une odeur pestilentielle pénétrait par nos fenêtres ouvertes et par la lunette fracassée. Un couple de vieillards en guenilles farfouillait dans ces déchets, cherchant de la nourriture. J'attendis que Corto déverse sa colère sur moi. Au lieu de quoi, constatant son silence, je le regardai et découvris qu'il était tassé sur son siège, tremblant, presque en pleurs. Je me dis que le moment était opportun pour parler de sujets qui fâchent. Une courte discussion qu'il conclut par un : « Putain, Pascal, je m'en fous de ta Chenda. On a failli crever, là !

— Ça te dérangerait tant que ça ?

— T'es vraiment con. Je n'ai pas envie de mourir. Et il va falloir que tu en finisses avec ce désir de me materner. Moi, je prends des risques calculés. Toi, c'est n'importe quoi. Et puis tu vis à une autre époque. On n'a pas tous les droits, ici.

— Ça alors ! C'est toi qui dis ça ? T'es vraiment gonflé…

— Mais regarde-toi. T'arrêtes pas de citer des auteurs coloniaux, ton Jean Hougron, là, ce « ramasseur de corne molle de cerf »… ou même Kipling.

— Kipling ? Qui m'a fait lire Kipling le premier ?!

— On n'a plus quinze ans, Pascal. Faut évoluer. T'as toujours pas lu ces romanciers vietnamiens dont je t'ai parlé, Thiêp et les autres… Tu te rends compte que les Chinois ont ici plus d'influence que les Français… Adapte-toi au monde… Avance ! Et avec les filles, c'est pareil. D'ailleurs, avec les filles, je te le redis… c'est chacun pour soi.

— Mais putain mais…

— …

— Non, rien. T'as raison, Corto, faut évoluer. C'est pour ça que tu vas arrêter de te mettre ta poudre de merde dans le pif, et que tu vas arrêter d'écouter du rock, ce vacarme pénible avec des paroles débiles, et…

— Quel gamin… »

*

Nous roulions trop vite, en écoutant du Lou Reed, sur cette route en lambeaux qui menait à Sihanoukville et au bord de la mer – mais peut-être était-ce à Kep, une autre « station balnéaire », que nous nous rendions ?

Dans ma vieille Toyota, nous étions quatre : Corto et moi devant, et, à l'arrière, fumant clope sur clope (cela m'avait irrité, et je me souvenais toujours bien de mes exaspérations – nombreux repères dans ma vie), un Suisso-Croate, demi-voyou, qui resterait ici définitivement pour la drogue et le sexe faciles, et un Français, qui trouverait sa propre voie pour se libérer des sortilèges tropicaux, de ces perditions sans retour, se mettant à pratiquer avec assiduité le Vajrayàna, ou Véhicule de la Foudre et du Diamant, branche du bouddhisme qui visait à atteindre la vacuité. J'avais essayé, mais la méditation assise déclenchait chez moi des douleurs dorsales.

À l'entrée d'un hameau, nous avions ralenti : une fête locale battait son plein. Il y avait des stands colorés et un haut-parleur accroché à la branche d'un arbuste crachotait cette musique khmère traditionnelle, lancinante et un peu sinistre à mon goût, mais qui n'empêchait pas une petite foule de villageois sur leur trente et un de se réjouir. Je me rappelais bien cette gaieté, comme je voyais clairement cette mare autour de laquelle déambulaient des familles. Le reste était plus flou.

Tout alla très vite.

*

Mes rêveries avaient un caractère anarchique, et devaient mettre en connexion des fragments de souvenirs, de sensations, remaniés, distordus, sans que je m'en rende vraiment compte, et provenant d'époques les plus diverses et de lieux recomposés. Coexistaient passé et présent, proche et lointain, vivants et morts. Je considérais même qu'au plus profond de mon cerveau vieillissant, abîmé par ces années dans des régions du monde aux effets délétères et aliéné par mes divagations mentales, le temps n'existait plus.

Ce qui était réellement survenu dans ce hameau khmer, en 1994 – ou était-ce en 1995 ? –, demeurait en moi seulement sous forme de cicatrice : j'y pensais le moins possible, ce qui conférait à cet évènement une forme d'irréalité proche des songes douloureux, laissant de petites déchirures profondes, et qui ne disparaissaient pas au réveil.

Si ce stigmate-là, parmi tant d'autres, se manifestait maintenant, plus de dix ans après, alors que j'étais recroquevillé sur mon canapé afghan, c'était parce qu'il impliquait aussi Corto, d'une manière restée toujours ambiguë dans mon esprit, non pas que je n'aie jamais eu la velléité de cerner les contours de la vérité : j'avais seulement esquivé les interrogations et donc les réponses. Ce que je tentais de ramener à la surface maintenant était simplement, dans ce capharnaüm de la mémoire, une méthode – médiocre certes, mais en restant couché, j'enlisais a priori mon investigation – pour exhumer des bouts de la vie de Corto. Cela devait m'aider à mieux le comprendre, à éclairer son parcours secret, à me mettre sérieusement sur sa piste et, finalement, le ramener à la maison. Corto Da Costa, mon seul ami.

*

J'étais au volant, mais, comme mes passagers, je souhaitai jeter un coup d'œil à cette petite fête de village colorée. Je ralentis prudemment.

Derrière nous arrivait une voiture qui roulait trop vite. C'étaient eux, les coupables, ces jeunes fils de riches qui avaient tenté de freiner, mais trop tard, alors qu'ils ne devaient même pas avoir appris à conduire. Je jetai un coup d'œil dans le rétroviseur et compris que tout était irrémédiable. Ils étaient trop près de nous, et la route, où vélos et charrettes occupaient tout l'espace des bas-côtés, était trop étroite pour qu'ils puissent nous doubler. Ils auraient pu emboutir ma vieille Toyota. Mais, dans un réflexe pour tenter d'épargner leur belle bagnole blanche et neuve, certainement acquise avec une facilité indécente, ces parvenus post-pubères avaient foncé vers la foule, sur leur gauche, projetant violemment en l'air plusieurs personnes, finalement entraînées avec eux dans la mare, au bout de cette course folle.

Dans la confusion qui s'ensuivit, je m'arrêtai au milieu de la route et bondis hors de ma voiture. Je vis les jeunes crétins sains et saufs, assis, un peu assommés, au bord de la mare d'où émergeait comme une sculpture l'arrière de leur véhicule pointé vers le ciel, alors que l'avant avait dû se figer au fond, dans la vase. Quelques survivants, détrempés, étaient couverts de sang. Y avait-il d'autres victimes, écrasées, noyées ? Je préférais ne plus rien voir, ne pas savoir, quitter les lieux.

Les yeux posés sur moi ne semblaient ni agressifs, ni reconnaissants que je me sois arrêté. Ils étaient seulement indifférents, tristes et indifférents.

Je découvris Corto, lui aussi au plus près du drame. Il s'était dirigé directement vers un groupe d'une dizaine de personnes, de l'autre côté de l'étang. Plusieurs avaient sauté dans l'eau noire et nageaient tant bien que mal autour de la voiture presque entièrement submergée, en essayant vainement de la soulever. Les autres les encourageaient de la voix en s'agitant. Je m'approchai et suivis le regard fixe de Corto, qui n'avait pas remarqué ma présence. Du marécage sortait le haut du corps – la tête et les épaules – d'un enfant. On ne voyait qu'une seule de ses mains, l'autre, sous l'eau, devait s'accrocher à la carcasse de la voiture. Mais pourquoi donc personne ne l'aidait-il à sortir de ce bourbier ? Son regard se posa sur moi, suppliant, et je compris soudain qu'il était coincé, que tout son corps jusqu'au torse était immobilisé, dans la mare, par les tôles tordues de la voiture. Je compris aussi que le tas de ferraille qui avait été une auto blanche et neuve, fruit parmi beaucoup d'autres du racket géant du peuple cambodgien par ses dirigeants organisés en bande, s'enfonçait encore, lentement, et entraînait, centimètre après centimètre, le jeune garçon au fond de l'eau.

Il était exténué, sa peau avait pris une couleur grise. Il avait continué à me regarder fixement, sans crier, sans pleurer, mais j'avais pu percevoir chez lui sa détresse et sa résignation. Tout doucement, d'une voix fluette, il s'était adressé à moi, et même si je ne maîtrisais pas bien sa langue, je compris qu'il implorait mon aide. Comme si moi, et moi seul, avais le pouvoir de le sortir de là.

Ce fut à ce moment qu'une main ferme m'empoigna et m'entraîna loin de cette scène. J'obéis sans opposer de résistance. Corto me sortit de ce cauchemar et me ramena à notre voiture. Je me remis au volant. Silencieux, mais hanté par des questions douloureuses : ce garçon pouvait-il s'en sortir ? N'aurions-nous pas dû rester et essayer d'aider ? Cela aurait-il été soutenable de le voir s'enfoncer sous nos yeux, jusqu'à la fin, en étant impuissants ?

Dix minutes s'écoulèrent avant que Corto ne retrouve l'usage de la parole (à l'arrière, le Français dormait et le Suisso-Croate continuait à fumer cigarettes et pétards, sans se soucier de rien). Il murmura : « J'aurais du mal à oublier le regard qu'il m'a jeté, avant qu'on parte, ni cet appel à l'aide qu'il m'a lancé. »

Je ne répondis rien. Et nous demeurâmes silencieux, à nouveau, pendant tout le reste du trajet. Pas question de prétendre que cet enfant s'était adressé à moi. Et d'ailleurs, qu'aurais-je préféré : être l'unique destinataire de cet appel au secours auquel je n'avais pas su répondre, marqué à vie par la fin de cette enfance-là, comme on l'est de sa propre enfance, comme l'on porte une croix qui nous accable mais qui nous donne aussi une mélancolie dont on n'a pas forcément envie de se défaire. Ou partager cet instant tragique avec mon ami qui, en partie comme moi, mais suivant également ses propres chemins obscurs, avait été saisi d'effroi, non seulement face à ce drame-là, mais aussi, depuis des années, face à l'absurdité de nos vies d'adultes. Ou, enfin, lui abandonner entièrement le privilège de cet évènement sinistre, de ce destin cruel qui rejoignait le sien, qui épousait sa trajectoire funeste.

J'optai pour le silence et l'oubli. Corto, lui, avait exprimé sa part de vérité, une part infime.

*

Nous avions, Corto et moi, vécu ensemble bien d'autres drames avant celui de cet accident de voiture et de l'enfant à l'agonie. Et si, cette fois-là, Corto m'avait fait quitter les lieux, comme quand, adolescents, il me tirait souvent de situations délicates, les exemples avaient été nombreux où ce fut moi qui étais venu à son secours. Il ne m'en témoigna jamais une franche reconnaissance. Quand, par exemple, des mafieux avaient décidé de lui faire la peau, après une partie de poker dans les bas-fonds de Bangkok au cours de laquelle il avait perdu une somme considérable, sans avoir les moyens de payer sa dette, et que, prévenu par un de nos contacts locaux, j'avais débarqué avec une mallette de cash, libérant Corto de ce piège à rats. Il avait juste grommelé un : « Putain, sans ce carré que ce gros con de chinetoque a tiré de sa manche, je me refaisais. »

Je ne me formalisais pas. Combien de fois, déjà, ne lui avais-je pas sauvé les fesses sans qu'il s'en doute. J'avais pour habitude de saborder ses projets de reportages les plus suicidaires, en appelant les rédactions à Paris et en jouant de mon influence pour qu'ils n'envoient pas Corto au casse-pipe. Comme la fois où il avait décidé de se faire embarquer à bord d'un bateau de pirates malais pour partager leurs aventures.

Je jouissais de ce rôle d'adulte responsable, en charge de ce jeune frère un peu barré, qui n'avait plus pour obsession que de crapahuter dans les jungles, les zones de guerre, avec les guérillas en Birmanie, les trafiquants au Laos, les islamistes aux Philippines...

Jusqu'au jour où je m'étais lassé de cette vie-là. Pas de la sienne, qui m'excitait plutôt, vécue à une distance raisonnable. Mais de la mienne, cette existence un peu ronronnante, émolliente, tropicale. Même si la société qui nous entourait était dynamique et que les Cambodgiens faisaient preuve tous les jours d'un réel appétit de vivre, de travailler, de se reconstruire... Avec des besoins simples : manger à sa faim et acheter un vélo pour ceux qui n'avaient rien, acheter une mobylette pour ceux qui avaient un vélo, acheter une voiture pour ceux qui avaient une mobylette. Un jour, j'avais dit à Seun : « Je suis venu dans ton pays car je cherche quelque chose, mais je ne sais pas quoi. » Il m'avait seulement répondu : « Moi, je sais ce que je veux. »

Ce qui m'attendait en France n'allait probablement pas être exaltant. Mais il était temps de
rentrer, de retrouver des repères.

J'annonçai à Corto que j'avais décidé de partir,
de quitter ce jardin d'éden, cette famille, où il
aurait été trop simple de finir ses jours. Le pari
était risqué : j'en avais connu qui étaient rentrés
en Europe, après une longue période passée ici, et
qui ne s'en étaient pas remis. Ils étaient devenus
salariés et dépressifs.

À trente ans cependant, il est un peu tôt pour
prendre sa retraite. Et puis cinq années à pratiquer
la même activité avaient été une sorte de record
pour moi.

Quand je voulus annoncer mon départ à Seun,
j'appris qu'il était parti en vacances en Thaïlande
pour plusieurs semaines.

Je ne cherchai pas à revoir Chenda qui, pourtant, avait eu vent par Corto que je souhaitais
l'épouser. Elle avait rigolé, ne se souvenant plus
vraiment de moi, mais aussi, admit mon ami dans
un élan de sincérité, avait paru troublée.

Corto, lui, refusa de me suivre. Il n'en avait pas
fini, et il avait surtout trop peur de se retrouver
avec ce vide intérieur qu'il avait connu et qui, il
en était persuadé, allait le rattraper, s'il retrouvait
la brumaille française.

11

Enayat s'offrait un moment de détente, sage-ment assis sur une chaise en plastique, profitant d'un peu d'ombre sous un bosquet de grenadiers que l'automne débutant avait commencé à dégar-nir. L'air était vif et le ciel, bleu. En milieu d'après-midi, les clients se faisaient rares, certains venaient travailler sur leur ordinateur portable, d'autres improvisaient de petites réunions décontractées, en maillot de bain. Deux ou trois fonctionnaires européens fats et grossiers, sous-énarques énervés, allaient et venaient avec les règlements de Bruxelles sous le bras. Ils soldaient, à la fin de la journée, de belles ardoises.

Enayat annotait avec application un livre de poche écrit en français sur la fusion des atomes.

Dans une autre vie, il avait été ingénieur. Mes employés l'appelaient « Ingénieur Enayat ».

Je lui avais offert cet ouvrage, acheté pour lui à Paris. À chacun de mes voyages, j'avais à cœur de ne pas oublier de rapporter un souvenir à mon ami. C'était devenu un rituel. Quand je sortais de l'aéroport et que je devinais la silhouette familière qui m'attendait là depuis des heures, avant même que nous passions aux salamalecs d'usage, il me balançait un *bété !* et je lui répondais un joyeux *bégi !* en lui tendant un paquet cadeau.

Bété est l'impératif du verbe donner et *bégi* celui de prendre. « Donne », « prends »… L'essentiel exprimé en deux mots.

Le *bété/bégi* était l'une des clés de nos vies, ici, de nos vies précédentes, ailleurs, dans de nombreux pays, et de nos existences en général.

Le mendiant et celui qui fait l'aumône, le client et le marchand, le type en manque et son dealer, deux personnes qui se tournent autour… Sans parler d'expressions plus triviales, grossières, au cœur de tant de blagues chez les Afghans (entre hommes, exclusivement). On donne ce que l'on a. On tente de prendre ce que l'on désire. Ou on joue à faire semblant. Parfois, les rouages du « je donne-je prends » se grippent. Se libèrent alors des forces dévastatrices. Mais pour l'essentiel, ce moteur fait tourner à plein régime l'économie de ces pays où les populations n'ont pas nos états d'âme de vieux repus déclinants, et où tout bouge vite, selon des principes simples : vendre et acheter, produire et consommer, et, pour faire bonne mesure, acquérir du pouvoir pour piquer dans la caisse.

Avec Corto, nous avions eu de nombreuses discussions sur ces mouvements telluriques que nous observions, depuis que nous avions décidé de vivre à l'étranger, et qui transformaient le monde de manière accélérée, alors qu'en France les gens, hébétés, commençaient à peine à réaliser qu'ils étaient déjà en train de glisser sur un toboggan. Nous espérions que notre nature pessimiste serait contredite par la réalité.

Je me souvenais d'un passage de Corto à Paris. Moi, j'étais rentré de Phnom Penh deux ans auparavant et je déprimais, sans envisager de repartir cependant, exténué par cette vie de mouvements incessants. Lui était encore en Asie du Sud-Est, bien qu'ayant mis un terme à son activité de correspondant : « Les bonnes histoires ne sont plus là-bas, depuis la mort de Pol Pot et la fin des Khmers rouges. » Il enchaînait des boulots à sa mesure : trafiquant de pierres précieuses, démineur pour une société de sécurité privée, joueur de poker professionnel dans des tripots clandestins (mais fort de ses erreurs, il portait dorénavant un flingue sous sa chemise)… De temps à autre, il acceptait, si c'était bien payé, d'aller faire des photos sur un front de guerre : Sierra Leone, Kosovo, Tchétchénie...

Ce jour-là, pour célébrer nos retrouvailles, nous avions décidé de déjeuner à la cafétéria des Galeries Lafayette, un bon poste pour observer la jouissance consumériste. C'était la fête du plateau-repas pour tous les nouveaux riches du monde : Chinois, Qataris, Russes, Brésiliens, et même des peuplades que l'on connaissait moins : il se trouvait par exemple des Chiliens en mesure de faire du tourisme.

Alors que, devant le stand des grillades, je tentais vaguement de vanter les charmes de ma vie parisienne – « Rends-toi compte, de l'eau potable au robinet ! » –, avant de me remettre à gémir sur mon sort, Corto, tout en m'écoutant, ne cessait d'observer un groupe de jeunes Coréennes émoustillées par l'air de Paris. Elles semblaient fascinées par le buffet de crudités.

Corto se marrait. Quoi que je dise, je le faisais rire. À moitié étouffé par une colère existentielle, submergé par les fléaux qui s'abattaient sur moi sans relâche – l'agressivité et les égoïsmes, l'intransigeance des attitudes, la fréquentation d'individus rétrécis, sans intérêt, l'absence de foi en quoi que ce soit, ou en qui que ce soit... –, et, hésitant à prendre un dessert, je poursuivais la liste de mes tourments, comme l'impossibilité d'avoir en France des employés à temps plein qui préparent vos repas, font votre ménage et surtout le repassage.

J'étais couvert de vêtements de couleurs sombres, comme un Parisien en hiver. Corto, lui, se baladait en sandalettes et semblait sortir directement d'une jungle tropicale, avec ses longs cheveux noirs en bataille – il avait cessé de se raser la tête – et sa barbe de Robinson.

Entouré par ces hordes venues des pays émergents, je me sentais comme dépossédé. Nous étions les nouveaux pauvres du monde, malgré notre niveau de vie et nos patrimoines.

« Que vaut notre expérience à l'étranger ? » lui demandai-je alors qu'il était en train de faire du gringue à la caissière.

« Si on ne grandit jamais vraiment, et que même en partant loin, et pour longtemps, on finit toujours par revenir, pour retrouver une intimité avec le monde, avec soi et avec les autres, que l'on va à nouveau vouloir fuir... »

Corto ne m'écoutait plus.

J'avais éprouvé des sentiments ambigus, lors d'un récent séjour à Toulouse. En arrivant, je m'étais tout de suite senti à l'aise, comblé, dans cet univers familier qui résonnait avec tout ce que j'étais. Revivre ici ne serait pas absurde, avais-je pensé : parmi les violettes, les Airbus et... les saucisses... Parmi ces gens souriants, qui vénéraient le rugby et qui votaient à gauche...

Puis, dans une chambre d'hôtel, regardant la vieille ville depuis la fenêtre, j'avais tenté, de toutes les forces de mon esprit fatigué par les années, de faire surgir des sensations enfouies en fixant la volée de tuiles, d'un rose lumineux, comme attisé par le soleil méridional. Une seule pensée m'était venue, avec force : le mieux à faire était de continuer à avancer, de regarder devant soi, de quitter, de trahir.

J'avais observé de loin l'entrée du Vieux-Temple de la rue Pargaminières, à deux pas de la place du Capitole. Le culte était terminé, les derniers fidèles quittaient les lieux. J'avais aperçu la silhouette de ma mère, fragile, légèrement courbée. Elle saluait poliment un groupe de vieilles dames. Elle avait connu la guerre mais croyait encore en la bienveillance des gens les uns envers les autres. C'était le thème habituel de ses sermons. Elle ferma la porte à clé, finit d'enfiler son vieux manteau gris, et partit en trottinant, pleine de détermination, dans une autre direction que la mienne. Corto interrompit mes rêveries : « Ton mode de vie est quand même drôlement efficace pour réussir à être seul et libre, bien peinard.

— À moins que cela ne soit triste, je n'arrive pas à trancher.

— Regarde toutes les emmerdes que j'ai eues, moi, avec Pia... »

Je soupirai, puis laissai un silence s'installer. Il continuait de m'observer avec une sorte d'admiration. Lui avait vécu successivement avec un certain nombre de femmes, jusque-là rien que de très normal, mais sans jamais les quitter vraiment, après être passé à la suivante. Un peu par lâcheté, beaucoup par peur de l'abandon, de la solitude. Il n'y avait que Pia qu'il ne réussissait pas à revoir, malgré ses tentatives renouvelées. Il était donc entouré d'ex, ce qui ne lui rendait pas toujours la vie facile. Sa névrose était à l'inverse de la mienne, en quelque sorte, il saturait son espace affectif et en souffrait. Moi, je faisais le vide autour de moi et en souffrais...

Comme nous étions partis pour nous parler franchement, ce qui n'arrivait pas souvent, je lui rapportai ce que j'avais entendu dans les rédactions parisiennes, à son sujet. On appréciait son travail, évidemment, il était devenu une star du photoreportage, mais on haussait les épaules : « C'est sûr, quand on est prêt à y laisser sa peau, ça aide, pour rapporter de bonnes images », et puis assez vite, certains de mes interlocuteurs se lâchaient, et l'admiration devenait du mépris pour ce *war junkie*, ce reporter de guerre qui ne vivait plus que pour l'adrénaline des conflits, de la violence extrême. On le traitait quasiment de suceur de sang, de grand sadique se vautrant avec délectation au milieu des tripes et des boyaux.

Corto m'écoutait, l'air absent, mais en souriant vaguement. Puis, quand j'en eus fini, alors que je le fixais, comme en attente d'une justification de sa part, il devint grave et triste : « Que veux-tu ? Ils n'ont pas tout à fait tort. Dès que je m'arrête, je me sens complètement vidé, abattu, comme si je n'existais plus... »

Ce n'était pas ce qu'il venait de dire qui m'avait surpris, c'était le ton qu'il avait employé, ce mélange de candeur et de désarroi, inhabituels chez lui. « Et puis, pour être franc, en reportage, on oublie les questions existentielles, on n'a pas de temps pour les angoisses superflues. Ça rassure aussi, en quelque sorte, de voir la mort de près... on se familiarise. Mais ça va au-delà de ces caricatures... On a tous nos fantasmes. Certains, c'est le prix Albert Londres, le World Press... Ou c'est peut-être d'être accueilli en grande pompe par la République à l'aéroport de Villacoublay, après deux ans de captivité... Moi, c'est rien de tout ça et c'est certainement plus mégalo. À chaque fois qu'un de mes sujets est publié, ou même avant, juste au moment où je prends la photo qui me semble bonne, ou quand je suis dans un endroit où aucun journaliste n'est encore allé... je me dis que je suis en train d'aider une guerre à se terminer... que je suis en train de sauver des centaines ou des milliers de vie... Et te fous pas de moi... »

J'approuvai de la tête. Mes rêves secrets à moi valaient bien celui-là, en moins humanistes.

« Au moins, nous, dis-je, contrairement aux révolutionnaires que tu as longtemps enviés, on n'a pas de sang sur les mains... »

Il m'avait regardé longuement, sans ciller. Il me testait, il cherchait à savoir si j'étais faussement naïf, ou simplement naïf. Ou alors il réfléchissait à ce qu'il était lui-même, à ce qu'il vivait depuis quelques années, à tout ce sang qu'il avait vu, et si, justement, il n'en avait pas un peu sur les mains.

« Oui », avait-il simplement murmuré, en regardant l'Opéra par la baie vitrée de la cafétéria.

« Au fait, me dit-il au bout d'un moment, Seun t'en veut encore d'être parti sans lui dire au revoir. Je sais, il était absent à ce moment-là, mais n'empêche, il a été blessé.

— Tu me l'as déjà dit, non ? Trois, quatre fois ? Et je t'ai déjà répondu : il avait pris ses distances, à cette époque.

— Dans ta tête, il avait pris ses distances. Tu ne l'as jamais vraiment compris, Seun, de toute façon. Tu savais qu'il a été Khmer rouge ?

— ...

— Qu'il a tué ses parents à coups de pioche, quand il avait seize ans ?

— Non. Je ne savais pas. »

Je fixai mon déjeuner inentamé avec dégoût.

« Bon, on y va ? » s'impatienta Corto. Et il ajouta : « C'est la dernière fois qu'on bouffe ici, c'est vraiment dégueu. » Nous nous levâmes. Et ce fut alors que, planté devant moi, il me tapota sur le torse gentiment de son index, en se marrant : « De toute façon, ça se voit que tu t'emmerdes comme un rat à Paris. Je te donne pas deux ou trois ans, quatre max, pour que tu repartes dans un pays pourri comme on les aime, toi et moi. »

12

Les alentours du petit aéroport étaient criblés de trous d'obus, jonchés de carcasses d'avions, de vieux bouts de métal flingué, broyé, fondu, vestiges d'on ne savait plus quelle guerre.

Le vol avait été impressionnant qui, de Dubaï, nous avait miraculeusement transportés là, à Kaboul, survolant déserts puis montagnes, vers ce lieu si fort dans nos imaginaires. En arrivant, les avions étaient contraints à une descente hésitante, louvoyante, puis directe et brusque pour finir, comme un aigle fondant sur sa proie.

L'air était pur et vif. L'été 2002 finissait. Mon humeur s'était accordée aussitôt à cette ambiance désolée, carbonisée, brutale. Et aussi, comme je le découvrirais bientôt, amicale, dans les premiers mois surtout, et même souvent cocasse, stimulante et enivrante.

J'allais beaucoup rire, ici, pas seulement aux dépens des Afghans et de leur culture d'extra-terrestres, mais surtout avec eux, goguenards, sarcastiques, salaces.

À l'aéroport de Kaboul, nous avions été accueillis par des fonctionnaires qui cultivaient une certaine désinvolture, que d'aucuns qualifieraient de je-m'en-foutisme, une nonchalance un peu butée, même si, à cette époque, une curiosité bienveillante animait encore les Afghans envers les étrangers.

Nous arrivions sur une autre planète, hors du temps, hors de l'espace, hors de tout ce qu'il m'avait été donné de voir jusqu'à ce jour.

Dans l'avion, observant un jeune Américain, sur le siège devant moi, en train de lire un guide sur l'Afghanistan, je lui avais adressé la parole. Milo, rejeton de parents fortunés, dégaine d'ado de Brooklyn, cheveux ébouriffés et sourire béat de fumeur de joints, skate dans ses bagages – qu'il comptait utiliser pour traverser la ville – m'avait déclaré, après de brèves présentations : « Soit je me suicidais, soit je venais à Kaboul. »

Pour ma part, j'étais prêt, plein d'une fraîcheur inespérée, décidé à mener un combat de plus, le dernier peut-être, à me consacrer à une aventure décisive au service d'une cause – rien n'empêchait d'y croire un peu –, mais surtout au service de mon désir profond de vivre plus intensément.

*

Premières nuits dans les bureaux de l'ONG Tréteaux du Monde, couché sur un fin matelas crasseux – le fameux *toshak*, le « convertible » local, qui sert de lit, de siège… – dans un duvet déchiré et taché de l'armée américaine acheté au bazar.

Je décidai de ne me raser qu'une fois tous les trois jours. L'aventure recommençait. Même si je n'étais pas aussi puceau qu'en débarquant à Phnom Penh, treize ans auparavant, je me laissai prendre, une nouvelle fois, par cette ambiance grisante.

Deux ou trois rites initiatiques m'attendaient : la tonitruante « kaboulite », dysenterie qui vous clouait sur la cuvette des chiottes durant deux jours et deux nuits ; voir une femme de ménage nettoyer le lavabo de la salle de bains avec la balayette des toilettes ou une cuisinière tenir de la bidoche entre ses pieds nus pour la découper ; la photo de soi déguisé en taliban prise dans une échoppe de la ville équipée de vétustes appareils en bois ; enfin, apprendre en cours accéléré les quelques tics de langage qui permettront de passer pour un véritable humanitaire : *security check* (appeler pour dire qu'on est vivant) ; *l'Afgha* pour dire l'Afghanistan ; *log/admin* (postes d'une ONG : logisticien, administrateur...) ; emploi fréquent de la langue locale pour prouver qu'on s'intègre : *salam* (pour saluer, en se mettant la main sur le cœur) ; *tchetor asti ?* (ça va ?) ; *inch Allah* (si Dieu le veut. Par exemple : « Je pars bientôt en *training* (formation/vacances) à Bangkok, *inch Allah* ! »)...

Ce n'était qu'avec le temps qu'on découvrait le regard porté par les Afghans sur cette population d'humanitaires : pour eux, nous étions probablement chômeurs dans nos pays d'origine – ce qui n'était pas toujours faux – et leur façon de parler des étrangers, les *khâledjis*, n'était pas exempte de mépris, de commisération, et parfois, aussi, d'une pointe d'envie (pour leurs ressources financières et leur vie dissolue). Ils nous voyaient comme des immigrés, ce qui était logique, alors que nous nous étions habilement attribué un nom plus chic : expatriés.

Parmi nos collègues afghans, certains semblaient nous vouer un respect illimité. Nous avions un gardien par exemple, à l'entrée donnant sur la rue, qui, à chaque fois que je passais devant lui, se levait de sa chaise et venait me serrer la main, tout sourire, désireux d'échanger quelques mots en français, langue qu'il avait apprise lors d'un de ses précédents emplois, dans une ONG. Il avait toujours un proverbe persan à dégainer : « N'appelez pas le tigre pour chasser le chien » ; « Une langue trop longue raccourcit la vie »… C'était un homme de mon âge, chaleureux, cultivé. C'était Enayat. Très vite, je l'encourageai à me raconter sa vie, ces dernières années surtout, sous le régime des talibans. Les fondamentalistes avaient gouverné de 1996 à 2001, et Enayat n'en avait que de mauvais souvenirs. Sa femme avait été fouettée dans la rue, alors qu'elle marchait sans homme à ses côtés. Mais l'évènement le plus tragique que notre gardien avait vécu remontait au début des années 90, quand la guerre civile avait déchiré le pays. Un jour, une roquette était tombée, en son absence, sur sa maison des faubourgs de Kaboul. Il avait retrouvé dans les décombres quatre de ses enfants, tous morts, dont une petite fille de deux ans qu'il chérissait plus que tout.

« On ne cueille point le fruit du bonheur sur l'arbre de l'injustice… »

*

Les collègues m'initièrent à l'herbe locale et à la belote coinchée, car il n'y avait rien d'autre à faire le soir. Dans la journée non plus d'ailleurs. Nous attendions un contrat avec un donateur. Il suffisait de se laisser porter. Il y avait à Kaboul beaucoup d'argent, de nombreuses bonnes volontés et le sentiment partagé que nous allions rebâtir ce pays en moins d'un an ou deux, rétablir un État démocratique et une bonne gouvernance, des médias indépendants, des hôpitaux, des écoles et des cinémas, sans oublier des soldats et des policiers formés et intègres.

Il fallait d'abord rédiger une *propal*, raccourci, pour initiés, de *proposal* – terme utilisé pour désigner une demande circonstanciée de fonds pour un certain projet –, puis la soumettre à un des « guichets » – donateurs tels que USAID, Commission européenne, ONU, ambassades... lors d'une *prez* (présentation).

Créer des outils permettant aux Afghans de comprendre les enjeux des prochaines échéances électorales se vendait bien, par exemple. Pour quémander du côté des pays scandinaves, il était indispensable de prévoir au moins un paragraphe sur le *gender issue* – la question des femmes. Les enfants, ça payait aussi, presque toujours. Monter un spectacle de marionnettes pour expliquer aux petites filles les bienfaits pour le pays des élections à venir et c'était l'enveloppe assurée.

Quand la *propal* était acceptée, il s'agissait de mener à bien le projet, autant que faire se pouvait, avant de remettre au généreux bienfaiteur un *reporting*, pour le remercier et lui dire combien il avait eu raison de nous avoir alloué ses fonds.

*

Quand nous voulions varier nos menus – notre plat favori était une vache-qui-rit étalée sur un *nân* –, nous allions passer de longues heures au restaurant Hérat, à nous régaler de kebabs ou de kabouli-palaos (riz, vieux mouton et graisse de vieux mouton). Si la nourriture était graisseuse, l'étaient aussi les tables, les murs, le sol…

Il y avait au fond de cette gargote une salle où les femmes étaient autorisées à s'installer. Des familles nombreuses entraient là, discrètement : un homme, âgé le plus souvent, suivi de six ou sept enfants, et, sous des burqas bleues élimées, suivant tant bien que mal, celles qui devaient être l'épouse (ou les épouses, même si la polygamie semblait en perte de vitesse, cette coutume coûtant une fortune) et les filles pubères.

Nous étions fiers et heureux de sous-consommer, de ne rien dépenser (ce qui devait changer d'ici peu avec l'ouverture de restaurants, surtout le mien, déterminés à faire main basse sur une bonne part des maigres salaires des humanitaires et sur un faible pourcentage de ceux, indécents, des

fonctionnaires de l'ONU, des diplomates, mercenaires et autres consultants.)

Nous parlions de Nicolas Bouvier et de son
Usage du monde, de la dépression française et de
son modèle social qui battait de l'aile, de l'immi-
nente réunion altermondialiste à Florence et de la
prochaine fête d'expats.

Mes nouveaux amis me firent découvrir les lieux
incontournables de Kaboul, comme la « montagne
de la télé », hauteur dominante de la ville, qui
hébergeait des antennes, et d'où une vue admirable
sur les multiples quartiers de la capitale, immensité
de brun bordée de quelques touches de neige,
justifiait à elle seule, en l'exaltant, notre présence
ici, au cœur de la planète, participant à ses dernières palpitations.

Nous étions allés aussi, bien sûr, à *Chicken street*,
et j'avais acheté ma tenue en peau de mouton, sans
oublier un pakol, le fameux bonnet en laine qui
donnait l'impression d'avoir une pizza renversée
sur la tête. J'étais fin prêt et équipé, et pouvais,
comme les autres, me mettre à rêver à ce moment
où je rentrerai en France et où, dans une soirée
parisienne convenue, affublé d'un gilet puant la
vieille bique, je pourrai être au centre des discussions, auréolé de mes faits de guerre. D'autres
l'avaient déjà expérimenté : l'« effet Kaboul » était
souverain, pour draguer.

*

En bonne place dans la caravane humanitaire, juste derrière les journalistes et parfois même à leur côté, débarquaient les « hommes médiatiques » : aventuriers chics, intellectuels pratiquement tout terrain, artistes en quête d'un petit quelque chose en plus, un supplément d'« âme », si possible photogénique.

Dès que les plâtres avaient été essuyés par les pionniers, les voilà qui débarquaient, « amis » de feu Massoud ou simplement amis du genre humain, attirés par ce qui brille. Et Kaboul, en 2002-2003, était bien la nouvelle frontière germanopratine.

Tout était dans la pose, ou plutôt dans l'allure : il fallait avoir l'air pressé, dans l'urgence de l'action, mais pas de manière trop précipitée non plus, pour ne pas se présenter débraillés, et pour ne pas être flous sur les photos.

Il était malin d'appeler en France en racontant, avec détachement, que des roquettes tombaient sur la ville, et le pompon revenait à ceux qui arrivaient à verser une larme en évoquant la condition des femmes ou celle des enfants.

L'aide humanitaire était une couverture idéale. Le pakol sur la tête avait simplement remplacé le sac de riz sur l'épaule.

*

Quelques mois après mon arrivée, Corto débarqua. Il s'était d'abord montré dédaigneux – « Ah oui, l'Afghanistan, le nouvel endroit à la mode ! » –, puis avait réalisé que Kaboul ne pourrait être pire que le trou noir dans lequel il était tombé à Paris, à son retour du Cambodge, où il avait fini couvert de dettes et menacé de mort par des maris jaloux.

Il avait bien sûr voulu se distinguer et était venu par la route, dans une camionnette offerte par un mécène. Il avait voyagé en compagnie de Charles, qui avait quitté une start-up au bord de la faillite pour venir monter ici une boîte de *consulting*, et d'Abigail, une jeune journaliste anglaise toute jolie. Les deux mâles n'avaient cessé, en vain, de tenter de la séduire, en Grèce d'abord, puis en Turquie, en Iran… À leur arrivée, Abigail semblait épanouie par ce beau périple. Corto et Charles, eux, se vouaient une haine tenace.

Corto avait refusé ma proposition de dormir dans nos locaux de Tréteaux du Monde et avait pris une chambre au Mustafa Hotel, où logeaient les journalistes. Je le voyais peu. Il vivait sa vie, solitaire, gardant ses distances avec la communauté humanitaire. On ne pouvait lui ôter une belle qualité professionnelle : il sentait bien ce qui faisait l'actualité, et il comprit donc vite l'importance de ce moment d'Histoire, qui se déroulait là, en Afghanistan, ce « cimetière des empires » que la Russie tsariste et les Britanniques, au xixe siècle, n'avaient pas réussi à dompter, et que l'armée soviétique, affaiblie et humiliée, avait quitté en 1989.

*

Un ami franco-libanais, Bilal, passait souvent nous voir à Kaboul. Ses visites étaient d'autant plus appréciées qu'il arrivait chaque fois de France avec des bouteilles d'alcool et des saucissons, à une époque où cela était encore rare, ici.

Les activités de Bilal n'étaient pas claires. Il cherchait des fonds. C'était un personnage pétulant, et s'il n'adorait pas l'Afghanistan et ses rigidités culturo-religieuses, sa fougue et son humour graveleux lui permettaient d'égayer la tribu de filles célibataires peu farouches. Il était au courant de toutes les mondanités qui se déroulaient dans la capitale afghane et vint nous prévenir qu'une soirée aurait lieu ce soir-là à l'ambassade d'Italie. Il se faisait fort de nous y introduire. La vie diplomatique

à Kaboul, à cette époque, était assez informelle et
bon enfant.

Le buffet était copieux, raffiné et pris d'assaut
par une assistance déterminée, le temps d'une soirée, à oublier les kebabs de mouton. La foule des
invités était composée d'un étonnant amalgame
de diplomates décontractés, mais plutôt chics,
d'officiels afghans sur leur trente et un, et d'humanitaires mal fringués, affamés, taraudés par la
culpabilité – masquée par des propos ironiques –,
de se retrouver dans un salon luxueux à grignoter
des petits-fours. Un grand nombre d'ONG ne
mettaient pas les pieds dans ce genre de récep-
tions, simplement parce qu'elles étaient occupées
aux quatre coins du pays à soigner des gens, à
sauver des vies, à tenter de loger des milliers de
réfugiés, à reconstruire des infrastructures : routes,
ponts, canalisations…

Je bavardai un moment, tout en m'enivrant
d'un petit rouge italien tout à fait acceptable
– nous n'étions pas difficiles –, en compagnie
d'une monumentale Norvégienne qui enseignait
le photoreportage à la faculté de journalisme. Nous
fûmes rejoints par un ami à elle, Canadien expert
en chauffages solaires. J'aperçus Bilal butiner de
groupe en groupe, blaguant, s'esclaffant, prenant
par moments, avec des messieurs en costumes noirs
bien coupés, des mines plus sérieuses pour évoquer,

j'imaginais, une *proposal*. Puis il repartait vers des groupes moins guindés où il refaisait le pitre.

Près du buffet, l'ambassadeur français s'entretenait, l'œil brillant, avec un jeune et bel officier d'un pays probablement scandinave. La grosse Myriam Valdiguié – attachée culturelle dont la photo ornerait mon bar, en 2005, avec la mention « Cliente de l'année » – essayait de s'incruster dans leur tête-à-tête, mais Hubert de Mirmont lui barrait habilement la route de son corps, et comme elle était encombrée d'une assiette pleine de charcuterie et d'un verre de blanc, la manœuvre de celle que nous avions surnommée « Névroses sans frontières » n'était pas gagnée d'avance. Pour se donner une contenance, elle échangea trois mots avec une Afghane occupée à entasser sur un plat, pour sa consommation personnelle, trois camemberts entiers et quatre cuisses de poulet, le tout recouvert d'une épaisse couche de mozzarella.

Près d'un cubi de vin rouge, je fis la connaissance de Charles. Garçon affable, au physique de beau gosse hollywoodien, il paraissait avoir bien les pieds sur terre, genre « entrepreneur de lui-même ». À peine avions nous engagé la conversation qu'il m'expliqua avoir fait un tableau Excel avec tous les évènements récents concernant la sécurité dans la capitale afghane, révélant que les attentats avaient lieu, le plus souvent, avant neuf heures du matin. « Probablement à cause de la volatilité des explosifs. Les kamikazes essayent de se faire sauter le plus vite possible après leur arrivée à Kaboul. Ma reco : ne prendre ses rendez-vous à l'extérieur qu'en deuxième partie de matinée. »

Il semblait manquer à Charles, mais je ne le connaissais qu'à peine, quelques connexions avec ses rêves, avec les sources de la vie. Son côté « bourgeois baroudeur », homme d'affaires vorace et bien net sur lui, n'allait probablement pas coller avec le style plus altruiste, plus exalté aussi, des humanitaires.

Circulant autour du buffet, je tombai sur José, l'agent secret, en train d'assommer de questions un pauvre fonctionnaire de la Commission européenne, qui avait quand même l'air flatté que l'on manifeste autant d'intérêt pour ses activités... Je savais, par Corto, que José avait été nommé à l'ambassade de France à Kaboul. Toujours poupin, il semblait plus préoccupé qu'au Cambodge, indice qu'il avait dû monter en grade. M'apercevant, il interrompit son interrogatoire pour se diriger vers moi et me serrer chaleureusement la main. J'étais content de retrouver un visage familier. José était vif d'esprit et drôle, nous allions pouvoir nous moquer ensemble de ce petit monde. Même si le panel ce soir-là paraissait plus homogène qu'à Phnom Penh, avec presque exclusivement des jeunes célibataires, ayant tous une activité professionnelle, un projet. La faune des traîne-savates préférait les pays tropicaux. José me dressa un rapide bilan de sa vie, me racontant comment il était déjà père de deux enfants et avait dû laisser sa femme enceinte à Paris, qu'il ne tournait plus de documentaires pour l'armée, mais travaillait maintenant dans le contre-terrorisme. Je lui racontai mes années parisiennes, avec le sentiment un peu paranoïaque qu'il était déjà au courant.

Tant d'animation, alors que nous avions habituellement une vie austère, commença à provoquer chez moi un léger vertige. J'avais du mal à respirer. Je me dirigeai alors vers le jardin, pour m'isoler quelques instants. Malgré la fraîcheur de cette soirée d'automne, un groupe joyeux se tenait sur la terrasse de la résidence. Les rires fusaient et parmi eux, plus clair, plus pénétrant, le sien. Au fond de moi, je savais bien qu'elle rallierait un jour l'Afghanistan. Pia était presque de dos, comme à l'hôtel Strand, à Rangoun, lors de notre première rencontre. Elle était debout, animée, prenait souvent la parole, et chaque fois ses amis, ou ses collègues, riaient de bon cœur.

Elle avait la même chevelure embrouillée. Et toujours, bien sûr, cette cambrure accusée qui semblait pouvoir se détendre comme un ressort, à la demande. Contrairement aux autres, elle ne mangeait pas, ne buvait pas non plus, son verre

de vin ne servant qu'à occuper une de ses mains
nerveuses.

Je décidai de bouger, pour ne pas rester telle
une statue stupide, et me dirigeai vers un coin de
la terrasse hors de son angle de vue où, désinvolte,
autant que cela m'était possible, je fis semblant de
m'intéresser au flirt d'un couple près d'un arbuste
en pot, ce qui finit par agacer les amoureux. Il me
fallait donc trouver une autre contenance. Cela ne
fut finalement pas nécessaire : je sentis une main
se poser sur mon épaule.

« Pascal ! Tu es là ?! » Elle me serra dans ses
bras, en me gratifiant de baisers sur la joue. Elle
ne me lâchait plus et je devinai des regards se
poser sur nous. « C'est drôle, dis-je, pour tenter
de mettre fin à ces témoignages d'affection débordante, je me disais que je te trouverais peut-être
ici. Tu fais quoi ?

— Je travaille pour l'Unicef. Je me suis un peu
épuisée avec Médecins sans frontières, en Bosnie
et en Somalie. Mais bon... pas sûr que ce soit
plus reposant ici. Et toi alors ?

— Oh, moi... une petite ONG. On organise des tournées de spectacles éducatifs dans le
pays... »

Elle sourit poliment puis jeta un coup d'œil
à ses amis, derrière moi. Je souhaitais la retenir
encore un moment. « Tu sais que Corto est à
Kaboul ?

— Ah oui…, dit-elle, sans manifester d'émotion particulière.

— Enfin, là, il est en province, il fait un reportage avec l'armée française. Mais bon, c'est reparti pour lui, il a décidé d'arrêter de déconner. Enfin j'espère. Mais… Ah oui… j'ai compris. Tu le savais, c'est ça ?

— Oui. On a repris contact. Depuis… un moment. Enfin… il m'a tellement relancée que j'ai fini par accepter de le revoir. Il est venu à Mogadiscio…

— Et il est en Afghanistan pour toi.

— Je ne sais pas, Pascal… Non… Bon, je dois retourner avec mes amis… mais on va se revoir vite, hein ? C'est petit, Kaboul ! Donne-moi un numéro.

— Oui, oui. Ce n'est pas exactement mon numéro personnel, on n'a pas encore de gros moyens, mais là tu devrais pouvoir me joindre. »

Je lui tendis la carte de visite mal imprimée de notre association. Elle y jeta un coup d'œil rapide en tentant de réprimer un sourire. « Bon, ben, salut ! » Elle m'embrassa à nouveau avec chaleur, puis s'éloigna d'un pas alerte.

Je rentrai dans les salons, me gardant bien de me retourner, craignant d'apercevoir un groupe de fonctionnaires internationaux échanger des coups d'œil amusés.

13

Une dizaine de jours après la disparition de
Corto, Pia vint me trouver, alors que j'essayais de
mettre de l'ordre dans des factures gribouillées par
des vendeurs de légumes illettrés ou par mon chef
cuistot lui-même. Ils tentaient tous de m'arnaquer.

Pia proposa que nous appelions Dina, la jeune
sœur de Corto. « Il est temps d'officialiser sa disparition, non ? » Je la regardai sans comprendre.
« Oui, dit-elle, cela me semble inutile de garder le
secret plus longtemps. De toute façon, ici tout le
monde est au courant, cela va finir par être rendu
public, d'une manière ou d'une autre. Ce serait
dommage que Dina l'apprenne par la presse. »

Pia semblait s'être déjà fait une raison.

« On lui dit la vérité, ajouta-t-elle. On lui dit
que tout est possible, y compris que ce soit une

disparition volontaire. Elle connaît son frère, elle le sait capable de ce genre de coup de tête. De toute manière, il n'y a aucune piste, et personne ne le cherche vraiment. Non ?

— Oui, oui.

— Pas de revendication, pas de demande de rançon. Des pistes foireuses... »

Je l'observai maintenant, plus concentré. Près de seize ans s'étaient écoulés depuis notre première rencontre et elle n'avait pas tellement changé. Ses traits s'étaient seulement adoucis et même les quelques rides apparues au coin de ses yeux ajoutaient du charme à son visage, lui donnant une sorte d'équilibre, de plénitude.

« Je trouve que tu vis ça bien », lui dis-je avec affection. Elle me jeta un regard soupçonneux. « Tu me connais, Pascal : j'agis seulement quand cela peut être utile. Sinon, j'en prends mon parti. »

Après avoir écouté sans nous interrompre toute l'histoire, Dina réagit calmement, avec une sorte de détachement. Rien ne l'étonnait plus, venant de son frère. Elle s'enquit aimablement de notre situation personnelle, des risques que nous encourions ces temps-ci à Kaboul, puis mit un terme à notre échange, prétextant je ne sais plus quelle tâche à accomplir.

Pia m'abandonna et je me retrouvai seul avec mes fausses factures.

*

« Tu as de la visite ! » m'informa Enayat avec force clins d'œil, alors qu'il venait d'entrer dans mon bureau sans frapper, aussitôt suivi par les trois plus belles filles de Kaboul : la journaliste anglaise Abigail, poupée d'apparence fragile mais, en réalité, baroudeuse et pétroleuse ; Caroline, photoreporter originaire de Narbonne, à l'accent de garrigue et de tramontane, et aux cheveux blonds surprenants pour une native du Sud ; enfin, Aude de Lalande, brillante employée de Pamir consulting – la boîte montée par Charles –, maîtresse occasionnelle de ce dernier, d'une beauté inclassable, entre Shéhérazade et une stripteaseuse de Las Vegas. Aude, comme la majorité des recrues de Charles, sortait d'HEC – l'ESSEC aurait pu suffire –, venait d'une famille catholique, et portait une particule.

Toutes les trois affichaient de grands sourires, visiblement réjouies à l'idée du moment qui s'annonçait.

Une des nombreuses responsabilités d'un restaurateur à Kaboul consiste à entretenir le moral des troupes, à égayer la jeunesse, la jeunesse féminine en premier lieu. Je m'exécutai. Reprenant ma position naturelle – allongé sur mon canapé –, dissimulé sous un gros manteau d'hiver en poils d'ovin

odoriférants, entouré de mes « petites pétasses »
assises sagement en rond à même la moquette
défraîchie de mon bureau, je débutai la séance
du « Manteau qui parle ». Celui-ci débitait tous
les ragots qui traversaient son sale esprit de manteau : « À la soirée du CICR, Jocelyne s'est tapé
John, dans le dos de Luc, qui, lui, a coincé Maria »,
« Le patron de la Banque mondiale à Kaboul a une
maîtresse et un gamin à Moscou », « Le numéro 3
de l'Unicef fricote avec la femme du numéro 2 de
l'Unesco », « Une des femmes de ménage de Pamir
consulting, celle qui pue, a encore piqué un billet de cent dollars à Charles, qui, cette fois, a la
vague intention de la menacer de la virer si elle
recommence une quatrième fois... »

Puis le Manteau prit une voix plus pathétique :
« Le Bout du Monde est victime de racket... D'un
contrôle fiscal. Ces cons ont instauré des impôts
rétroactifs et demandent à ce pauvre Pascal cinq
cent mille dollars ! Le restaurateur préféré de la
communauté internationale a débuté une grève de
la faim ce matin... » Les filles pouffèrent. Elles
connaissaient bien sûr l'histoire, cela faisait une
semaine que je bassinais tout le monde avec mes
malheurs. Mais la plainte lancinante du Manteau
les avait mises en joie. Caro prit la parole. Elle en
avait le droit, selon les règles du « Manteau qui
parle » : « Venant du patron d'un restaurant où le
prix d'un plat équivaut au salaire moyen afghan,

ça risque de pas le faire ! » Le Manteau conclut : « De toute façon, Pascal a eu trop faim, il vient de manger un bout. » « Ah !! » s'exclamèrent-elles en chœur. « Et Ilse ? » demanda Abigail, tout excitée. Le chapitre consacré à la Lettone nymphomane était le moment le plus attendu.

« Charles aurait envie de remettre le couvert avec elle… » Abigail et Caro souriaient, mais Aude ne put s'empêcher de marquer le coup, avant de faire semblant de trouver ça drôle, elle aussi.

« Ah si, j'ai failli oublier : le statisticien de Pamir, l'Anglais tout moche qui ne se tape jamais personne, a tenté sa chance avec elle, mais il a pris un gros râteau ! » « Tu m'étonnes, déclara Aude, même cette salope a un peu de discernement. »

« J'ai une info, moi aussi », annonça Caro. « Vous savez, le petit couple qui est arrivé à Handicap International il y a un mois ? Eh bien ils sont toujours ensemble ! » « Non ! » s'exclamèrent les deux autres. « Un mois ? C'est un record, non ? » demanda Abigail. « À ma connaissance, oui », répondit le Manteau, qui ajouta, dogmatique : « Il ne faudrait pas que ça se généralise. Si les couples venaient à durer, ici, cela voudrait dire que la vie se normalise, et ce serait la fin de l'esprit Kaboul… »

La séance touchait à sa fin. Nous avions tous du travail, surtout Aude. Alors que je me dégageais du gros manteau sous lequel je commençais à suffoquer, Caro me demanda comment Pia vivait la disparition de Corto, ces jours-ci. Question surtout destinée à me rappeler que personne n'oubliait ce drame. Elle n'éprouvait aucune sympathie pour Pia. Tout comme les autres filles, d'ailleurs. La Danoise, sans rien faire ni rien dire, s'était ainsi mis à dos la presque totalité de la population féminine qui fréquentait mon établissement. Des petits riens, une certaine manière de saluer les hommes avec une attention soutenue, de décrocher vite des discussions entre filles...

Après un court moment de réflexion, je soupirai, déconcerté. « Elle va bien, très bien même. Comme si elle avait fait son deuil. Son deuil... de je ne sais pas quoi, en fait. »

Alors que mes visiteuses s'apprêtaient à quitter mon bureau, je leur annonçai la nouvelle : « Je vais avoir du renfort, au resto... La semaine prochaine, j'ai un... j'ai mon neveu qui arrive.

— Ton neveu ? demanda Aude. Mais tu n'en as jamais parlé. Le fils de ton frère ? Il s'appelle comment ?

— Séraphin. Et c'est pas vraiment un neveu... C'est le fils d'une bonne copine. Une amie de Corto et moi, qui vit dans les Pyrénées. Vous savez, le village...

— Oh, oh ! Ça, ça mérite des explications du Manteau... Et vite !

— Bien sûr, Aude, bien sûr. Très vite. Allez, bises les filles, à ce soir ! »

*

Une des grosses pattes d'Enayat se glissa dans l'ouverture de la porte, puis j'aperçus ses yeux ronds de chouette géante balayant la pièce.

« Enayat, je te vois, tu sais !

— Ah ! J'avais peur de te… sortir de tes réflexions.

— C'est pas comme si je t'avais dit : Ne me dérange sous aucun prétexte !

— Je n'ai aucun prétexte !

— Bon, vas-y.

— C'est monsieur Jean-Philippe…

— Allons bon…

— Il est gentil, monsieur Jean-Philippe.

— Oui, ça, il est gentil. Et il veut quoi, ton ami gentil ?

— Il souhaiterait faire à nouveau une vente de ses lampes solaires…

— Merde.

— Vous n'aimez pas ses lampes ?

— Je n'ai rien contre, je ne les achète pas. Mais les clients trouvent qu'elles sont chères, et surtout qu'elles ne marchent pas !

— Oui, mais ça permet de donner un emploi aux Afghanes !

— Faut pas exagérer non plus. Il fait travailler huit femmes. En plus, ça devait être une opération écolo… et ils font tourner un générateur toute la journée. Et l'équipe est allée se former en Inde. Bonjour le bilan carbone !

— "Ne dévoile point les fautes cachées des autres ; en détruisant leur réputation, vous ne nuisez pas moins à la vôtre."

— …

— Saadi. *Le Jardin des roses.*

— Et je te rappelle que c'est le même Jean-Philippe qui a distribué des livres imprimés à l'envers, des plats sous vide à faire chauffer au micro-ondes, et qui a dû renoncer à donner aux écoles des centaines de ballons parce qu'ils avaient un verset du coran imprimé dessus et que personne n'aurait jamais shooté dedans…

— Je n'oublie pas non plus tout ce qu'il a fait de bien. Et puis, c'est vrai, peut-être que nous nous en sortirons mieux sans l'aide des autres.

— J'aime bien ton optimisme, Enayat. S'il n'y en a qu'un à croire à l'avenir de ce pays… Bon, alors, d'accord. Dis-lui qu'on organise sa vente d'ici Noël. Comme ça, ça donnera aux gens d'autres idées de cadeaux que des tapis, des pakols, et des lapis-lazulis. »

Enayat me regardait avec un air enamouré. Toutes mes décisions lui semblaient venir d'un monde où le bon sens régnait en maître.

« Mais dis-lui aussi que s'il fait du business humanitaire, moi je fais du business tout court... Je ne tape pas des subventions à droite et à gauche... Non, laisse tomber. Dis-lui seulement que je prends une commission sur ses ventes. 30 %. »

Enayat gloussa. Il appréciait mon sens des affaires. Il prit un air entendu et quitta mon bureau, tout joyeux.

Je me retrouvai face à moi-même, face à ce que j'étais devenu. Récemment, un de mes clients, responsable d'une ONG, avait lourdement plaisanté sur le programme que j'avais monté pour former aux métiers de la restauration une quinzaine d'adolescents des rues. Avec l'aide de la Commission européenne, ces apprentis cuisiniers et apprentis serveurs suivaient des cours théoriques et pratiques dans mon établissement. Ils étaient surtout utiles pour peler les patates et faire la plonge. L'espoir étant qu'avec le retour de la paix et de la sécurité, le tourisme, l'hôtellerie et les restaurants français comme le mien allaient connaître un boum, ces prochaines années. Enayat y croyait.

Ce projet de formation était bien évidemment plus une charge qu'autre chose, ces gamins devant tout apprendre : règles d'hygiène élémentaires, utilisation d'une poêle à frire, et comment servir du vin à table. J'avais mis au programme un cours d'œnologie, mais j'avais vite renoncé à leur expliquer la différence entre les cépages, préférant me concentrer sur le mode d'emploi du tire-bouchon. Ils étaient touchants et de bonne volonté.

« Alors comme ça, tu as de la main-d'œuvre bon marché ! » m'avait balancé l'humanitaire, content de sa blague. Cela avait dû le démanger de m'accuser de faire travailler des enfants. J'avais souri. C'était plus simple que de lui expliquer que j'aurais préféré embaucher quatre ou cinq employés compétents, payés cent dollars par mois chacun, ce qui, avec les pourboires et ce qu'ils auraient probablement gratté par-ci par-là, en aurait fait des nababs dans leur pays.

La fierté de m'être montré intraitable en affaires, après avoir demandé à Enayat d'aller racketter ce pauvre Jean-Philippe, s'était vite évanouie et je me demandais si j'étais devenu un pur salopard. Avec Charles, nous avions mis au point un argumentaire solide pour défendre nos activités, attaquées par les jaloux et les gauchistes. Nous insistions sur la nécessité pour ce pays de voir se créer des entreprises, et ainsi de moins dépendre de l'aide étrangère. Nous évoquions allègrement le *capacity building*, le transfert de nos compétences aux autochtones. Je n'étais qu'à moitié convaincu, sachant que le jour où je plierai bagage, aucun de mes employés ne saurait faire tourner ce genre de commerce. Personne ne saurait comme moi vendre les saveurs du camembert frit à la clientèle anglo-saxonne, ou inciter à mettre quarante dollars dans un petit côtes-du-rhône madérisé.

J'éprouvais le sentiment de trahir, sans réaliser clairement qui ou quoi. Les individus étouffés par la vertu deviennent-ils les plus beaux cyniques ? Que mes agissements tenaient davantage d'une aventure sans foi ni loi que d'une froide recherche de profit n'excusaient rien...

Ces considérations me rappelèrent que je devais acheter une caisse enregistreuse et trouver un comptable compétent, et, dans le même temps, de manière moins prosaïque, cela fit ressurgir cette conviction que je n'étais pas assez armé, intellectuellement, pour bien répondre à toutes ces questions morales. Corto me manquait.

Ce fut en classe de quatrième que mon ami devint sans conteste mon maître à penser. Nous attrapions des fous-rires quasiment à chaque cours et certains professeurs nous éloignaient le plus possible l'un de l'autre. Mais nous résistions, notamment avec les enseignants les plus laxistes. En musique, nous étions incapables de suivre plus d'une minute les leçons de Mme Dumézil, ce qui était d'autant plus gênant pour moi qu'elle était une amie de mes parents. Nous pouffions dans la flûte à bec. Corto ayant décrété que la musique ne lui serait d'aucune aide dans la vie, tout le sérieux dont il faisait preuve ailleurs devenait ici une sorte de déconnade rationnelle, systématique. Il m'encourageait : « Rire est pour toi une nécessité ontologique. Plus que toute violence, dont tu es incapable, c'est ta meilleure arme pour secouer le joug de ton éducation, de tout ce qui t'a été inculqué, et pour retrouver du libre arbitre, de la conscience affranchie. » Ses discours avaient pour effet de provoquer la recrudescence de mes gloussements, et Mme Dumézil, trop délicate pour élever la voix, me jetait des coups d'œil indulgents et attristés qui m'enfonçaient dans ma déchéance morale.

Corto en rajoutait, manipulateur : « Et avoir de l'humour, ce n'est pas donné à tout le monde, c'est un hommage que tu rends à tes parents. Car rire de soi, c'est se mettre en danger, et pour s'y risquer, il faut s'estimer, et donc avoir été suffisamment aimé…

— Oui, mais regarde… toi… »

Je me tus, car je ne savais pas où je voulais en venir. Corto attendait, un sourire en coin. Je le soupçonnais d'être assez lucide sur lui-même pour savoir qu'il maniait mieux le sarcasme que l'autodérision. Lucide sans être prêt, cependant, à s'analyser, à mettre dans l'équation ses rapports ambivalents avec sa mère, ou l'absence de son père. Il n'était pas le roi de l'introspection.

Au Cambodge, il m'avait confié une de ses angoisses : que de voir autant de violences ne le rende peu à peu insensible à ce qui l'entourait. Ou pis, le transforme en homme à la fois affaibli, blessé, marqué en profondeur, et en même temps trop endurci, indifférent aux souffrances humaines. Il craignait de devenir une de ces personnes, victimes ou témoins, que nous croisions souvent sur les lieux de drames, dans des zones de conflits ou de grande pauvreté, et qui n'arrivaient plus à sourire. Je lui avais fait remarquer, avec le bon sens élémentaire dont j'étais pourvu, que de se poser ainsi la question lui donnait de bonnes chances d'échapper à cette fatalité.

Aujourd'hui, sur mon canapé, je me demandai comment, s'il était en vie, il poursuivait ce cheminement, ce parcours du combattant, que j'avais moi-même tenté d'emprunter, à ses côtés. Non, cette route ne s'était pas arrêtée brutalement avec sa disparition.

Tout pénétré de cette méditation, je décidai d'appeler ma mère. Ce que je n'avais pas fait depuis des années. Je l'imaginai dans le petit appartement austère du centre-ville qu'elle occupait depuis qu'elle avait vendu la maison de la rue du Japon, peu de temps après mon départ. Elle ne parut pas surprise par mon appel. Ni contente ni contrariée. Elle parlait de cette voix pleine d'autorité qu'elle avait façonnée avec ses prédications, mais qui s'était adoucie avec le temps. Après l'échange poli, feutré, de quelques banalités, je lui déclarai que j'avais pris la décision de rentrer, non seulement de quitter l'Afghanistan mais aussi de revenir m'installer à Toulouse. « Pourquoi pas », dit-elle d'un ton neutre. « Oui, j'ai fait le tour de ce genre de vie. J'ai envie de me poser, de retrouver des repères. » Je crus deviner son petit rire étouffé, gentiment narquois. Après un silence, elle dit seulement : « C'est bien. » Je lui racontai ensuite en quelques mots la disparition de Corto, toutes les questions que cela réveillait chez moi, sur ma propre vie, sur mes choix. Elle exprima une tristesse qui semblait sincère et rappela à quel point toute la famille avait toujours apprécié mon ami. « Ton père l'admirait beaucoup », crut-elle bon de rajouter.

Nous en restâmes là. J'étais content d'avoir appelé et j'estimais que cela avait dû lui faire plaisir. Je restai assis sur mon canapé sans bouger, un long moment, noyé dans mes pensées.

*

Enayat me fit revenir à la réalité. Il s'était introduit d'un pas ferme dans mon antre et se tenait face à moi, plus sûr de lui que d'habitude.

« Monsieur Pascal, je m'en vais !

— Tu rentres chez toi ?

— Non. Je m'en vais !

— Mais où ? »

Il me regardait sans avoir l'air de saisir mes interrogations, affichant même, de manière mal dissimulée, un peu de dédain.

« Monsieur Enayat… Tu vas où ?

— J'ai trouvé un vrai travail !

— …

— Interprète à l'ONU.

— *Tabrik !* Bravo ! Bon, tu sais qu'ils finiront par partir un jour…

— C'est bien payé. Et toi aussi tu finiras par partir, tu me l'as dit.

— Oui, oui. Je vais te regretter, Enayat…

— Je commence demain.

— Demain ? Mais tu ne peux pas me faire ça ! Tu ne peux pas partir du jour au lendemain.

— Je n'ai pas le choix. Je commence demain. Ici, n'importe qui peut me remplacer. Ça aussi, tu me l'as dit, un jour.

— Je devais être énervé.

— Tu es souvent énervé.

— Là, tu m'énerves, oui ! »

Il souriait. Je me levai et lui fis une accolade. J'étais ému. Lui aussi.

« Je viendrai tous les jours pour former mon successeur, me dit-il gentiment.

— Tu viendras tous les jours, et nous savons toi et moi pourquoi ! »

Je le parodiai en train de s'envoyer un shot de vodka, planqué tant bien que mal derrière une de ses grandes paluches, essayant de se soustraire à une société inquisitrice.

14

À peine sorti de l'aéroport de Kaboul, notre taxi était déjà bloqué dans un embouteillage. Assis à l'avant à côté du chauffeur, je jetais des coups d'œil furtifs à Séraphin dans le rétroviseur. Il observait avec une curiosité amusée les scènes qui se déroulaient autour de nous : marchands ambulants avec leur carriole, enfants vendeurs de cartes de téléphone, femmes en burqa soulevant un coin de leur armure pour négocier un prix...

Le fils de Valérie allait fêter ses vingt ans ici, en Afghanistan, dans quelques semaines, si tout se passait comme prévu. Il avait dû ferrailler pendant des mois avec sa mère, fermement opposée à son projet de venir travailler au Bout du Monde. En désespoir de cause, il avait eu recours à son joker : « Je suis majeur et je fais ce que je veux ! » Mais j'imaginais bien qu'au fond de lui, cela n'avait pas été aussi simple. Grand, dégingandé, sa silhouette n'était pas encore celle d'un adulte. Son visage juvénile avait les traits fins de sa mère, et d'elle aussi il avait les beaux yeux verts. Ses cheveux étaient blonds, épais et bouclés.

Dans le taxi, notre chauffeur trouvait le temps long dans cet embouteillage. Il dut se mettre en tête d'être pénible et se tourna vers moi, prenant cet air de faux jeton propre aux arnaqueurs de bas étage. *Mouschkel ast. Problem. Traffic problem... Five dollars, very cheap... Ten dollars!* Ce bouc loqueteux tentait de m'extorquer maintenant dix dollars au lieu des cinq longuement négociés au départ pour traverser la ville dans sa poubelle. Les « locaux », eux, ne payaient qu'un dollar pour la même course. Ce procédé de tarif spécial pour étrangers me tapait sur les nerfs. J'éprouvais le désir irrationnel d'être considéré comme un Afghan, et peut-être aussi de prouver à Séraphin quel pouvoir j'avais ici, deux envies contradictoires, et ce chauffeur de taxi allait en faire les frais. Avec des gestes brusques et une mine exaspérée, levant les yeux au ciel en surjouant l'honneur bafoué, j'ouvris ma portière et mis un pied dehors en m'écriant : « Viens Séraphin, on se casse ! » Le garçon était indécis. Cette scène allait à l'encontre de tout ce que l'on conseillait dans les guides de voyage : ne pas humilier l'autochtone, éviter d'élever la voix, ne pas se retrouver au milieu d'une rue embouteillée à pied et avec des bagages... Le fils de Valérie resta finalement vissé sur son siège. Le chauffeur éclata alors de rire et me tapa sur l'épaule : *Sit down, five dollars no problem...* Je bougonnai un « OK » à moitié satisfait et nous nous remîmes en route.

*

« Comme il te ressemble ! » s'exclama Caro, quand je lui présentai Séraphin, dans les jardins du restaurant. Caroline, en attendant de partir en reportage, ce qui arrivait de temps en temps, passait une bonne partie de ses journées ici, soit au bord de la piscine, au printemps et l'été, soit à l'intérieur près de la cheminée, le reste de l'année.

Elle avait déjà oublié que Séraphin n'était pas de ma famille. J'avais envie de lui glisser qu'il était probablement le rejeton de Corto, celui avec qui elle fricotait, de manière occasionnelle, récemment encore. Le garçon, à côté de nous, sa valise à la main, nous écoutait patiemment, tout en scrutant chaque coin du Bout du Monde, chaque employé et chaque client. Je redécouvrais son air gentiment futé, cette sagacité mêlée à une évidente précocité. Malgré sa dégaine d'adolescent mal dégrossi, il émanait de lui un éclat singulier.

« Vous savez pas ce qui m'est arrivé ? nous demanda Caro, qui avait toujours une histoire à raconter. J'ai perdu mon pantalon au bazar ! » Séraphin posa sa valise. « Tu sais le pantalon afghan, là, il tient avec une ficelle, autour de la taille...

— Un cordon ?

— Oui. Eh bien ce cordon, je ne l'avais pas assez serré. On faisait des photos au bazar, avec Fayaz, mon fixeur. Tout d'un coup, putain...

— T'entends, Séraphin ? Elle a encore plus d'accent que toi...

— Te moque pas, Pascal, toi, t'as trahi tes origines. J'étais en train de faire une photo, concentrée, et là... mon pantalon qui tombe... Me voilà en petite culotte, au milieu de dizaines d'Afghans ! Fayaz voit ça, il me chope et m'embarque vite fait vers la bagnole... Là, il m'engueule comme du poisson pourri, il était mort de trouille ! »

Séraphin était subjugué, moins par l'histoire en elle-même dont il ne saisissait pas tous les tenants et aboutissants, ayant certainement du mal à visualiser dans le détail la scène d'une blonde fesses à l'air dans le bazar de Kaboul, mais par la faconde de Caro. Elle racontait toujours ses aventures au pays des barbus machistes avec un fascinant sens de l'autodérision. Quand elle était à l'œuvre, elle n'hésitait pas à se vautrer dans la boue pour trouver le bon angle... Elle s'était ainsi retrouvée un jour dans un quartier de Kandahar, capitale du Sud et ville la plus fondamentaliste du pays, totalement seule, entourée uniquement d'hommes et… perdant son voile dans l'action… La police avait dû intervenir et l'exfiltrer alors que grondait une émeute… Caro était meilleure photographe encore que Corto : ses images étaient moins glaçantes, plus humaines, et avaient davantage de profondeur.

« Bon, dis-je, je vais installer ce pauvre garçon, qui a quand même deux jours de voyage dans les pattes. » Et j'emmenai Séraphin vers sa « chambre », une dépendance en terre battue de la maison, petite piaule qui jouxtait la pièce où le personnel prenait ses repas et faisait ses prières.

*

Quand on me répéta pour la dixième fois que Séraphin me ressemblait, je commençai à le regarder différemment. Puis, quand Ilse, la Lettone, se mit à lui tourner autour, un glissement discret se fit dans la partie de mon cerveau où naissent et s'animent les fantasmes. Se mit en branle une farandole imaginaire dans laquelle Valérie, Pia, Séraphin, Corto, mais aussi toutes les maîtresses de mon ami disparu, tenaient leur place, même si régnait une certaine confusion, notamment érotique. Un instinct paternel plutôt inconnu de moi surgit également, qui avait pour objet un être hybride, mi-réel mi-chimérique, aux cheveux longs et bouclés d'un prince indien, aux cheveux blonds de la chanteuse du groupe Abba.

Comme le fils de Valérie était plus doux que Corto, plus rêveur aussi, personne n'avait fait le rapprochement entre eux deux. Mais quelqu'un d'un peu observateur aurait pu découvrir qu'il avait cette façon de raisonner, précise, articulée, de son père supposé, ainsi qu'une égale mise à distance pudique de ses émotions.

Pia, elle, ne fut pas dupe. Elle connaissait toute l'histoire mais avait respecté le silence de Corto à ce sujet. Elle ne semblait éprouver aucune affection particulière pour Séraphin, fruit d'une des conquêtes de Corto, parmi tant d'autres.

Séraphin se trouva rapidement à l'aise dans l'univers clos du Bout du Monde, d'où je lui avais interdit de sortir, respectant une promesse faite à Valérie. Il travaillait dur, remplaçait Enayat, aidait même en cuisine, où il accomplissait des merveilles, les exigences n'étant pas des plus élevées. Il passait son temps libre à écouter de la musique – Arctic Monkeys, Muse, Foo Fighters… – et à lire.

J'avais été intrigué de le voir plongé dans le *Kim* de Kipling. « C'est Corto qui me l'a offert, m'apprit-il.

— Ah bon ? Il t'a donné ce bouquin ? Mais quand ? » Corto avouait avoir honte de certaines lectures de jeunesse, notamment Kipling, cet « apôtre de l'impérialisme britannique », comme il disait…

« Oh, c'était… il y a deux ou trois ans. Il était venu nous voir. »

Il me regarda dans les yeux, avant de reprendre : « Je le sais depuis toujours, qu'il est mon père. Enfin… depuis que je me suis mis à réfléchir un peu… Vous êtes quand même naïfs, tous les trois, d'avoir pensé que ça puisse rester un secret. Ma mère a fini par me l'avouer, j'avais neuf ou dix ans.

— Elle a bien fait. Mais… quand tu m'as lu ton roman, l'année dernière, tu m'as posé la question…

— Oui.

— Et… lui ?

— Corto a toujours été au courant.

— Tu crois ?

— Il me l'a dit lui-même. Quand j'avais, je sais pas… douze ou treize ans. Il m'a avoué que ce n'était pas son truc, la paternité, ce genre de discours. Mais bon, je m'étais déjà fait une raison. Je crois.

— Et… tu es venu ici pour…

— Le retrouver, bien sûr ! » Il rit de bon cœur et je l'imitai. Il était midi et le restaurant commençait à se remplir. Il fallait que je me replie vers mon bureau avant d'être happé par le cirque des clients qui expriment leurs besoins : boire et manger, apostropher le patron pour s'assurer qu'ils sont reconnus, qu'ils sont accueillis au sein d'une famille. L'addition, pour finir, allait les remettre face à la réalité. Les faire payer le plus cher possible était un service que je leur rendais, en fait, afin qu'ils se sentent exister.

*

Alors que je réfléchissais, assis sur mon canapé, on frappa discrètement à la porte. Agacé, un court instant, j'imaginai Enayat jouant les timides, avant de me souvenir qu'il était sorti de ma vie. « Oui ? » criai-je, reprenant une position moins avachie et saisissant une calculatrice. Arthur, le jeune Français qui m'avait abordé quelques semaines auparavant, me proposant ses services d'agent secret, apparut. Il était vêtu d'un *shalwar-kamiz* et sa barbe avait encore poussé. Il semblait plus sûr de lui et me fixait sans rien dire, comme s'il était en mission d'observation. « Je peux vous parler ? » demanda-t-il d'un ton martial, tout en se dirigeant vers un fauteuil où il s'assit sans attendre ma réponse. Il croisa ses jambes, et j'eus peur qu'il ne porte pas de caleçon sous son bas de pyjama flottant. Il était très sérieux. « Voilà. C'est au sujet de votre ami, Corto.

— Nous n'étions plus si amis… ces derniers temps.

— Qu'importe. En fait, j'ai élaboré une théorie, sur sa disparition.

— Tu as élaboré… Je peux te tutoyer ? » Il sembla désarçonné, reprit un instant sa tête candide, avant de se ressaisir. « Comme vous voulez. Donc : si on met ensemble tous les éléments que l'on connaît…

— Les éléments ?

— Laissez-moi aller jusqu'au bout sans m'interrompre, s'il vous plaît.

— Vas-y, va jusqu'au bout.

— Je pense que Corto et Pia sont depuis toujours des agents à la solde des Américains. Quand je dis depuis toujours, je pense en fait que c'est Pia qui a recruté Corto, après vous avoir approché, vous, à Rangoun, pour accéder à lui.

— M'approcher, moi ? Pardon, je me tais.

— Vous savez que les jeunes étudiants brillants comme votre ami sont souvent repérés tôt par les services… Donc : Pia recrute Corto Da Costa. Si vous y réfléchissez : votre ami a-t-il déjà fait un reportage qui dérange les intérêts américains ? Une enquête sur une prison secrète de la CIA ? Un reportage sur un chef de guerre qui lutte contre les talibans ?

— Peut-être pas. Mais pas sûr non plus que cela ait bouleversé des équilibres stratégiques... En tout cas, je ne vois pas comment tu as pu apprendre toute mon histoire, ma rencontre avec Pia et le reste.

— Tout Kaboul est au courant !

— Tu sais quoi, Arthur ? Dans le monde de l'espionnage, comme tu vas vite t'en rendre compte, personne n'est jamais sûr de rien... Moi, je prends les gens comme ils sont. S'ils ont des doubles vies, grand bien leur fasse... tant qu'ils en partagent au moins une avec moi.

— Oui, mais avoir un ami qui vous aurait menti pendant des années... »

Ce garçon était d'une fadeur sans mesure. Je me demandais d'ailleurs si je n'allais pas m'allonger, là, tout de suite, sur mon canapé – et tant pis si mon impolitesse me faisait perdre un client, de toute façon ce n'était pas un gros consommateur, juste un mangeur de frites offertes par la maison –, en le laissant pérorer, en observant avec une molle curiosité le cheminement de ses idées, qui se formaient comme des bulles légères dans son cerveau pour finir sans aucune surprise en mots convenus.

« Les amis déçoivent, Arthur. Tout le temps. Presque à chaque fois qu'ils vous adressent la parole. Quand ils ne vous sourient pas, ils vous déçoivent... et quand ils vous sourient, ils vous déçoivent aussi. La vie déçoit, Arthur.

— ...

— Tu l'as certainement deviné, car tu es perspicace. Un peu dingue, mais intelligent. Tu préfères faire semblant de ne pas le savoir, car tu es jeune et que ça rendrait ton existence insupportable. Si tu imaginais, par exemple, à quel point tu déçois tes parents depuis ta naissance !

— Et... et vous allez faire quoi ? Pour votre ami ?

— Je ne vais rien faire du tout. D'abord, je le voyais moins... Et ces temps-ci, comme tu sais, je ne le vois plus du tout ! Ensuite, si jamais nos chemins devaient se croiser à nouveau, ce serait exactement comme avant. Je lui ferais peut-être la blague : "Alors comme ça, tu bosses pour la CIA ?" Ça le ferait marrer. Et nous reprendrions notre relation où nous l'avions laissée. Tu sais pourquoi ? Parce que je ne sais pas vivre sans lui. Ce n'est pas plus compliqué que ça. »

Il regardait ses pieds, gêné. « Mais, dis donc, Arthur, comment tu expliques alors sa disparition ? Quelle est ta... théorie ? » Il mit un certain temps avant de relever la tête. Déstabilisé, il reprit enfin : « Je pense... qu'il a été démasqué... par... les services pakistanais. Et que... il a dû quitter l'Afghanistan... qu'il a été exfiltré. » Je souris, indulgent. « Il faudrait savoir. Il y a quelques jours,

on m'expliquait qu'il était peut-être... justement...
au Pakistan... Enfin, on ne sait pas vraiment où
il se trouve, quoi. Allez, je vais devoir reprendre
mon travail, Arthur. Merci, en tout cas. » Il se
leva, soulagé d'être ainsi congédié. Après m'avoir
poliment salué, il disparut.

*

En fin d'après-midi, Le Bout du Monde connaissait un rare moment de tranquillité. Deux ou trois
clients travaillaient sur leur ordinateur portable
dans le jardin, Caro et Abigail papotaient au bord
de la piscine, et les apprentis, ma « main-d'œuvre
bon marché », commençaient à mettre maladroite-
ment le couvert. Je décidai d'initier Séraphin à ma
petite « pause sur le toit » : depuis le balcon, devant
mon bureau, il s'agissait de grimper sur un cèdre
imposant puis ensuite de se hisser jusqu'au faîte
de la maison. Là, assis sur une arête de tuiles, les
pieds calés sur les branches de l'arbre, j'avais une
vue plongeante sur l'ensemble du restaurant, ce
qui me permettait de faire le point sur le zèle de
mes employés à exécuter leur boulot, sur certains
clients piètres consommateurs, sur les couples qui
se formaient, mais, de manière plus générale, sur
la vie telle qu'elle allait, vue d'en haut.

Une fois installés, je proposai à Séraphin une boulette d'opium, qu'il accepta sans hésiter. Je doutais d'avoir à l'initier à quoi que ce soit.

Nous observions en silence une humanitaire germanique enchaînant des longueurs de piscine. « Tu ne te baignes jamais ? » me demanda Séraphin. « Ben, non. En fait, je n'ai pas encore vraiment compris quelle dose de chlore il faut mettre là-dedans. J'avais rapporté de Paris un truc pour tester le pH de l'eau, tu sais le ruban avec les couleurs... mais le jardinier l'a perdu... Et puis le produit qu'on achète au bazar ne ressemble à rien de connu, c'est une sorte de poudre marron qu'on nous vend dans un sac en plastique tout pourri...

— Et il n'y a jamais de problème ?

— Personne ne se plaint ! Quoique : une Canadienne a dû être rapatriée, une fois, couverte de cloques, et il paraît qu'elle aurait incriminé je ne sais plus quelle bactérie de ma piscine. Accusation complètement gratuite... Mais bon, quand on vient ici, il faut être prêt à tout. Il y a des dangers. Tu verras, de temps en temps, on a des tremblements de terre par exemple. Rien de grave. Moi, je reste dans mon lit, maintenant. Fait trop froid pour sortir, je trouve. Eh bien, la première fois, j'ai pensé que c'était une explosion nucléaire ! Genre l'Inde qui aurait balancé un truc sur le Pakistan... ou le contraire... et toute la région qui pète... »

Je commençais à être bercé par un léger effet psychotrope de l'opium et j'imaginais qu'il en était de même pour Séraphin. Il semblait fasciné par les lumières qu'un serveur venait d'allumer, aux quatre coins du jardin. Des ampoules avaient été installées dans des cages à oiseaux en osier, et le résultat était féerique. « Tu verras, Séraphin, on s'habitue à beaucoup de choses, ici. Enfin, ce n'est pas aussi simple. Le dépaysement est d'abord agréable, léger, mais peut tourner peu à peu à un sentiment de... dépossession de soi. Ce qu'on appelle l'exil... Tu ne m'écoutes plus, si ?

— Si, si, pardon.

— Ce qui est vertigineux aussi, quand on arrive, c'est l'absence totale de références communes avec les gens. Un jour, j'ai évoqué la Shoah devant des Afghans... Eh bien, il n'y en avait pas un seul qui savait de quoi je parlais ! Tu ne m'écoutes toujours pas !

— Je pensais à Corto et à ce que me disait Pia...

— Pia ?

— Oui, nous avons un peu discuté, tout à l'heure. Elle est passée. T'étais... dans ton bureau, je crois.

— Elle parle beaucoup, Pia. Et alors ? Elle t'a dit quoi ?

— Elle m'a raconté cette histoire de soufisme...

— ...

— Je ne crois pas du tout que Corto se soit converti à quoi que ce soit. Ce n'est pas du tout son genre. Tu le connais : c'est un libre penseur. Bien sûr, il s'intéresse à la spiritualité. Il cherche… il n'a jamais arrêté de chercher… Pourquoi tu me regardes ?

— Non, rien. Je te regarde, c'est tout. Je trouve juste que tu as l'air de bien le connaître…

— On a un peu discuté, lui et moi. Il m'avait montré les documentaires d'Arnaud Desjardins sur les confréries soufies d'Afghanistan… Un truc fascinant. Ce n'était pas le même pays, apparemment, dans les années 70.

— Tu as de la chance, Séraphin. Il ne m'a jamais parlé de ça.

— Il devait être un peu gêné. Tu le voyais comme un pur rationaliste. Il disait qu'il n'arrivait pas à faire changer le regard que tu portais sur lui.

— Il aurait pu essayer. Je ne suis pas complètement con.

— Non, mais… Je pense qu'il avait besoin de faire un bout de chemin seul, de changer un peu de perspective, de bousculer son environnement habituel…

— C'était son truc, ça. Sauf que sans moi, il serait toujours sur un banc de fac à Toulouse !

— Tu sais qu'il t'admirait, non ? Qu'il voulait tout faire comme toi…

— Ça, c'est la meilleure !

— Il ne savait pas comment réussir sa vie aussi bien que toi. C'est pour ça qu'il était dans l'excès. Comme son métier de reporter de guerre. Il l'a poussé au maximum. Ce besoin d'aller toujours ailleurs, plus loin. C'est tout lui, ça, non ?

— "C'est tout lui" est une phrase que j'hésiterais à employer à son sujet. Je ne sais pas qui est Corto Da Costa. J'aimerais être sûr, par exemple, que c'était ton père…

— Que… c'est… mon père.

— Oui, pardon.

— Je ne pense pas que ça le gênerait que tu m'adoptes, si tu en as tant envie ! »

Il affichait un sourire moqueur, que je découvrais sur son visage pour la première fois. Un sourire qui me rappelait terriblement… Corto. Je haussai les épaules puis me concentrai sur mon restaurant, en bas. Des groupes de clients se pressaient, comme des animaux autour d'un trou d'eau, le soir. Je me sentais fier. Ce monde m'appartenait.

15

« Play it, Sam. Play *As time goes by...* »

Séraphin me regardait avec un peu de dédain. Il souhaitait seulement savoir quel film j'avais décidé de projeter ce vendredi soir, dans le jardin, et je lui débitais une réplique préhistorique. « *Casablanca*, bien sûr, Séraphin ! *Casablanca*, tu sais, avec Humphrey Bogart...

— OK. Un jour, Corto m'a dit que ton père ressemblait à ce... Bogart. C'est vrai ?

— Mouais... Un peu, c'est vrai.

— Et des clients m'ont dit que tu projetais ce film... souvent.

— On ne s'en lasse pas. C'est exactement comme ça que je vois ma vie ici.

— Eh bé... » marmonna-t-il en bâillant.

Je changeai de sujet : « Tout à l'heure, n'oublie pas de distribuer des patous… Tu sais, les petites couvertures blanches. Il commence à faire frais, le soir. Les clients sont touchés par cette attention, et ça fait joli, je trouve. »

Séraphin retourna à son service. Il avait tout pris en main, et je sentais que ma préretraite approchait enfin. Secondé par celui que mes amis-clients avaient surnommé mon neveu-serveur, et entouré par mes enfants-apprentis, je me sentais plus que jamais en famille.

Pia débarqua à son tour dans mon bureau, avec cet air malicieux qu'elle me réservait quand elle avait des intentions coquines. Mais elle resta à distance, debout près de la fenêtre, contemplant quelques instants les montagnes au loin, avant de se tourner vers moi : « Ça y est ! J'ai décidé de partir… Bye bye Kaboul ! » Elle semblait détendue. Sémillante comme elle ne l'avait plus été depuis des années. « C'est sûr ? Je veux dire : c'est vraiment décidé ? Tu as un poste ailleurs ? Ou c'est juste cette vieille envie… ?

— J'ai fini mon contrat. Ils m'ont proposé de renouveler, mais nada. Finito. Khalas. Je rentre chez moi.

— Chez toi ?!

— Oui. Et tu vas te moquer, comme d'habitude. Je retourne à Silkeborg…

— …

— Tu vois, tu te marres.

— Je me marre car dans quelques mois, tu seras de nouveau repartie.

— Eh bien non. J'ai des projets, figure-toi.

— À Silkeborg ?

— Exactement.

— …

— *Fuck you !*

— Pour être franc, ici non plus, je n'ai jamais vraiment compris ce que tu faisais…

— Rien ! Du vent ! Non, je plaisante. Laissons les caricatures faciles à d'autres. On a sauvé des vies, Pascal, on a sauvé des enfants… Pas assez, certainement, mais beaucoup, en fait.

— Et tu pars quand ?

— Vite. D'ici une semaine. »

Nous nous regardâmes longuement en silence. Sans plus sourire.

Nous étions conscients qu'une longue et belle page de notre vie était en train de se tourner.

« Je n'ai rien à me reprocher », dit finalement Pia. Je ne répondis rien. Mes poumons manquaient d'oxygène. Elle vint s'asseoir à côté de moi, sur le canapé, me prit la main, et parla d'une voix douce : « C'était plutôt… bizarre, entre Corto et toi, depuis un moment… Même lui n'a jamais voulu en parler… Ces dernières semaines, tu avais envie qu'on le retrouve… mais… en même temps… »

Elle m'enlaça et ce fut bon. Bon et douloureux.

*

Quelques mois à peine après notre arrivée à Kaboul, quatre ans auparavant, Pia commença à ne quasiment plus voir Corto. Il partait sans cesse en reportage. Il prétendait enchaîner les missions demandées par les médias : embarqué (*embedded*) avec les soldats américains, avec l'armée française… ; sur les traces de Ben Laden, du mollah Omar… ; traquant une clinique clandestine où l'on prélevait des organes sur des enfants ou un marché aux esclaves dans une zone tribale pakistanaise… Je savais, moi, par mes contacts dans les rédactions parisiennes, que, même s'il était encore en activité et publiait des sujets de temps en temps, Corto était en perte de vitesse dans le métier. « Il n'a plus envie », disait-on. Lui avançait une autre explication : « Je suis fatigué de ce job où l'on court de plus en plus sans réfléchir… »

Pia y croyait, elle, à cette multitude de reportages dangereux, et ne s'y habituait pas. Mais outre ces angoisses-là, elle souffrait surtout de la distance que Corto instaurait entre eux, et qu'il amplifiait dès qu'une occasion se présentait.

À chaque départ de notre ami, elle venait trouver refuge dans mes bras. Au fil du temps, nous avions établi un certain rituel pour ces rencontres : elle arrivait, toujours à la nuit tombée, avec une bonne bouteille – elle en faisait venir des caisses entières via son ambassade –, vêtue de son uniforme officiel de fonctionnaire de l'Unicef : jean impeccable et chemisier strict. Pour ne pas être reconnue par un des colocataires de mon ONG, elle déroulait un pakol – le couvre-chef traditionnel afghan – et l'enfilait jusqu'au milieu du visage, et je devais la guider dans le noir, une lampe à pétrole à la main. Elle trébuchait dans l'escalier, presque à chaque marche, et cela nous faisait rire. Nous n'étions en fait pas discrets. J'avais tartiné à l'avance des *nâns* avec de la vache-qui-rit, et je les réchauffais sur le poêle à bois de ma chambre. Elle adorait ça.

J'avais acheté spécialement pour nous deux un vaste matelas, ainsi que des tissus en guise de draps, et quelques éléments de décoration : une table basse en bois sombre du Nouristan, région montagneuse du nord-est de l'Afghanistan ; des bougies parfumées posées sur ce meuble unique ; et des coussins vert pomme. Je mettais de la musique sur mon ordinateur, et mes goûts régressifs l'envoûtaient, notamment Mort

Shuman. J'avais droit ensuite à une séance de striptease, chaque fois renouvelée, mais toujours exécutée sur *Le Premier Pas* de Claude-Michel Schönberg. Elle avait découvert que ce tube me transportait dans un état second, propice à la suite de nos réjouissances, à l'enchaînement de nos débauches.

Mon regard rivé au bleu si clair de ses yeux, je vivais ces soirées comme sur un nuage et la nuit qui suivait dans la volupté. Pia était notamment une virtuose dans l'art de la caresse. Mais j'aimais plus que tout les longs moments pendant lesquels elle s'allongeait sur le ventre, à moitié assoupie, une joue posée sur un coussin, m'offrant sa nuque tendre, son dos souple et ses fesses tendues. Je possédais alors ce corps à ma guise. Et dans cette chair ferme et douce j'oubliais le monde extérieur, tout en renouant avec une vigueur physique et morale qui la plupart du temps me fuyait.

Ces heures passées sur mon matelas, dans ma chambre vide, savourant son incroyable bordeaux servi dans mes verres Duralex et accompagné de pistaches, nos gestes tendres, nos fous rires, toutes ces images viendraient dorénavant se superposer à tout le reste, à nos vies déjà compliquées, éparpillées, affectivement chargées, à nos sentiments pour Corto, à nos histoires communes : elle et lui ; lui et moi ; elle, lui et moi.

*

Ces années 2002-2003 avaient été intenses, exaltantes, pour beaucoup d'entre nous. Le travail ne manquait pas et chacun y mettait du cœur. Les jeunes Afghans avaient l'impression, pas complètement fausse, qu'il leur suffisait d'acquérir trois mots d'anglais et d'obtenir quelques notions d'informatique – « Word-Excel » – pour trouver un emploi. Tout le monde se précipitait vers les organisations internationales et leurs gros salaires : fonctionnaires, médecins, étudiants...

Cet afflux brutal d'aides en tous genres déstabilisait la société afghane, faisait tourner les têtes, créait des attentes qui allaient forcément être déçues, au bout du compte. Ceux qui piochaient le plus dans le magot seraient plus tard les mêmes qui mordraient fort toutes ces mains étrangères vidées de leurs dollars.

Cette phase d'exaltation connut son crépuscule avec les premiers bilans, plutôt négatifs, des actions entreprises, et avec la vaste campagne organisée par les gouvernants afghans sur le thème : « Les ONG gaspillent l'aide internationale, pourquoi cet argent ne passerait-il pas directement par nous ? » Ce qui aurait pu se défendre si ces mêmes dirigeants

n'avaient pas été, pour la plupart, des stakhano-
vistes de la corruption.

Tout ce labeur ne nous empêchait pas d'aller
dîner dans un restaurant thaïlandais qui venait
d'ouvrir, ou d'aller danser joyeusement lors des
charmantes soirées organisées par Paula, la frin-
gante chargée de mission italo-hollandaise de
l'Unesco. J'avais réussi à m'y incruster grâce à Pia :
les invités étaient triés sur le volet et je n'aurais
eu aucune chance de pouvoir en être sans son
intervention. « Nous ne voulons pas de tous les
gros lourds de Kaboul », clamait Paula, à l'énergie
communicative mais à l'élitisme impitoyable.

Ces soirées démarraient toujours de manière
formelle, un peu coincée, avec un groupe de fonctionnaires de l'ONU et de diplomates auxquels
se joignaient quelques humanitaires plus déten-
dus, devisant avec sérieux dans le vaste salon de
l'Unesco. John-Paul, chargé de mission, expert
en art gréco-bouddhique, servait les cocktails,
sans lésiner sur le gin, et l'ambiance s'échauffait
rapidement. Une fois le point fait sur des sujets
importants (comme la prochaine réunion entre des
représentants du gouvernement afghan et les donateurs sur la « reconstruction des médias publics »),
Paula lançait alors le bal : elle confiait à Murray,
l'attaché culturel canadien, le soin de choisir la
musique, à charge pour lui de sélectionner au
moins une fois dans la soirée *Let the Sun Shine*, *Sex*

Bomb et *Didi*, et, bien entendu, *Dancing Queen*, que j'avais réussi à imposer, tube sur lequel Paula se déchaînait chaque fois, perdant dans l'action son chignon, ses lunettes et son sérieux, imaginant des déhanchements des plus fantaisistes, acclamée par ses amis qui faisaient cercle autour d'elle.

Les opportunités à ce point favorables pour faire connaissance en toute simplicité avec un ambassadeur ou un haut fonctionnaire international, sur un bout de moquette en guise de piste de danse ou en grignotant un des affreux gâteaux de Paula sur un coin de table, ne devaient se trouver qu'à Kaboul, en ces années-là. Nous étions tous mus par la volonté de bâtir un premier barrage contre la montée du péril islamiste. J'étais content de passer un moment dans un environnement plus reluisant que celui des bureaux de mon association ou d'un restaurant local. Commençait d'ailleurs à germer en moi l'idée qu'un établissement un peu prestigieux, avec une *French touch*, trouverait sa place à Kaboul.

Pia arrivait toujours tard. Elle ne s'en excusait pas, étant simplement celle qui, de toute évidence, avait plus de travail que les autres, plus de responsabilités aussi. Paula l'admirait. Si notre hôtesse était plus jolie que la Danoise, plus pulpeuse, elle devait se juger frivole. Pia, après avoir salué brièvement quelques personnes importantes, passait avec Paula dix bonnes minutes à papoter dans un coin. Elles frétillaient comme des collégiennes et jetaient des coups d'œil espiègles aux convives.

Corto, lui, ne venait jamais exhiber sa dégaine de cow-boy dans ce genre de soirées, qu'il jugeait snobs, voire indécentes. Pia en profitait donc, après avoir trop bu, pour venir se coller à moi. Je jugeais, aux regards plus ou moins discrets qui se posaient sur nous, que notre relation était aussi secrète que l'homosexualité de John-Paul.

*

Lassés de vivre dans des communautés non choisies et dans des maisons inconfortables, nous avions décidé de prendre notre destin en main. Charles l'entrepreneur, Aude son employée et maîtresse, Caro la photoreporter, Michel, logisticien dans une ONG, et moi. Nous avions trouvé une immense demeure avec une chambre pour chacun et un salon commun où se prendraient toutes les décisions importantes : quantité de kiris à acheter pour la semaine, qualité du papier hygiénique... Deux clans s'étaient naturellement formés : d'un côté, ceux qui ne regardaient pas à la dépense, Charles et Aude – ils ne venaient pas du même monde que nous et avaient comme signe distinctif de dire « maman » pour évoquer leur mère –, et, de l'autre, ceux qui étaient plus simples, et plus près de leurs sous. « Ma mère », nommions-nous notre génitrice, Michel, Caro et moi, si l'occasion s'en présentait.

Le jardin, avec ses rosiers et ses vignes, promettait d'être une merveille au printemps et les chambres du premier étage permettaient d'avoir une superbe vue sur les collines de Kaboul. Notre gentilhommière fut nommée la « Maison du Bonheur ».

Les problèmes commencèrent dès les premières pluies. Le vieux toit en tôle se mit à pisser de l'eau rouillée dans nos chambres, et le plâtre déjà effrité des murs se boursoufla d'un coup, comme frappé de peste bubonique. Nous mîmes des seaux dans tous les coins, mais cela ne fut pas suffisant pour empêcher la marée de monter. Le propriétaire nous promit de faire quelque chose. Dès qu'il ne pleuvrait plus.

Tout n'était pas sombre pour autant : on finit par s'habituer, par exemple, à la sarabande des rats, la nuit, au-dessus de nos têtes. Les cafards ? Nous cohabitions avec eux depuis des années. Les souris étaient plus agaçantes, à téter notre lait à même les packs.

Lorsque mes colocataires revenaient du boulot, vers cinq heures de l'après-midi, nous enchaînions sur un ordinateur portable les épisodes piratés de la série *24 heures chrono* en grignotant des pistaches. Charles en profitait pour peaufiner un tableau Excel, Aude, admirative, se serrait contre lui, Michel fumait des joints, et Caro cancanait au sujet de tous les Français de Kaboul.

L'hiver, cette année-là, fut particulièrement rude. De la fenêtre de ma chambre, où, après avoir démissionné de mon ONG, je passais mes journées à envisager de monter une affaire, je voyais des hommes dégager à la pelle la neige de leurs toits. Nous survivions. Je m'étais emmitouflé sous plusieurs épaisseurs de frusques en peau de mouton et de couvertures, un poêle à bois à ma droite, un poêle à gaz à ma gauche... Pour faire face à l'absence d'électricité, nous nous organisions : j'avais acheté une batterie de camion, pour fournir quelques watts à mon ordinateur ; un générateur nous permettait de faire fonctionner un de nos trois cumulus... Mais comme l'eau avait fini par geler dans les tuyauteries, nous faisions fondre de la neige sur une petite gazinière pour pouvoir un peu nous laver. Sauf que Kadir, notre homme de ménage, avait eu raison du chauffage déjà rudimentaire de notre salle de bains en ayant fait remplir la bonbonne de butane, au lieu du propane, ou l'inverse. J'avais dû interrompre sa conversation avec le gardien autour d'un verre de thé – ils évoquaient probablement les sous-vêtements de Caro, qui disparaissaient régulièrement de la corde à linge –, pour l'exhorter à venir séance tenante. Il devait m'aider, lui avais-je habilement fait comprendre, en jouant à la fois de la rudesse et de l'apitoiement, car ainsi, avec ma serviette nouée autour de la taille, par moins quinze degrés, je risquais de ne pas finir cet hiver désastreux.

Le vendredi, en fin de matinée, alors que la maisonnée se retrouvait autour de la table basse de la pièce commune, je mis à l'ordre du jour la question de nos employés : le gardien et l'homme de ménage, que nous soupçonnions, entre autres méfaits, de nous voler. Michel refusa que nous nous en débarrassions, prétextant que nous étions ici pour aider le pays et ses habitants. Charles alla dans son sens. Ses affaires avaient décollé et il commençait à gagner beaucoup d'argent. Se faire dérober quelques billets de dix dollars l'amusait plutôt et il pensait que de nouveaux employés seraient, eux aussi, certainement malhonnêtes. Il alla jusqu'à proposer que nous augmentions Kadir et le garde. « Baise la main que tu ne peux couper. » Il venait de citer un proverbe persan que je reconnus aussitôt. Enayat travaillait depuis une semaine dans l'entreprise de Charles.

*

Enayat avait quitté l'association Tréteaux du Monde juste après moi, au début de l'année

2004. Il avait décidé de lier son destin au mien, en tenant des propos alambiqués sur « l'amitié entre les peuples ». J'avais bien entendu été invité à déjeuner chez lui. Dans une petite maison pimpante construite de ses mains dans un quartier reculé de Kaboul, la famille m'avait servi son plus beau palao, avec raisins secs, amandes, carottes râpées frites, safran et cannelle... Sur mon insistance, fait exceptionnel, sa femme était apparue un instant dans la salle à manger. Enayat était prêt à toutes les témérités pour se rapprocher de ses nouveaux amis étrangers. Mme Enayat était institutrice. Femme fine et cultivée, faisant preuve d'une patience sans limites avec ses cinq enfants, comme avec son mari.

Après le repas, mon ami afghan m'avait ramené chez moi en taxi, puis je l'avais raccompagné chez lui, dans le même taxi. Il avait tenu ensuite à me reconduire chez moi et, là, refusant poliment mon invitation à prendre le thé, il m'avait proposé aussitôt de retourner chez lui pour accomplir ce rituel. J'avais dû mettre fin à ce petit jeu, peut-être de façon un peu trop brutale.

Le lendemain, j'avais eu droit à une pièce de tissu destinée à ma mère. Il aurait préféré me l'offrir pour une épouse... Mon célibat le désespérait. « Une femme à la maison, c'est tout ce dont un homme a besoin. Pour les bons repas, mais aussi pour vous tenir chaud dans le lit ! » En disant ça, il s'était plié en deux, formant un angle droit avec son corps, et, secoué par un rire inextinguible, avait tenté de cacher sa grande bouche derrière ses mains.

*

À la Maison du Bonheur, l'ambiance était devenue détestable : Michel refusait de mettre à nouveau de l'argent dans la caisse commune et Aude nous traitait de porcs pour une sombre histoire de balayette pas suffisamment utilisée. Je trouvai donc un nouvel élan pour relancer mon projet : ouvrir un restaurant. Où je comptais aussi me loger pour enfin ne plus devoir cohabiter avec des compatriotes. Enayat m'aida à chercher un lieu. Je lui avais promis un poste un peu vague de « manager et maître d'hôtel », et il laissa tomber aussitôt son poste chez Pamir consulting.

Au bout de quelques jours de prospection, ce fut le coup de foudre : une maison entourée d'un beau jardin boisé. Je fonçai sans plus réfléchir.

Il ne s'agissait pas d'une vocation rentrée d'entrepreneur qui s'exprimait enfin. Plutôt une nouvelle dose d'excitation, la folie de l'aventure, son incongruité, ce qu'elle allait faire ressortir d'inattendu dans ma personnalité.

*

Pendant ce temps Corto et Pia continuaient à se déchirer, à renouer, à se séparer à nouveau. Je craignais que cela finisse mal. Si Pia se retrouvait libre pour de bon, cela ne serait pas sans conséquences pour moi et l'ironie serait évidente : alors que je les soupçonnais de n'être venus tous les deux à Kaboul ni pour leurs activités professionnelles, ni pour mes beaux yeux, mais dans le seul but de se rejoindre, Pia délaissée, isolée, chercherait à se raccrocher à moi, en grande partie par défaut. Et moi, faible, ô combien, j'accepterais cet état de fait, en me laissant glisser sur une pente facile allant contre mon désir profond. Et dans le même temps, je m'éloignerais à jamais de Corto.

Mais nous n'en étions pas là. Alors que j'avais encore quelques jours de temps libre devant moi, en attendant l'arrivée d'un jeune chef français engagé pour organiser ma cuisine, Corto me proposa de l'accompagner dans un de ses reportages. « Notre dernière aventure commune ! plaida-t-il, avant que tu ne deviennes un mec de pognon, de marge brute, de masse salariale. » J'acceptai.

Il devait aller rencontrer un seigneur de guerre, le colonel Juju, qui gouvernait le nord-ouest du pays.

16

Droit devant nous se dressait la chaîne de l'Hindou Kouch, grosse patte griffue de l'Himalaya posée sur l'Afghanistan. Cette « tueuse d'hindous » aurait englouti, au cours des siècles, nombre de commerçants itinérants et d'envahisseurs de tous horizons. Face à ces sommets hostiles, certains culminant à plus de 6 000 mètres, la vie humaine ne pesait rien et, nous-mêmes, ne nous sentions pas grand-chose.

Le spectacle était sublime même si, à mon avis, toutes les hautes montagnes dans le monde ont entre elles un air de famille, avec leurs faces minérales et leurs neiges éternelles. Je gardais cette réflexion pour moi car, sinon, j'aurais eu droit à un cours détaillé sur les différentes cordillères de la part de Corto.

Nous étions à deux jours du printemps, en 2004. Un an et demi que nous vivions en Afghanistan, et nous possédions encore une belle capacité d'émerveillement. Nous remontions la plaine de Chamali, au nord de Kaboul. Autrefois verger de l'Afghanistan, riche en vignes notamment, la Chamali, encore verte, avait un air désolé, avec ses ruines, ses champs rasés, tous ces vestiges de guerres récentes et, dans certains villages détruits, les bâches en plastique abritant des réfugiés de retour du Pakistan.

Deux jours plus tard, ce serait Norouz, le nouvel an perse, fête que nous avions décidé de passer à Mazar-e-Charif, la principale ville du nord de l'Afghanistan. Nous avions prévu de continuer ensuite notre voyage vers Maïmana, pour le reportage de Corto chez le colonel Juju.

La nature renaissait après un hiver toujours aussi rude. Au loin, sur un long piémont d'argile brune, les fleurs mauves de bosquets d'arbres de Judée et le feuillage vert clair de quelques frênes et d'aulnes épars donnaient au paysage austère de petites touches colorées.

Dominés de toutes parts par les contreforts de l'Hindou Kouch, nous filions sur une des seules routes goudronnées de l'Afghanistan, censée devenir un jour une ceinture entourant le pays. Corto et moi étions assis à l'arrière de la vieille Volga que nous avions louée pour la semaine. Au volant,

Soheb, notre chauffeur, enchaînait, en les aspirant d'un coup, des cônes de chanvre indien. Il conduisait avec maestria, malgré les sandales déchirées qu'il portait aux pieds. Soheb avait le teint et les yeux clairs des Pashtounes, l'ethnie majoritaire du pays. Avec son visage buriné couvert de poils noirs et son regard fiévreux, il semblait sinistre et menaçant, mais était en fait le plus adorable des hommes. Il était conscient que là où nous allions, contrées tadjikes puis ouzbèkes, il avait intérêt à faire profil bas.

Pour l'heure, bien perché en raison d'un abus de cannabis, il avait mis une cassette d'Ahmad Zahir, le son monté au maximum, et roulait à tombeau ouvert sur cette route encombrée. L'artère Kaboul-Mazar était stratégique pour le commerce et elle était notamment empruntée par des camions pakistanais, les fameux *trucks* bariolés, couverts de décorations, de poèmes, de formules religieuses.

Corto et moi étions joyeux et nous mîmes à chanter à tue-tête, couvrant la voix caverneuse du crooner afghan. *Awalin eshtaq tou boudi...* (« mon premier amour, c'était toi »).

Soheb commença par ricaner, avant de se décider à nous accompagner de sa voix chargée, en se retournant vers nous à intervalles réguliers, trop souvent et trop longuement à mon goût. Le rythme traînant de la chanson ne l'empêchait pas d'appuyer sur l'accélérateur et quand je lui lançais

un *âhesta !* (lentement), il répondait invariablement
par un *mouschkel nest* (pas de problème). Il y avait
rarement des problèmes, dans ce pays. Ou, plus
exactement, il n'y avait que cela. Pas possible de
se doucher le matin ? *Water pump no work because
no power... generator no petrol... mouschkel ast*
(problème il y a).

Dans la ville de Jaboul-e-Saraj, aux étroites
ruelles délimitées par d'indigentes maisons en terre,
nous avions laissé, à droite, la route qui partait
pour la longue vallée du Panjshir de feu le commandant Massoud, et commencé alors l'ascension
d'une quarantaine de kilomètres menant au col
du Salang, à près de 4 000 mètres d'altitude. Là,
l'un des plus hauts tunnels au monde, long de
trois kilomètres et seul lien routier entre Kaboul
et le nord du pays, nous permettrait de franchir la
barrière montagneuse qui se dressait devant nous.

Pendant toute la montée, Corto regardait par
la fenêtre, donnant l'impression de voir davantage
que de simples paysages. J'avais le sentiment que
nous n'avions jamais cessé de nous côtoyer ainsi,
lui, contemplant des mondes inaccessibles, moi,
lui jetant des coups d'œil affectueux. Sa grande
taille et sa carrure formaient un des piliers les
plus solides de mon existence qui avait, autrement,
tendance à ballotter au gré du vent et des évènements. Je me sentais bien en sa compagnie. Mon
ami avait laissé repousser ses cheveux, retrouvant

son profil d'adolescent. Mais il commençait un peu à se dégarnir, ce qui rendait son front encore plus vaste et intelligent, et quelques poils blancs ornaient maintenant sa barbiche. Nous avions quarante-trois ans et n'avions ni l'un ni l'autre, pour le moment, de problème avec le temps qui passait. Pour ma part, une fois la trentaine atteinte, je n'avais eu qu'à me réjouir de la maturité acquise, laissant enfin derrière moi tous les états d'âme propres au jeune âge.

De belles étendues de neige couvraient les environs. L'hiver, nous venions là de temps en temps pour faire du ski. Il fallait une bonne couche de poudreuse, plus de deux mètres, pour être à peu près sûr de ne pas sauter sur une des mines qui pullulaient dans ce coin.

Nous avions descendu le Salang par une route en épingles à cheveux, atteignant des gorges profondes, passant à côté d'énormes rochers et longeant une rivière gonflée par la fonte des neiges. Puis nous avions traversé une vallée pendant des heures. Un univers de terre, de roche, un univers rouge-brun et gris, un gris de métal, dans une contrée hors du commun, au milieu de laquelle la conscience humaine se dissout, ne compte plus.

La flore était rare, souvent en partie détruite par l'homme, par nécessité d'approvisionnement en combustible et en bois de charpente. Quelques armoises, puis, plus haut, des épineux, et vers les sommets de rares formations clairsemées de cèdres, de sapins, d'épicéas.

La circulation était plus fluide que dans la Chamali ou le Salang. Nous croisions quelques bus surchargés ou des camionnettes transportant des gens entassés comme du bétail. Nous dépassions parfois quelques hommes isolés, allant on ne sait où, coiffés d'un pakol ou d'un turban, la barbe longue et souvent teinte, à dos de mulet, ou à pied.

Cette longue route filant sans fin dans une nature étourdissante élevait nos esprits, nous forçait à regarder devant nous, comme si nous naviguions dans un monde neuf, sans passé et sans lendemain : seul l'infini des montagnes et du ciel, l'horizon sans cesse repoussé. Se laisser porter, bloquer le compteur, en figeant l'humeur, en flottant dans ces limbes, pour toujours.

« Même les rêves s'usent…, soupira Corto, qui semblait avoir à cet instant les mêmes pensées que moi. Souvent, pour m'endormir, je m'imagine être le roi d'Afghanistan, un pays merveilleux, d'autrefois, pays qui n'a bien sûr jamais existé. Eh bien, même ce fantasme-là, il me fait de moins en moins d'effet ! »

Il me regarda, longuement. Ses yeux noirs et profonds quémandaient, malgré lui, de l'affection. Aussi dur que soit Corto, aussi hautain, affichant sans fard son dédain pour les éléments microscopiques abandonnés dans son sillage, il devait, comme tout le monde, piocher sans trêve pour tenter d'extraire de son entourage un peu d'amour. C'était chacun pour soi, mais une part de négociation était inévitable, pour continuer à faire partie du grand troupeau humain.

Je tentai de ne pas briser le fil de la conversation, sans forcément savoir que dire : « Je ne suis pas sûr qu'on reste encore longtemps dans ce pays... Mais Dieu sait qu'on l'aura aimé ! Surtout les premiers temps, rappelle-toi, quand on découvre que des gens vivent encore avec des valeurs fortes : honneur, hospitalité, courage, croyance...

— Mouais... Il ne faut pas regarder de trop près quand même ! Mais c'est pas faux. On n'en sortira pas indemnes... quoi qu'il arrive. »

Il se tut. Je pensais l'avoir à nouveau perdu. Mais il me regarda, avec un franc sourire : « Alors, il paraît que tu te tapes Pia ? » J'avalai ma salive. « Et il paraît que t'es un bon coup !

— Corto...

— Laisse tomber. Il n'y a pas de problème. C'est elle qui me l'a dit, ça nous a fait rire et c'est tout. Au fond, ça me fait sacrément plaisir. Franchement. Comme à la belle époque. Prends pas ton air de pénitent...

— Bon, d'accord. Mais...

— Et elle t'aime.

— Ah bon ?

— Oui. Vraiment. En revanche, évite-moi une leçon de morale sur mon comportement avec elle… »

Il se ferma à nouveau. Longuement. « Corto, tu penses à quoi ?

— À l'identité d'Euler.

— …

— Les cinq constantes… $e^{i\pi} + 1 = 0$. Ça, c'est vraiment parfait… Vérité et beauté suprême.

— Je croyais que les maths ne t'intéressaient plus ?

— Si, si. À nouveau. De plus en plus… »

*

La route, elle aussi, finit par user. Nous n'étions pas loin d'une overdose d'asphalte. Et même les paysages les plus grandioses n'échappent finalement pas à la monotonie. Sans parler de notre environnement humain, nous trois dans cette voiture, à court de paroles et d'émotions nouvelles. Commençait à nous tenailler l'envie de sortir de cette geôle, de mettre notre corps en mouvement, d'éveiller d'autres désirs, de parler à d'autres gens.

L'arrivée à Mazar, juste avant la nuit, fut un soulagement.

*

Des milliers de Mazaris flânaient gaiement dans les rues de la ville, vêtus de leurs plus beaux vêtements, pour célébrer cette fête du nouvel an que les talibans avaient proscrite, car jugée « non islamique ». Tous convergeaient vers le « tombeau du seigneur », superbe mausolée aux céramiques bleu turquoise qui, selon la révélation reçue jadis par un habitant, hébergerait la dépouille d'Ali, cousin et gendre du prophète Mohammed.

Dans la maison de l'ONG qui nous avait accueillis pour la nuit, trônaient dans l'entrée, sur une table couverte d'un napperon blanc, les *haft sîn*, sept objets dont le nom commence par la lettre s, comme le *sabzeh* – germes de blé, symbolisant la renaissance –, le *senjed* – fruit du jujubier, symbolisant l'amour – ou le *sonbol* – odorante fleur de jacinthe, emblème du printemps qui éclot.

Corto tint à aller visiter, en dehors de la ville, le fortin de Qalat-e-djangi, place forte du général Dostom, seigneur de guerre sanguinaire et chef des Ouzbeks d'Afghanistan. Dans cette citadelle, des centaines de talibans et des djihadistes du monde entier, prisonniers après la libération du pays par les Américains, fin 2001, s'étaient soulevés avant d'être massacrés par des miliciens de

Dostom. D'abord enfumés dans des souterrains à l'aide de pétrole enflammé, les derniers révoltés avaient finalement péri noyés, dans de l'eau glacée déversée dans les tunnels où ils s'étaient réfugiés.

Le lieu était lugubre, imprégné par ce drame récent. Dans un coin d'une cour herbeuse, nous nous étions arrêtés devant un mémorial au nom d'un officier de la CIA, « Mike », qui, chargé d'interroger les prisonniers, avait été rapidement submergé par le soulèvement, et finalement mis en pièces par la foule déchaînée. Devant ce petit monument gravé, je ressentis une brève émotion. « Mike » n'avait pas dû souffrir davantage lors de son agonie que les centaines de révoltés, des fanatiques certes, mais peut-être de bons pères de famille. Pourtant, mon empathie alla vers lui, comme si on imaginait mieux une détresse d'Occidental, d'un type élevé sensiblement comme nous.

Corto, lui, ne semblait pas touché par le mémorial et continuait seulement à râler d'avoir raté l'évènement, une « putain de bonne histoire ».

Nous retournâmes à Mazar, histoire de traîner un peu.

« Bon, on se casse ? » demanda Corto en milieu de matinée, alors que nous avions pris en photo, sous tous les angles, les célèbres pigeons blancs voletant autour de la grande mosquée. Sa question n'en était pas vraiment une. Il considérait que nous avions fait le tour de cette ville, qui, hormis le mausolée, n'avait rien à offrir d'intéressant aux visiteurs. « J'irais bien voir Balkh ! » m'écriai-je, pour signifier que j'avais mon mot à dire sur ce voyage. « Laisse tomber. C'est un tas de vieilles briques grises... avec l'habituel dôme bleu dessus...

— Non mais t'es con ou quoi ? Bactres, la Bactriane, l'art gréco-bouddhique, la rencontre des civilisations méditerranéenne et asiatique... Alexandre le Grand qui épouse Roxane...

— *Roxane ! You don't have to put on the red light...* », se mit-il à beugler. Je restai sans voix. « Bon, super l'antiquité, Pascal. Allez, viens, on file à Maïmana, il y a six heures de route. Et quand je dis route... »

Trente minutes plus tard, ayant récupéré nos bagages et quitté en douce la maison de nos hôtes, en prenant garde d'être assez discrets pour n'avoir à dire au revoir à personne, puis, ayant réveillé Soheb qui n'avait pas quitté la Volga de peur de la retrouver abîmée ou de ne pas la retrouver du tout, nous étions de nouveau en route. Assez vite, nous prîmes une piste cabossée. Nous nous cramponnions aux sièges devant nous, l'un à l'autre, aux poignées des portières. Nous avions dû fermer les fenêtres à cause de la poussière et il faisait dans l'habitacle une chaleur de chameaux. Nous traversâmes une zone désertique, puis le paysage redevint brusquement sublime : d'abord des collines de sable gris, toutes rondes, nous bordèrent comme des sentinelles géantes, ensuite, après le passage d'un col et d'une rivière, nous débouchâmes dans un monde de nature verdoyante, de vastes prairies fleuries de tulipes. Un de ces rares instants de perfection pendant lesquels on se dit, brièvement, qu'il est alors acceptable de mourir. Comme une virée à l'aube dans les dunes du désert chinois du Taklamakan, ou une vue sur les trois lacs volcaniques et colorés des îles Florès, en Indonésie, ou encore une collation nocturne de caviar béluga partagée avec une gracieuse masseuse russe sur un cargo à l'abandon dans le port de Bakou, en Azerbaïdjan...

Nous étions dans un autre pays. Depuis longtemps déjà, avant Mazar, les montagnes avaient fait place aux steppes, les hauteurs menaçantes aux grands horizons. Dans cette région, proche de l'Ouzbékistan et du Turkménistan, la campagne était encore différente : un avant-goût de l'Asie centrale. Le physique des populations que nous commencions à croiser était lui aussi singulier : la bride au coin des yeux, la taille plus courte, le teint brun-jaune.

Nous arrivâmes à Maïmana à la tombée de la nuit. Cette petite ville de 30 000 habitants, capitale de la province de Faryab, ne payait pas de mine. La vie était concentrée autour de trois ou quatre rues de terre battue. L'hiver avait abandonné là une couche de boue qui allait vite devenir une croûte dure et sèche, puis poussiéreuse.

Notre long voyage depuis Kaboul avait été, jusqu'à cet instant, une lente dérive, loin de tout repère. Nous avions pris notre temps, ou, plutôt, le temps lui-même avait semblé nous lâcher.

Là, dans une ruelle de Maïmana, bourgade de l'extrême nord-ouest afghan, au contraire, le monde réel nous rattrapa.

« On dort où ? » demandai-je à Corto. Il sembla hésiter. « Quand j'ai appelé le secrétaire de Juju, il m'a dit qu'on pouvait venir crécher dans la maison d'hôtes du colonel. Mais je ne sais pas... T'en penses quoi ?

— On a le choix ?

— Pas vraiment, non. Les *tchaïkhanas* du bled sont interdites aux étrangers.

— Donc...

— OK. Mais ce type est dingue. Il passe ses nuits à picoler et quand il est saoul, plus personne n'arrive à le contrôler. »

Arriver jusqu'à la résidence du gouverneur auto-proclamé de la région ne posa aucun problème. À l'évocation du colonel, les gens dans la rue nous indiquaient la direction à suivre, le visage empreint à la fois de respect et d'une certaine terreur.

Le colonel Juju vivait dans un vaste complexe de maisons, qui se présentait comme un camp fortifié : tous les murs d'enceinte étaient surélevés par une épaisse couche de barbelés, de gros sacs de sable protégeaient la façade principale et, devant l'entrée, de nombreux gardes armés affichaient leur virile attitude d'égorgeurs de Soviétiques.

La voiture prudemment garée à une vingtaine de mètres de ces cerbères à kalache, nous nous fîmes annoncer. Pendant que le chef des gardes se dirigeait vers une cahute de planches pour communiquer avec sa hiérarchie, Corto se pencha vers moi, soudain sérieux, tendu. D'un ton sans appel, il décréta : « À partir de maintenant, tu me laisses mener la danse. »

*

Le colonel Juju était un homme d'apparence charmante. Il était petit et sec, avec un visage délicat, presque enfantin, rendu plus adulte et plus viril grâce à une courte barbe, fin collier qu'il caressait sans cesse de ses doigts légers, pour se donner un air profond. Tout chez lui, de son sourire bienveillant à sa gestuelle raffinée, de la courtoisie de ses manières à sa voix suave, semblait témoigner de l'affection qu'il portait au genre humain. Seule une cicatrice sur sa tempe gauche rappelait qu'il était un chef de guerre. Sur un costume occidental de bonne coupe, il avait revêtu le long manteau traditionnel, le *tchapane*, à larges rayures lie-de-vin bordées de filets orange, qui signifiait son enracinement local.

Alors que nous rêvions d'une douche et d'un peu de repos, il nous fit l'honneur d'un apéritif dans son salon privé, lieu décoré avec un goût de cavalier des steppes enrichi par les rançons et les pillages qui contredisait la mise élégante de notre hôte : tapis épais empilés les uns sur les autres, cheminées de marbre aux quatre coins de la pièce, moulures dorées... rien ne manquait au tableau, pas même la tête de sanglier empaillé. Alors que nous sirotions un Glenfiddich 26 ans d'âge, ce qui rendait finalement plutôt agréable la compagnie de ce criminel de guerre, une jeune fille d'environ seize ou dix-sept ans entra timidement dans la pièce. « Je vous présente ma fille, Mariam. Elle est ce que j'ai de plus cher au monde, surtout depuis la mort de sa maman. Ça doit vous étonner de voir une jeune femme afghane dans une maison ! Je suis comme ça. Les traditions, oui, mais une certaine modernité aussi ! » Le colonel s'exprimait dans un anglais impeccable. Il avait suivi des études à Londres, m'avait appris Corto.

Mariam s'était assise aux pieds de son père. Elle avait un voile, léger, sur la tête, mais de jolies boucles noires s'en échappaient et lui caressaient les joues au gré de ses mouvements. Elle nous jetait par brefs instants des coups d'œil que je jugeais aguicheurs, mais, avec les Afghanes, je manquais de repères. Corto, lui, semblait subjugué. Il n'écoutait plus que d'une oreille distraite la discussion et ne pouvait s'empêcher de fixer la jouvencelle que son père finit par congédier. Elle nous salua d'une voix douce et s'éclipsa discrètement. « Je suis moderne, dit le colonel en regardant la porte qui s'était refermée sur sa fille, mais si un homme lui manque un jour de respect, il finira sa vie de chien enfermé avec tous ses proches dans un container en plein désert. »

Un homme maigrichon et difforme s'introduisit alors en silence, presque en rampant. Il avait d'ailleurs une certaine ressemblance avec un asticot. Visage fripé comme une coque de noix, petits yeux noirs au fond d'orbites creusées par une vie de détresse. Un large sourire fendit la face aimable du colonel. D'un geste sec de la main, il indiqua au bougre de venir vers lui sans tarder. Une fois devant son maître, l'homme attendit sans rien dire, la tête baissée en signe de respect. Juju lui décocha alors un coup de poing en pleine face, suivi d'un deuxième. L'avorton ne broncha pas. Le colonel éclata de rire et nous regarda avec fierté : « Je vous présente mon punching-ball humain ! » Corto dut sentir que j'allais parler et, tout en m'incitant au silence de la main, me devança, mielleux : « Sympa ! Et utile pour se défouler… J'ai voulu essayer avec Pascal, mais il ne veut rien savoir. »

Cela mit notre hôte en joie : « Confiez-le-moi quelques jours, j'en ai dressé de plus coriaces ! »

Tout le monde semblait réjoui, et Juju congédia l'homme, qui quitta le salon sans avoir prononcé un seul mot.

« Bon, passons aux choses sérieuses, maintenant. Et d'abord, merci encore pour les boîtes de viagra... Je ne sais pas qui vous a renseignés, mais c'est une excellente idée ! Donc, monsieur Corto, vous voulez faire mon portrait, c'est ça ? Pour écrire les mêmes bêtises que d'habitude, j'imagine...

— Non, non, je voudrais plutôt parler de *bouzkachi*, enfin... de vous... vous le meilleur *tchopendoz* de la région...

— Ah oui ? C'est une bonne...

— Vous savez comment est né ce jeu de l'attrape-chèvre ? » Je venais d'interrompre leur discussion de grandes personnes. « Enfin ce jeu... ce sport, si vous préférez. On dit que ce sont les soldats macédoniens d'Alexandre le Grand... Ils s'ennuyaient dans la région – on peut les comprendre, non ? Alors qu'ils étaient sur leur cheval, ils se sont mis à se disputer un cadavre de chèvre... Ce sont ensuite les Turkmènes qui auraient rendu populaire cette activité équestre virile et collective... Et voilà ! Enfin bon, ce n'est peut-être qu'une légende. »

Un long silence suivit mon cours d'histoire. Corto se demandait s'il devait intervenir, signifier que je n'étais pas sain d'esprit, alors que le colonel me fixait, cherchant à découvrir, lui, si je le prenais pour un imbécile ou si le whisky m'était monté à la tête.

« Ça tombe bien que vous soyez là ! » enchaîna Juju, passant à un autre sujet, pour bien faire comprendre qu'il n'avait pas perdu la face puisque rien d'important n'avait eu lieu. « Demain, avec mes hommes, nous allons rendre une visite à mon bras droit, le commandant Habiboullah, qui est allé passer quelques jours dans sa famille. Vous verrez, c'est dans un charmant village de la région. On va bien s'amuser. Nous partirons à sept heures. Soyez prêts. » Sur ces paroles, il nous abandonna brusquement.

Un aide de camp du colonel nous accompagna jusqu'à une maison d'hôtes. Soheb nous y attendait, avachi sur un canapé, un cendrier plein de mégots sur la table basse devant lui, et de nous revoir vivants sembla lui procurer un grand réconfort. Il arriva même à se mettre debout et nous salua avant de partir dormir, probablement dans la voiture. Une fois seuls, Corto fit mine d'aller directement se coucher. Il avait l'air fuyant. Je me mis devant lui et lui frappai gentiment mais fermement la poitrine du bout des doigts. « Attends un peu. Faut qu'on se parle…

— Demain, sois sympa, je suis mort.

— Non, non, ça sera pas long.

— Quoi ?

— Prends pas ton air énervé, s'il te plaît. Je voudrais qu'on discute de cette façon de faire ton métier. Notre métier.

— Oh merde... La leçon de journalisme...

— C'est quoi, ce bordel ? C'est quoi, ce sujet sur le *tchopendoz* Juju ? Cavalier superbe, roi du sport national. Je n'y connais rien mais à mon avis, avec son physique, il ferait un meilleur jockey qu'un champion de *bouzkachi* ! Ça fait des semaines que tu me parles de ce mec : "Attila afghan", "bourreau de son propre peuple", "serial-violeur"... Ce n'est pas lui qui, pour punir ses hommes, les ligote aux chenilles de ses tanks avant de se mettre à rouler ? Tu ne disais pas qu'avec ce genre d'individus, l'évolution politique du pays était impossible ?

— Je suis devenu moins naïf, Pascal. Tu me préférerais donneur de leçons ? C'est tellement facile, et tellement inutile, ce genre de posture, dans ce métier. L'Afghanistan est en guerre et des chefs comme Juju permettent la lutte contre les talibans et...

— Oui, ça, c'est la théorie de tes amis américains.

— C'est de la realpolitik, et tu le sais. Mais pourquoi... mes amis américains ?

— Parce que tu donnes beaucoup de crédit à leur manière de mener cette guerre. On voit leurs résultats… Les adeptes de la realpolitik sont des mecs dans des bureaux qui se plantent souvent. Je pense, moi, que lorsque les populations découvrent que la communauté internationale soutient de grands criminels, ça leur donne pas mal envie de rejoindre le camp des rebelles. Qu'importe les théories. Tu pourrais simplement raconter ce que tu vois ici, et oser poser les bonnes questions à ce type.

— On est là depuis deux heures, Pascal ! On dirait que tu as un petit a priori sur mes intentions…

— C'est pas faux. Et je ne sais pas à quoi ça tient…

— Fais donc le papier à ma place ! Ou alors tu préfères continuer à organiser des spectacles de marionnettes ? »

Cette discussion n'avait aucun intérêt. Et je ne voyais pas au nom de quoi je me permettais de lui faire la morale, moi qui n'avais pas acquis la réputation d'être un journaliste farouchement indépendant.

Dehors, un générateur s'essouffla, puis rendit l'âme. La lumière disparut et nous allâmes à tâtons nous allonger sur de fins matelas posés à même le sol. *Ot mien pleung, mouschkel nest…* Je râlai dans le noir, en tirant sur moi une couverture rêche

qui sentait le feu de bois et la cigarette. « Mais…
on n'a rien bouffé ! » s'écria Corto. « Je sens que
ton colonel ne nous adore pas », grognai-je, avant
de rajouter : « Mais bon, il me tarde de lire son
panégyrique dans la bonne presse magazine française… » Silence. Puis Corto murmura : *Mé fas
cagat*, petite brêle… *Mé fas cagat.*

*

Refaire de la voiture dès le lendemain ne fut
pas une partie de plaisir. Alors qu'au réveil j'avais
proposé à Corto de répondre sans moi à l'invitation de notre hôte, il avait affiché, malgré lui,
un air craintif, et je m'étais fait violence pour
l'accompagner. Le colonel nous avait confiés à
son « punching-ball », qui semblait remplir de
multiples fonctions, conduisant lui-même la jeep
dans laquelle nous étions entassés au milieu d'une
demi-douzaine d'hommes de la milice privée de
Juju. Le colonel suivait dans une Mercedes blindée.
Comme ses soldats, il était vêtu du traditionnel
shalwar-kamiz, complété par une veste de treillis
et une casquette militaire.

Je n'avais plus le cœur à admirer les paysages, une succession de collines vertes et fleuries,
ondoyantes. De découvrir qu'il s'agissait bien du

pays des melons, comme cela était écrit dans les livres, ne suffisait pas pour maintenir mes sens en alerte. Dans notre véhicule, personne n'avait l'intention de tenir une conversation de pure forme, et l'ambiance était pesante. Un milicien passa la durée du voyage à s'inspecter les doigts de pied. Nous fûmes secoués pendant quatre ou cinq heures sur une piste défoncée par l'hiver avant de déboucher dans une petite vallée. Assez vite, nous atteignîmes un hameau de quelques maisons en pisé, bordant sagement une rivière en crue.

Notre convoi fit halte devant la plus belle des habitations, autour de laquelle s'organisait le village. Un village qui semblait déserté.

Le colonel descendit de sa voiture, se dirigea d'un pas martial vers ce bâtiment principal, suivi rapidement par ses hommes, et toute la troupe entra sans frapper. Corto et moi étions restés dans la jeep. Nous attendîmes là une bonne dizaine de minutes. Nous espérions que le « punching-ball » nous indique ce que nous devions faire, mais il restait silencieux, visage fermé. *Excuse me ?* tenta Corto. L'homme secoua la main droite, de mauvaise grâce, pour indiquer qu'il ne parlait pas anglais, ou qu'il n'avait de toute façon pas envie de nous écouter, ni de nous adresser la parole. Corto maugréa, puis décida de bouger : il ouvrit brusquement sa portière, saisit son matériel photo, me jeta un coup d'œil puis marcha vers la maison. Je le suivis.

La porte était restée ouverte. À l'intérieur, tout était calme, silencieux. Corto avançait prudemment dans un long corridor, se raclant la gorge pour se faire entendre : il s'agissait de ne pas tomber sur une femme de la maisonnée. Les meubles, la décoration, étaient à la fois simples, modestes, mais certains éléments, comme des vases argentés et dorés, ou de beaux tapis moelleux, indiquaient que nous étions chez un notable, un de ces petits chefs qui vivaient sur le dos de la population.

Au bout d'un couloir, derrière une porte fermée, nous entendîmes des éclats de voix. La voix du colonel. Nous la connaissions policée, mais elle prenait à cet instant des tons triviaux, violents. Corto était paralysé. Je passai devant et frappai des coups discrets sur la porte. Juju aboya un ordre et un de ses hommes vint nous ouvrir, nous balançant un pistolet sous le nez avant de se raviser. « Entrez, mes amis ! s'amusa le colonel. Je vais vous présenter le commandant Habiboullah, mon fidèle lieutenant, et toute sa famille ! » Nous étions dans la pièce principale de la maison, un vaste salon dont les fenêtres donnaient sur un champ et, plus loin, en arrière-plan, sur des hauteurs couvertes de bosquets de noyers. Un grand soleil illuminait la campagne. Les soldats du chef de guerre avaient formé un cercle autour d'un homme agenouillé, qui semblait indifférent à la scène dont il était pourtant le personnage principal. Il saignait de l'oreille mais ne paraissait pas y prêter attention. Quand nous avions pénétré dans le salon, il nous avait jeté un bref coup d'œil et avait dû vite comprendre que son salut ne viendrait pas de nous.

Au fond de la pièce, une femme était assise à même le sol, entourée d'une dizaine d'enfants et d'adolescents. Tous avaient les yeux baissés.

Le colonel Juju était, dans ce spectacle figé, la seule personne en mouvement : il allait et venait entre une porte vitrée, d'où il observait la nature printanière, et l'individu agenouillé, qui devait être son bras droit, même si, étant donné sa posture, il venait certainement de perdre cette fonction. Âgé d'une quarantaine d'années, le commandant Habiboullah était bel homme, port altier et traits réguliers, regard intelligent. Sans davantage le connaître, par intuition, je lui aurais volontiers confié les rênes de la région, voire celles du pays.

« Habiboullah-djon, susurra d'un ton mielleux le colonel à son prisonnier, employant le diminutif affectueux, laisse-moi te présenter deux bons amis, des Français sympathiques, amoureux de l'Afghanistan. Je ne me rappelle plus leurs noms, mais bon, des noms d'étrangers, hein ! » Il regarda ses hommes, qui rirent très fort. Tout le monde avait l'air excité. Certains miliciens avaient les pommettes rouges, les yeux vitreux. Je remarquai sur

une commode une bouteille de whisky bien enta-
mée. Tous s'étaient déchaussés et la pièce empes-
tait. « Messieurs, pérora le seigneur de guerre à
notre intention, voici celui qui fut mon plus fidèle
officier pendant de longues années... Toutes ces
guerres ! D'abord avec le gouvernement communiste contre les anticommunistes... puis avec les
anticommunistes contre ce même gouvernement
communiste ! Puis contre les talibans, puis avec
les talibans... Et maintenant, de nouveau contre
les talibans. » Il nous regarda fièrement. « C'est sur
ce dernier point qu'il semblerait que nous soyons
en désaccord, mon ami Habiboullah et moi. Des
rumeurs disent qu'il aurait rencontré un groupe de
rebelles sans m'en informer. C'est vrai ça, Habib-
djon ? Il va continuer à jurer que non... Mais
comment le croire ? Trahir est un sport national,
chez nous... Et ce n'est jamais mauvais d'écouter
les rumeurs : au pire, on tue des innocents. Mais
personne n'est innocent ! » D'un geste large, il désigna toute l'assemblée : nous, ses hommes, la famille
d'Habiboullah pétrifiée, au fond du salon... La
plus âgée des filles, une adolescente de quatorze
ou quinze ans, osait maintenant nous observer de
ses yeux calmes. Elle semblait accepter le sort qui
lui était réservé, habituée qu'elle était à subir sans
aucun droit la vie que les autres lui imposaient.
Elle tenait par les épaules deux garçons d'une
dizaine d'années, apparemment des jumeaux, qui

se serraient contre elle, chacun d'un côté. En se balançant doucement, elle tentait de calmer leurs tremblements.

Corto avait posé son sac photo à ses pieds. Je réussis à sortir de mon hébétude et décidai de quitter ce mauvais rêve, cette maison, ce pays. Alors que je commençais à me diriger vers la porte, en incitant du regard Corto à me suivre, le colonel fit des petits sauts sur lui-même en braillant. Il avait perdu toute la belle civilité exhibée la veille. Son image dans les médias français n'était plus sa préoccupation du moment. Ou alors il avait décidé de ne pas nous laisser repartir vivants de cette vallée perdue. « Où allez-vous si vite, les amis ? Qui va finir le travail ? Pourquoi c'est toujours aux Afghans de se salir les mains ? Tenez, celui-là, il est pour vous ! » éructa-t-il en posant son index sur la tempe du commandant Habiboullah. Je me tournai une nouvelle fois vers Corto, espérant encore. Mais j'eus alors la conviction qu'il ne nous sortirait pas de là. Il regardait le sol en tremblant. « Nous partons, colonel », dis-je avec fermeté. Ce n'était pas du courage : je n'avais simplement pas peur. D'un geste paternel, je pris mon ami par le bras et le tirai. Le colonel marcha vite vers la porte, nous barrant le passage. « Vous avez tort ! Le meilleur va commencer : mes hommes vont commencer par violer à tour de rôle mon ami Habib-djon. Ici, sur ces beaux tapis. Devant sa femme et ses enfants. Ensuite, ils vont se partager le reste de la famille. Vous ne voulez pas y assister ? Vous ne voulez pas en profiter ? Tenez, la femme de mon ami ! Elle est belle, non ? » Un réflexe idiot me fit regarder vers l'autre bout de la pièce. La mère avait relevé la tête. Elle me fixait, dignement. Si un grand foulard bleu couvrait une partie de son visage, je remarquai ses beaux yeux, ses traits fins. Je me retournai vivement et fis deux pas vers Juju, en lui faisant signe de dégager de mon chemin. Devant ma détermination, il s'exécuta. J'entraînai Corto et, une fois dans le couloir, nous nous mîmes à accélérer.

Arrivés dehors, le soleil de midi nous éblouit. Nous nous dirigeâmes vers la jeep, montâmes dedans et, prenant une voix autoritaire, j'ordonnai au chauffeur : « On rentre ! Tout de suite ! »

*

Une fois arrivés dans le camp de Maïmana, nous cherchâmes Soheb. Aucune trace. Lui et la Volga avaient disparu. Toutes les personnes interrogées à son sujet haussaient les épaules et invoquaient Allah. La nuit tombait et il était hors de question de trouver un véhicule pour tenter de rejoindre Mazar ce soir. Nous allions devoir passer la nuit ici. Sitôt nos pénates retrouvés, Corto se roula un gros joint avec de l'herbe achetée à Mazar, une des meilleures au monde, et resta prostré, silencieux. Nous n'avions échangé que de rares paroles depuis notre départ précipité du hameau.

Soheb finit par réapparaître, une heure plus tard. Lui aussi était défoncé. Il n'opposa à mon avalanche de reproches qu'un vague sourire gêné, puis une mine dure et vexée. Comme ses compatriotes, il ne supportait pas de perdre la face. Comme les Cambodgiens, comme n'importe qui. Personne n'aime être humilié, au bout du compte. Je sus que je perdais mon temps à essayer de discuter. « *Boro, boro !* lui lançai-je avec mépris. Barre-toi ! »

Corto m'annonça qu'il allait faire un tour. À huit heures du soir, dans un camp surveillé de Maïmana, je ne voyais pas bien où l'on pouvait aller faire un tour, mais cette journée n'avait pas été placée sous le signe de la logique. Je tentai de dormir, mais en vain, et je restai allongé pendant deux heures, les yeux grands ouverts.

On tambourina à la porte, de plus en plus fort, puis avec fureur. J'allai ouvrir et me retrouvai devant le « punching-ball humain ». Il était torse nu, la poitrine couverte de cicatrices, traces de coups et brûlures de cigarettes. Ses cheveux étaient ébouriffés, son visage déformé par la haine, et, vu son regard trouble, par l'alcool. « Le colonel vous attend. Vous allez en baver ! » éructa-il dans un mélange de mauvais anglais et de dari, avec un rictus sadique. « Dépêchez-vous ! Vous et votre ami… le nègre. Vous comprenez : le colonel vous attend là, dehors, dans la cour. » J'eus l'envie soudaine de lui mettre un coup dans sa vilaine face. Il réussit à faire demi-tour et repartit en titubant. Je me chaussai, pris le temps d'attraper un manteau et sortis. Je me repérai puis me dirigeai vers une ombre, à une centaine de mètres de là. Plus je m'approchai, plus cela paraissait évident que le colonel était bourré, lui aussi. Il était vêtu d'une robe de chambre violette laissée entrouverte et on pouvait voir qu'il était nu dessous, avec un holster de cuir noir autour de la taille contenant un gros pistolet. Il laissa échapper quelques borborygmes, sans doute des insultes. Ses yeux étaient injectés de sang. « Où est votre ami ?! »

Je haussai les épaules, tentant d'afficher une moue décontractée pour signifier que je n'en savais rien. Mais j'avais les mâchoires crispées. Je chancelai un peu. « Dans quelques heures, je serai loin d'ici », me répétai-je en boucle, mais une partie de moi-même n'en semblait pas convaincue. « Farid !!! » hurla le colonel et aussitôt le « punching-ball », surgissant de la nuit, arriva en trottinant. Ils échangèrent quelques mots à voix basse et la pauvre créature, toujours torse nu, repartit en courant. Juju m'indiqua alors un tissu blanc roulé en boule derrière lui. « Regardez ça ! Allez-y, approchez. » Je fis quelques pas, me baissai et remarquai une tache sombre sur ce qui devait être un drap.

« Ce sang est celui de ma fille. De ma Mariam. Elle a été souillée. Par ce porc de photographe, votre ami.

— Vous êtes sûr ?

— …

— Je ne vois pas comment…

— J'ai confiance dans les hommes, monsieur le Français. J'ai peut-être tort. Mais quand je pars, je laisse ma fille seule. Là, je viens juste de rentrer – la journée a été longue, comme vous savez… –, et à peine revenu… je découvre ma fille en pleurs. Elle m'a tout raconté. Il a joué les beaux parleurs et… Il dira qu'elle était consentante. Moi, je dis qu'il l'a violée… »

Il se tut un instant et je crus qu'il allait s'effondrer. « Moi aussi, dit-il avec un accent de sincérité, je préfère provoquer des horreurs que les subir… C'est une course de vitesse… »

Farid revint, essoufflé. Il murmura quelques mots à l'oreille du colonel, qui le gratifia d'une tape sur les fesses. « Il semble que vous allez être seul à payer les pots cassés, mon ami. Le criminel s'est enfui. Mes hommes l'ont vu partir avec votre voiture… et avec votre chauffeur. Il y a moins d'une heure… »

Un sourire vicieux illumina la face des deux brutes en face de moi. Juju, théâtral, posa une main sur son arme. J'avais froid. Je grelottais.

*

Lors de la courte nuit sans sommeil qui suivit, cela me fit presque rire, seul sur mon matelas. Même si je restais, tout ce temps, humilié et tremblant. « Je veux appeler mon ambassade », avais-je déclaré au colonel, avec toute la solennité que les circonstances permettaient. Cette demande avait provoqué son petit effet sur le chef de guerre qui, malgré sa journée éprouvante, l'abus d'alcool, sa fille dépucelée et sa haine des étrangers, sans parler du vent mordant qui assaillait ses parties génitales, devait avoir en tête son plan de carrière, ses ambitions ministérielles. « Allez vous faire foutre ! avait-il bafouillé. On se retrouvera… Dites à votre soi-disant ami que si un jour il croise ma route… » Il avait mis sa main sur la crosse de son pistolet, mais à cet instant précis, avec ses joues roses et son petit ventre rebondi, il était plus pathétique que menaçant.

Après une dernière discussion avec Farid, et après avoir réajusté sa robe de chambre, il était parti rejoindre sa fille. Son homme à tout faire m'avait suivi jusqu'à mes appartements et m'avait donné les dernières consignes : demain à l'aube, une famille partait à Kaboul assister aux funérailles d'un vieil oncle. Ils me feraient une place dans leur voiture. Farid m'avait tendu la main et m'avait salué avec un sourire. Finalement, tout cela l'avait bien amusé.

*

« Vous étiez proches ? Cet oncle et vous ? » avais-je demandé à l'homme de la famille, avec le plus de tact possible, alors que nous roulions depuis des heures, et que trois femmes en burqa, serrées à l'arrière de la vieille Toyota avec quatre enfants, n'arrêtaient pas de sangloter, autant qu'on pouvait le deviner aux bruits émis et aux mouvements des épaules.

De manière générale, les femmes en burqa m'agacent. On n'a pas affaire à des êtres humains, mais à l'essence même du sexe féminin, tapie derrière les plis de ce tissu grillagé, épiant les hommes. Et comment être certain de la sincérité de leur chagrin ? J'étais à bout de nerfs. Ce périple allait être interminable. Nous roulions à quarante à l'heure, et étions agressés par l'odeur entêtante d'une douzaine de gros melons entassés dans le

coffre. « On ne peut pas aller à Kaboul sans apporter des melons », avait cru devoir préciser l'homme
de la famille, ce matin au départ, en découvrant
mon regard désapprobateur, alors qu'il venait de
déposer mon gros sac sur mes genoux.

Le chemin du retour fut un long calvaire. Par
intermittence, je pouvais encore être happé par la
beauté irrésistible du paysage, être enveloppé aussi
par la douceur de mes compagnons de voyage,
et retrouver la magie de la route, qui nous avait
accompagnés à l'aller. Mais plus nous approchions
de Kaboul, plus je sentais que s'était dissoute en
moi, et pour toujours, l'aptitude à l'enchantement,
à l'innocence.

17

Contrairement à ce qu'il se colportait dans les jardins de mon restaurant, je ne me terrais pas. Mais mon mode de vie avait changé : une sourde anxiété m'ancrait à mon canapé plus de temps que d'habitude. J'avais enfin pris conscience de la menace que ce pays faisait peser sur nous, dessillé par les évènements de l'année écoulée, notamment les émeutes anti-occidentales du mois de mai. Des véhicules militaires américains, conduits à tombeau ouvert par de jeunes soldats éméchés, avaient percuté des voitures, tuant plusieurs personnes ; une foule hurlante s'était alors précipitée dans les rues de Kaboul, saccageant tout ce qui était étranger. Auparavant, cette même année 2006, des désordres avaient suivi la publication par l'hebdomadaire *Charlie-Hebdo* de caricatures danoises du prophète Mohammed. Cette bravade avait exaspéré les populations, mis en danger nos compatriotes... et nui à mon commerce.

Le voile d'insouciance qui nous avait aveuglés quant à la réalité du pays, à ses violences et à ses dangers, se déchirait peu à peu. Peut-être était-ce mieux ainsi. Peut-être que, même si nous avions eu jusque-là l'impression de vivre normalement, étions-nous, en fait, taraudés par des inquiétudes inconscientes, des peurs diffuses.

Mon flingue chargé, posé sur la table basse, j'avais en tête, en cas d'attaque terroriste contre mon restaurant, un plan précis, que j'affinais au fil des jours. J'avais commencé par négocier avec un voisin, un Afghan loyal et bourru, l'ouverture dans notre mur mitoyen, à l'arrière de mon jardin, d'une sortie de secours. Une simple porte métallique, discrète, fermée à double tour. Une des clés était, en principe – je ne vérifiais pas tous les jours –, dans le tiroir-caisse du bar. L'autre, dans mon coffre. En cas d'alerte, j'avais prévu de prévenir Séraphin sur-le-champ, puis mes employés et mes clients, et d'emmener tout le monde jusque chez le voisin (après avoir récupéré le plus de billets de cent dollars possible). J'avais la conviction que j'étais un homme de devoir, de sacrifice. Que je fermerais la marche sous les balles. Mais je connaissais malheureusement la violence des armes et l'épouvante qu'elle inspire. Je ne pouvais empêcher un vague plan B de parasiter mes louables intentions : il n'était pas impossible qu'en assistant, depuis les fenêtres de mon bureau, à un massacre, en bas dans les jardins, mon seul réflexe soit de me précipiter sur une branche d'arbre pour atteindre le mur d'enceinte et, de là, sauter dans la cour voisine en ne pensant à rien.

J'en étais là quand Séraphin, insouciant, alors que j'étais en train de l'imaginer déchiqueté lors d'une attaque kamikaze, entra dans mon bureau sans frapper. Il avait vite pris ses marques et affichait déjà cet air sans-gêne qui n'était pas sans me faire penser à Enayat, mais aussi à Corto. Je commençais à me demander si ce n'était pas moi, finalement, qui suscitais cet état d'esprit chez les autres, mais je fus vite interrompu dans mes réflexions. « Pia est là ! » m'annonça le fils de Valérie. La Danoise était déjà entrée et se tenait devant moi. « Merci, Séraphin », dis-je d'un ton sec, en désignant la porte.

Une fois seuls, Pia s'assit à côté de moi. Elle souriait. Son départ était prévu pour le lendemain. Nous avions déjà fêté l'évènement, quelques jours auparavant. Une foule avait passé la soirée à boire et à danser autour de la grande cheminée, à l'intérieur de la maison. En ce mois de novembre, nous avions fermé la cabane-buvette du jardin et tout se passait au chaud, dorénavant, jusqu'au printemps prochain. Même si Pia n'était pas la fille la plus populaire de Kaboul, la soirée fut réussie. Peut-être parce qu'à titre exceptionnel, j'avais ouvert les vannes du champagne gratuit. Le moment magique fut lorsqu'une dizaine de filles étaient montées sur le bar où elles avaient longuement dansé.

Cette soirée d'adieu avait plu à la Danoise, mais je n'imaginais pas que ce fût pour me remercier qu'elle était là à cet instant, assise sur mon canapé, souriant béatement. « Je suis enceinte, Pascal. Tu es le premier à qui je le dis...

— C'est magnifique, Pia. Je ne sais pas quoi dire... C'est... un garçon ou une fille ?

— Pascal ! On ne sait pas encore, bien sûr...

— Ah oui ? Mais qui est...

— Le père ?

— Voilà. Le père.

— Devine.

— Cela pourrait être n'importe qui...
...

— Je plaisante. Heu... moi ?

— Non, pas toi. C'est Corto, bien sûr.

— Ah oui, bien sûr. Corto... Et... quand il a disparu, tu avais déjà des doutes ?

— Non, non. En tout cas, ça tombe bien... Je veux dire : avec mon départ. Je vais pouvoir vraiment démarrer une nouvelle vie. »

Je me levai et me dirigeai vers la fenêtre. Là, j'observai un moment le jardin froid et humide, les arbres sans feuilles, l'eau croupie de la piscine.

« Et voilà, Pia. Toi aussi. Après tout ce que l'on s'est raconté depuis toujours. Toi aussi, le reste de ton existence va être consacré à la reproduction, à la perpétuation… C'est quand même un peu convenu ! Tu vas acquérir un… bien immobilier, j'imagine… Pour avoir un toit au-dessus de ta tête ! » Elle sourit, charitable. Mais elle était déjà ailleurs. « C'est vrai que tu fais davantage envie… », glissa-t-elle.

Notre relation avait été une folie tranquille qui s'éteignait sans drame. Une histoire à deux difficile à faire partager, et que Pia ne raconterait sans doute jamais à son enfant.

Je murmurai : « Avec Corto, il te manquait quelque chose que je… » Nous rîmes un peu, mais le cœur n'y était pas. Nous n'imaginions pas nous revoir avant longtemps.

*

La silhouette de Séraphin se découpait sur une longue crête caillouteuse. Il avait gravi en un temps record un des reliefs vertigineux qui scindaient le sud de la capitale afghane en plusieurs vastes quartiers. J'étais encore, moi, en train de me traîner dans un raidillon, essoufflé. Nous avions dépassé les derniers bidonvilles, multitude anarchique de

maisons en boue séchée. Des enfants aux vêtements
colorés, déchirés, aux visages couverts de poussière,
revenaient de la corvée d'eau et transportaient de
lourds bidons, ou jouaient avec des cerfs-volants.
Nous n'étions plus entourés que de terre brune,
de pierres. Un ciel bleu intense au-dessus de nous.

Arrivés tout en haut, nous nous assîmes sur
un bout de ruine. Des remparts, ici, avaient jadis
servi à défendre Kaboul contre les envahisseurs.
Nous avions une vue panoramique sur tous les
environs : le chapelet de sommets enneigés qui,
au loin, ceinturaient les étendues de la ville et
de ses faubourgs ; plus proches, les collines qui,
comme celle où nous nous trouvions, émaillaient
la capitale afghane ; de-ci de-là, quelques carcasses
de tanks soviétiques ; en bas, à nos pieds, les divers
districts. Au sud, le quartier de l'université, du
parlement et du palais royal en ruine, Daroulaman.
Vers le nord, Wazir Akbar-Khan, avec ses « palais
pakistanais » — maisons à l'architecture baroque
et colorée —, appelés aussi « palais de l'opium »,
édifiés sans doute grâce aux fonds provenant du
commerce du pavot. Je devinai au loin, et ne pus
m'empêcher de la fixer un moment, la demeure
de parvenu du colonel Juju, « gâteau d'anniver-
saire » de mauvais goût derrière ses murailles de
béton armé. Comme les masures éparpillées sur
les collines, là aussi les villas avaient été bâties au
mépris de la loi, mais, cette fois-ci, par ceux-là

mêmes en charge de la faire respecter, sur des terrains confisqués aux plus pauvres.

Autre résultat de la « reconstruction » de la ville et des sommes massives d'argent déversées et détournées : quelques immeubles aux façades d'acier et de verre avaient poussé dans le centre. Tout le reste de la capitale donnait une impression de délabrement, de chantier.

Un peu à l'écart, dans un quartier qualifié de « résidentiel », je localisai mon restaurant et le pointai du doigt pour Séraphin. Le Bout du Monde était repérable grâce à la tache bleu-vert de sa piscine.

Je regardai le fils de Valérie. Il avait cet air à la fois impassible et clairvoyant de son père. Cependant, son visage reflétait davantage de candeur. En sa présence, je me sentais naviguer dans une contrée intermédiaire, entre le masculin et le féminin, entre l'enfance et le monde adulte.

« J'ai l'impression que Corto est vivant... », lui dis-je bizarrement. Il sortit de ses contemplations et se tourna vers moi, intrigué. « Je pense aussi, continuai-je, en regardant maintenant vers de lointains sommets, que l'amitié est un songe nécessaire, qui ne disparaît jamais vraiment... »

Son regard était posé sur moi. « Oui... », commença-t-il par murmurer simplement. Il hésitait, comme s'il voulait faire une révélation, mais se contenta de me sourire. « On rentre ? »

questionnai-je. « Oui, si tu veux. Mais... je me demandais : vous ne vous êtes jamais vraiment parlé, Corto et toi ?

— Si, si. On a beaucoup, beaucoup discuté !

— Oui mais... parler... vraiment, je veux dire...

— Pas souvent, non... Tu as raison. Tout ce temps passé ensemble...

— Faut dire que les non-dits, c'est bien aussi... On met derrière ce que l'on veut... »

Je lui jetai un coup d'œil, pour m'assurer que j'étais toujours en présence du jeune Pyrénéen mal dégrossi qui venait de débarquer dans ma vie, hochai la tête pour approuver et me levai. Le soleil était bas et la température avait brusquement chu. Je me concentrai pour savoir quel serait le meilleur chemin à emprunter pour redescendre. Il s'agissait d'éviter les zones minées, mais aussi des chiens, dressés par leurs propriétaires pour mordre les étrangers de passage, et ces enfants fous furieux qui jetaient des cailloux sur les promeneurs.

*

« Quand l'adversité frappe à la porte, prépare bien ton cœur, car elle ne frappe jamais un seul coup ! » Enayat se dressait devant moi, la mine grave, le ton prophétique. Même s'il ne travaillait plus ici, cela ne l'avait pas empêché de rentrer dans mon bureau sans prévenir. Notre lien de subordination étant rompu, il se sentait tout autorisé. Je me redressai sur mon canapé et tentai de me recoiffer tant bien que mal avec les doigts. « Monsieur Pascal, j'ai appris une nouvelle...

— Une nouvelle ou une rumeur ?

— À Kaboul, c'est la même chose !

— Admettons. Donc ?

— Corto...

— Oui, Corto ?

— Il y a deux ans, il aurait violé une très jeune Afghane...

— Qui t'a raconté ça ?

— Un collègue de l'ONU.

— Et ça s'est passé où ? Tu sais ?

— Dans le Nord. Je crois.

— Enayat... tu sais qu'il y a deux ans, j'étais dans le Nord avec lui, justement. À Maïmana. C'est à Maïmana, ton histoire ?

— Mon histoire ne le dit pas précisément.

— Mais c'est possible ?

— En Afghanistan, tout est possible.

— Enayat, ça suffit, ce ton... Continue.

— Le père de la fille aurait fini par retrouver Corto, il y a deux mois. Et il l'aurait kidnappé.

— Toutes ces années pour le retrouver à Kaboul... Il a pris son temps, ton type.

— La vengeance est un...

— Stop ! »

J'avais sauté sur mes pieds. Je n'arrivais plus à penser clairement, et me mis à tourner en rond dans la pièce. Enayat me regardait, inquiet. « Tu vas faire quoi, Pascal ? » Je ne répondis pas. Je pris un manteau, les clés de la voiture, et quittai mon bureau d'un pas rapide.

*

Si ces maisons étaient surnommées « palais pakistanais », personne en fait n'avait jamais vu dans le grand pays voisin semblables mochetés, avec des colonnes néo-gothiques, des fioritures tarabiscotées, des façades rouge vif ou jaune doré. Celle du colonel Juju n'échappait pas à la règle. Ce chef de guerre, que j'avais d'abord jugé raffiné, était aussi plouc que les autres puissants enrichis de ce pays et aimait lui aussi plus que tout l'ostentation de sa fortune mal acquise.

Je m'étais garé devant l'entrée principale, malgré les gestes énervés des deux gardes. *Boro ! You, go ! Go !* hurlaient-ils en agitant leur kalachnikov. Je leur souris en descendant de ma voiture. « Je

viens voir votre chef », leur expliquai-je calmement. Ils durent comprendre ma détermination,
car l'un d'eux sortit un téléphone d'une poche
de son treillis. Après un long palabre, pendant
laquelle le milicien essaya visiblement de me
décrire le plus précisément possible à son interlocuteur, l'ambiance se détendit. Les gardes me
fouillèrent, puis frappèrent sur le portail métallique
avec la crosse de leur arme, et quelqu'un ouvrit
de l'intérieur. Je tombai nez à nez avec Farid, le
« punching-ball humain », qui eut l'air amusé de
me retrouver là. Nous n'allâmes pas jusqu'à nous
donner une accolade. Il me fit signe de le suivre
et nous nous mîmes à traverser une vaste cour
bétonnée. Après avoir grimpé quelques marches,
nous entrâmes dans la grande maison. Nous fûmes
rejoints par trois hommes sinistres, sortis dieu sait
d'où. La décoration du vestibule dans lequel nous
nous trouvions était moins chargée que ce que
j'aurais pu imaginer : outre les riches tapis et les
imposants tableaux de style pompier accrochés au
mur, seule une petite statue était mise en valeur
sur un guéridon, sculpture en jade représentant un
tchopendoz à cheval – le colonel lui-même.

« Ne bougez pas ! » aboya Farid. Il me laissa
avec les gorilles et disparut par une porte dissimulée derrière un rideau rouge. Je dévisageai les trois
hommes et il me semblait, sans en être sûr, qu'ils

étaient déjà présents, deux ans auparavant, lors de notre virée chez le commandant Habiboullah.

Un long quart d'heure plus tard, le colonel apparut enfin. Il s'était pomponné et, dès son entrée, un parfum écœurant se répandit dans la pièce. Lui aussi semblait content de me voir. J'avais finalement l'impression d'être populaire chez ces gens-là. Peut-être avaient-ils épuisé toutes les réjouissances que leur procuraient leurs activités de criminels de guerre et s'excitaient-ils avec la nouveauté que représentaient les étrangers. Même si la mode était plutôt, ces derniers temps, dans le pays, à la détestation des expatriés. « Monsieur Pascal Beck ! Ça fait longtemps ! Que nous vaut cet honneur ? » Son sourire forcé perdit en intensité lorsqu'il découvrit ma mine peu avenante. « Je ne vous invite malheureusement pas à prendre un thé, car mon salon est rempli d'invités. Je marie ma fille… » Son visage se ferma alors pour de bon. « Vous vous souvenez de ma fille. Bien sûr.

— Oui, oui. C'est d'ailleurs à ce sujet que je suis là. »

L'ambiance devint pesante. Oubliée l'amitié entre les civilisations. Un des hommes de main du colonel, même s'il ne devait pas saisir un seul mot de la discussion en cours, s'agitait d'un pied sur l'autre, en caressant le pistolet à sa ceinture. « Je cherche mon ami, Corto. Le photographe. Il a disparu depuis plusieurs semaines…

« — Et vous pensez qu'il est ici ?! Vous êtes drôle, monsieur le petit Français ! Vous ne croyez pas que si j'avais voulu lui faire subir un mauvais sort, je l'aurais fait plus tôt...

— C'est une question que je me suis posée... En même temps, je connais vos ambitions politiques. D'ailleurs, bravo pour votre nomination comme conseiller militaire à la Présidence.

— Merci. Mais... je n'ai pas beaucoup de temps.

— Je me suis donc dit que vous aviez préféré faire profil bas à la suite... des petits évènements auxquels nous avons assisté dans ce hameau perdu...

— Vous n'avez pas assisté à grand-chose ! Vous avez raté le meilleur, même ! » Content de sa réplique, il la traduisit en dari, et ses hommes s'esclaffèrent grassement.

« Où est Corto, colonel ?

— Où est cet idiot ? Crevé, j'espère. Maintenant, rentrez chez vous. Je suis lassé de votre arrogance.

— Je ne partirai pas d'ici sans savoir ! »

Je m'étais approché de lui et pointai un doigt menaçant vers sa poitrine. J'étais dans un de ces états qui font perdre de vue les conséquences possibles de ses paroles et de ses actes. Le colonel se raidit encore davantage, recula en donnant quelques ordres. Puis il tourna les talons et disparut par là où il était entré. Et brusquement ce fut comme si la pièce se rétrécissait, et des coups violents commencèrent à me tomber dessus à un rythme soutenu. Avant de sombrer, je vis Farid qui sortait avec un air gourmand une matraque dissimulée sous sa veste.

*

Quand je repris conscience, j'étais à l'arrière d'une voiture, allongé. À l'avant, au volant, conduisait, calme et rassurant, le commissaire Abdoullah. Alors que je tentai de parler, seule une sorte de gargouillis jaillit péniblement de ma bouche douloureuse. Tout mon corps était à vif. Je jugeai plus sage de repartir vers les ténèbres d'où je sortais, mais la voix puissante du commissaire me retint à la surface : « Vous êtes là ? Je vous emmène dans une clinique. Ça va aller… Mais… si je peux me permettre, vous devriez éviter de vous en prendre à des personnages comme le colonel. C'est une brute. Et c'est une brute qui a du pouvoir.

— Je…

— Vous auriez peut-être voulu que je l'arrête ? Vous pensez vraiment que je suis suicidaire ?

— Je… voulais… savoir comment vous avez su…

— Pourquoi c'est moi qui suis venu vous chercher ? Votre ami Enayat m'a appelé. Vous lui devez… la vie. Même si je pense que le colonel connaît trop ses intérêts pour aller jusqu'à vous buter. Mais bon, il vous aurait certainement plutôt jeté dans un caniveau qu'emmené à l'hôpital… »

Nous roulâmes un moment en silence, puis le commissaire reprit la parole : « Vous savez, j'ai réfléchi à vos histoires, à la disparition de votre ami. J'ai même pris contact avec votre ambassade. Il n'y a plus que vous qui le cherchez encore… Si j'étais vous, j'essayerais de tourner la page. J'essayerais de l'oublier. En tout cas, je ne m'inquiéterais plus pour lui. Le dossier est clos et Juju ne l'a pas tué ! Je ne sais pas ce qu'il s'est précisément passé là-bas, à Maïmana, et je ne veux pas le savoir. Mais j'ai l'impression que ce Corto ne mérite pas tout le mal que vous vous donnez pour savoir ce qu'il est devenu. »

Je tournai de l'œil à nouveau. Il me sembla entendre la voix lointaine du commissaire qui continuait à me parler.

18

On ne comptait plus les morts depuis bien longtemps. Minibus fracassés au fond des gorges de la
rivière Kaboul, quelques centaines de mètres plus
bas, après avoir été éjectés de la voie creusée dans
les falaises ; voitures encastrées dans des camions ;
motards écrasés contre la paroi rocheuse par un
véhicule ayant mal négocié un virage en lacet…
Dans cette patrie de guerre et de violence, la route
entre la capitale afghane et la ville de Jalalabad, à
l'est du pays, était, sans comparaison possible, ce
que l'on pouvait trouver de plus terrifiant. Des
Afghans passaient d'ailleurs leur journée assis au
bord de la chaussée qui zigzaguait entre reliefs et
crevasses pour assister au spectacle de ces multiples
crashs quotidiens.

« C'est un pays de brutes… », marmonnai-je. Installés à l'arrière d'un taxi, Séraphin et moi, nous étions pétrifiés, les yeux écarquillés. Je n'hésitais pas à frapper notre chauffeur s'il manifestait l'envie de doubler un camion par la droite, dans un virage longeant un précipice. « Ils n'ont aucune notion des lois de la physique… »

Nous roulions maintenant au ralenti, coincés derrière une vieille bétaillère où s'entassaient des chameaux ahuris, et je sentis que le moment était opportun pour avoir enfin avec Séraphin une discussion. Il m'intimidait, en fait. J'avais commencé, depuis quelque temps, à le trouver trop mûr pour son âge. Rien ne semblait l'étonner à Kaboul, comme s'il s'était glissé dans la peau d'un étranger vivant depuis longtemps déjà en Afghanistan. Dans mes rêves éveillés, j'imaginais qu'il avait été dépêché à mes côtés en tant qu'ange gardien. Suppléant, ou successeur, de l'absent, du disparu, de celui que l'on nommait de moins en moins, pour qui plus personne ne s'inquiétait.

« J'ai l'étrange sentiment, attaquai-je, que tout le monde sait ce qu'est devenu Corto. Sauf moi. Les gens évitent le sujet en ma présence. À l'ambassade. Au restaurant. Et Pia ne m'appelle jamais depuis qu'elle est partie. Ni la sœur de Corto. Toi-même, j'ai l'impression que tu n'es pas plus affecté que ça… En fait, je vais te dire franchement : j'ai la conviction que Corto n'a jamais vraiment disparu, mais qu'il est simplement sorti de ma vie. Pia était inquiète au début, puis... plus du tout ! » Séraphin me sourit, embarrassé. Puis se lança, comme contraint : « Comment dire... Je pense que tout le monde sent bien que ce... départ de Corto est dans la logique des choses. En tout cas, dans sa logique à lui. Il semble aussi, mais tu le sais... que ces derniers temps, disons depuis environ deux ans, il n'était plus le même.

— Encore moins qu'avant, je dirais. Parce que ça remonte à loin, ses... errements.

— Oui. En tout cas, depuis deux ans, il était plombé par une belle culpabilité.

— Il t'en a parlé ?

— Mais ça se sentait, non ?

— Attends un peu, Séraphin. Deux ans... Pourquoi "depuis deux ans" ? Il y a deux ans, nous avons fait un voyage dans le nord du pays... tu fais allusion à ça ?

Notre chauffeur profita d'une portion plus droite de la route pour accélérer, puis se ravisa en voyant arriver de front un minibus doublant un énorme camion pakistanais. Il se déporta sur le bas-côté, et se mit à traverser, sur plusieurs centaines de mètres, un champ de creux et de bosses. La route avait été presque entièrement détruite, dans les années 80, lors de l'insurrection contre les Soviétiques, puis pendant la décennie suivante, celle de la guerre civile. Certains cratères étaient si

profonds que des véhicules disparaissaient parfois
pendant plusieurs minutes.

Maintenant prêts à tout, y compris à mourir, Séraphin et moi continuions notre échange,
alors que notre chauffeur tentait de rejoindre
l'asphalte. « J'ai entendu parler de ce voyage…,
déclara Séraphin en souriant. Cela ne s'est pas
vraiment bien passé, si ?

— Non, pas vraiment.

— Il semblait profondément marqué.

— Oui. Moi aussi.

— Il avait l'air de s'en vouloir… Comme s'il
t'avait trahi. Je me dis d'ailleurs que ça serait une
explication. À sa disparition… La honte. Et aussi
pour ce qu'il a fait là-bas.

— Et il aurait fait quoi ? Puisque tu sembles
être une sorte de médium qui devine tout…

— Il a fait des choses dont il n'est pas fier.
C'est en tout cas comme ça que je le vois.

— Séraphin, si jamais tu savais où se trouve
Corto, tu me le dirais, non ? »

Il fit semblant de s'intéresser au paysage. Qui,
en cette fin d'automne, n'était pourtant pas particulièrement éblouissant. Nous étions enfin sortis de l'enfer des gorges et nous nous dirigions
maintenant à tombeau ouvert vers la ville de
Jalalabad, en longeant une vallée semi-désertique
où palmiers et orangers bordaient la rivière. « De
toute façon, reprit Séraphin, à quoi ça servirait que

tu le saches ? Si je pouvais te l'apprendre, ce qui n'est pas le cas… Tu n'as pas envie de le revoir, si ? Pia, elle, pensait ça. Ma mère aussi. Tout le monde s'est demandé pourquoi tu ne sortais pas de ton canapé pour chercher ton "meilleur ami". Ton "ami d'enfance"… Même si on avait compris que votre relation, depuis deux ans…

— Tu veux dire qu'on me laisse supposer qu'il est peut-être mort, uniquement parce que je ne montre pas assez d'enthousiasme pour le retrouver, c'est ça ? »

J'étais écœuré. Au bord de la nausée, en partie à cause de la conduite inconsciente de notre chauffeur, mais pas seulement.

Je n'avais plus envie d'aller au Pakistan. Quand Séraphin m'avait dit vouloir faire une virée dans la ville de Peshawar, de l'autre côté de la frontière, j'avais d'abord été intrigué par ce projet. Je l'avais même soupçonné d'avoir là-bas un rendez-vous secret, idée qui ne m'était d'ailleurs pas entièrement sortie de la tête. J'avais l'intuition, la certitude même, que si Corto devait aujourd'hui se trouver quelque part, c'était dans ce « pays des purs » qui l'avait toujours fasciné. J'avais refusé de laisser Séraphin partir seul, prétextant les dangers de la route, et la présence de talibans dans la région, côté afghan et côté pakistanais. Comme si ma présence pouvait être un gage de sécurité.

Je souhaitais, avant tout, ne pas me séparer de ce nouveau compagnon. Je revivais, depuis son arrivée. Et j'allais de nouveau vers l'avant, sans savoir forcément où, comme depuis toujours, mais, au moins, j'étais en mouvement.

Dans l'immédiat, je décidai de dissimuler mes états d'âme et continuai le voyage sans piper mot. Nous fîmes une courte halte à Jalalabad, le temps d'avaler du mouton grillé sur du charbon de bois, servi avec une galette de pain, le *nân* traditionnel. Nous n'étions qu'à cent cinquante kilomètres de Kaboul, mais c'était déjà un pays différent : moins « Asie centrale », moins « monde perse » également – l'Afghanistan, rétif aux étiquettes, était difficile à classer – plus « Asie du Sud », ou « sous-continent indien ».

Nous reprîmes la route jusqu'à la passe de Khyber, long col de soixante kilomètres. Ce défilé, verrou entre l'Afghanistan et le Pakistan, avait vu passer, au cours des siècles, toutes les armées conquérantes : celle d'Alexandre le Grand pour atteindre l'Inde, celles des Perses, des Mongols et des Tartares... Franchir la *Khyber pass* donnait le vif sentiment d'être un témoin, voire un acteur, de l'Histoire. Ici, selon les récits guerriers, aucune pierre n'aurait été épargnée par le sang, lors d'une bataille ou d'une autre. Ces combats, ces invasions, avaient conditionné le destin de toute cette région du monde, la puissance de certains rois, ainsi que l'influence de civilisations et de religions.

*

Levé de bonne heure, je décidai d'aller faire un tour en attendant le réveil de Séraphin, dont je connaissais le penchant pour les grasses matinées. Je décidai de m'offrir un plaisir inavouable et filai au Kentucky Fried Chicken de Peshawar. Je n'étais pas sûr qu'ils aient obtenu une franchise en bonne et due forme, tant l'hygiène et la nourriture étaient désastreuses, mais, en raison d'une aberration de mon palais, j'appréciais le goût corrompu de la masse graisseuse qui enrobait poulet et frites. J'étais déjà venu là avec Corto. Il devait encore en rire…

En rentrant à l'hôtel, je découvris que Séraphin avait levé le camp. Ses bagages déposés à la réception, il était parti dans un triporteur vers une direction que notre aubergiste moustachu m'indiqua sans se faire prier, n'étant pas du genre à se laisser soumettre à un secret professionnel quel qu'il soit.

J'aurais pu attendre là, dans le jardin herbeux de notre hôtel, profitant d'un placide soleil d'hiver. Mais un émoi lancinant me rattrapa, l'intuition désagréable qu'en mon absence des choses se tramaient. Je sautai dans un taxi jaune et noir, conduit trop prudemment à mon goût par un vieux Sikh dont le turban bleu marine était aussi défraîchi que sa Toyota. J'eus tout loisir d'admirer la cité. N'arrivant à doubler, péniblement, que les charrettes tirées par des ânes et les cyclo-pousses, le chauffeur longea le fort de Bala Hissar, et se crut autorisé à m'expliquer que ce tas de briques ocre-rouge avait été la capitale d'hiver du roi pachtoune Timour Shah Durrani. *I fucking know ! Go ! Go !* Les Sikhs me tapaient sur les nerfs.

Nous finîmes par rejoindre des faubourgs verdoyants, au sud de la ville, et l'enturbanné, qui s'était quelque peu renfrogné, stoppa à ma demande devant un joli édifice blanc couvert d'un dôme : le tombeau de Rahman Baba, un des plus célèbres poètes soufis. Jouant des coudes à travers une petite foule fervente, je m'approchai et aperçus Séraphin, sagement assis sur un carré d'herbe, face au mausolée… Je lui touchai doucement l'épaule et il se retourna, souriant. Il m'encouragea de la main à le rejoindre dans sa méditation et je m'installai à ses côtés, un peu à contrecœur. Je ne savais plus vraiment à quoi rimait tout ce voyage. J'avais imaginé, plus ou moins consciemment, que je tomberais sur Corto, assis là, avec son fils, et que tout redeviendrait comme avant. « Tu as l'air déçu… », me glissa Séraphin, avec une mine gentiment ironique. « Non, non, je me demande seulement le temps qu'il faudra avant que des fanatiques ne fassent péter ce sanctuaire. » Rahman Baba était une icône de cet islam soufi tenu pour hérétique, immoral, par tous les extrémistes qui peuplaient ces régions.

Près de nous, un vieil homme édenté, yeux clos et paume de la main droite tournée vers le ciel, psalmodiait d'une voix d'outre-tombe ce qui devait être des poèmes de Rahman Baba. Un jeune Pakistanais qui venait de s'asseoir à nos côtés, et qui souhaitait pratiquer son anglais, nous traduisit une strophe : *Humanity is all one body ; to torture another is simply to wound yourself.* Je lui souris poliment, puis me penchai vers Séraphin pour lui murmurer à l'oreille : « Tu crois qu'il fait allusion aux comportements des Américains dans la région ? » Alors que je tentais seulement de plaisanter, le fils de Corto se tourna vers moi, et se mit à discourir le plus sérieusement du monde : « Le soufisme est l'incarnation de l'islam la plus pluraliste qui soit, accessible aux croyants et aux non-croyants, et qui est une passerelle exceptionnelle entre l'Occident et l'Orient, mais aussi entre musulmans et hindouistes… Ceux qui passent leur journée à ergoter sur la longueur que devrait avoir leur barbe feraient mieux d'écouter ce message tout simple : plus que les rituels vides de sens,

l'important est de découvrir le divin avec son cœur,
et le paradis qui est à l'intérieur de nous...

— Oui, tu as raison, mais...

— Le soufisme est comme le Nouveau
Testament de l'islam : il met l'accent sur l'amour
plus que sur le jugement.

— Oui...

— Le fameux poète persan Roumi disait que
toutes les existences et toutes les religions sont une,
manifestations de la même réalité divine.

— Tu parles avec plus de... fraîcheur que ton
père, Séraphin. Corto était moins... new age... »

Séraphin me regarda sans comprendre. J'eus
peur de l'avoir froissé. Mais il se mit à rire. « Je
plaisantais ! s'exclama-t-il. Enfin, en partie. Je
trouve ça beau, tout ça. Mais je ne suis pas très
mystique. Oui, comme... celui auquel tu fais sans
cesse allusion... »

Il m'avait bluffé, une nouvelle fois. Je hochai la
tête en le regardant, comme si j'étais en présence
d'un vieux sage. « Mais détrompe-toi sur Corto,
ajouta-t-il, il s'intéresse à tout, par principe. Il
essaie d'ajuster son destin à ce qu'il est, à ce qu'il
aime...

— Oui, oui, je sais bien qu'il s'est intéressé
au soufisme, entre autres choses.

— Mais il a découvert assez vite que cette tra-
dition-là, elle aussi, vise à soumettre l'individu à
la volonté d'un maître... »

Je le regardai en silence. Puis m'agaçai : « Corto n'a pas toujours été aussi ouvert sur le monde. Ni sur les autres. Ni intéressé par sa progéniture…

— Il a fini par découvrir que si les liens peuvent aliéner, leur absence n'est pas forcément un gage de liberté. »

Je buvais ses paroles, en me sentant con d'attendre d'un gamin de vingt ans des réponses à mes angoisses de quadragénaire revenu de tout. Mais je sentais à l'œuvre cette construction d'illusions nécessaires : par exemple, celle de croire que par la bouche de Séraphin parlait, non pas Zarathoustra, mais Corto Da Costa. Et qu'il m'éclairait une voie, un passage, le seul peut-être, pour continuer à avancer, tant bien que mal. Devenait plus concret dans mon esprit rêveur, également, qu'il ne devait pas être obligatoire de faire de vrais enfants, génétiquement certifiés, ni de s'embarrasser d'une famille en bonne et due forme pour bénéficier de nombreuses filiations possibles, et en grande partie imaginaires.

Suivant mon raisonnement, je me confiai à Séraphin : « J'aurais pu semer, moi aussi, de-ci de-là…

— Comme Corto ? »

Il ne semblait pas surpris par mon cheminement mental. Je ris, et il m'imita. J'avais un nouvel ami. Et je me sentis infidèle. Mais vengé.

Sur la route du retour vers Kaboul, j'évoquai l'idée d'ouvrir un restaurant à Islamabad, la capitale pakistanaise. Séraphin parut emballé. Je le soupçonnais d'ailleurs de commencer à tourner en rond, au Bout du Monde. Il avait le désir d'aller plus loin. Il avait profité de tous les plaisirs accordés sans compter par Ilse et par deux ou trois autres coquines, mais les interdictions de déplacements dans le pays que je lui faisais supporter – moi-même subissant la pression de Valérie, qui m'appelait pratiquement tous les jours – lui pesaient et il rêvait déjà d'autres horizons.

Il passa la suite du voyage à me poser des questions, cherchant à savoir à quel point ce projet de création d'une « chaîne de restaurants en pays difficiles », comme je présentais l'idée pour la rendre moins dingue, était réaliste. Il avait envie de quitter l'Afghanistan. Ou de rejoindre le Pakistan.

*

À peine étions-nous descendus du taxi, à notre arrivée à Kaboul, éreintés, rompus, qu'Enayat nous tomba dessus. Il avait la mine grave et anxieuse des mauvais jours mais j'étais content de le voir. Il me manquait plus que je ne l'aurais imaginé, depuis qu'il était parti travailler ailleurs. Quelques jours auparavant, emporté par une émotion incontrôlée, alors qu'il venait de m'offrir un nouveau tissu pour ma mère, je lui avais fait une déclaration intempestive qui, je le craignais, avait valeur de promesse : « Enayat, mon ami, cette fois-ci, ce cadeau, il va falloir que tu le lui donnes toi-même ! Eh oui, en France ! » Il avait dissimulé longuement son visage derrière ses deux grosses mains, et il fut impossible de savoir si c'était pour cacher un trop grand sourire ou des pleurs. Aller en France était un de ses rêves les plus fous. « Faut qu'on s'occupe de ton passeport... »

Alors que Séraphin rentrait nos bagages, Enayat me prit à l'écart. « Tu me connais, dit-il, je ne suis pas quelqu'un à m'écouter le nombril... » Me tenant le bras, il me confia que son ulcère de l'estomac s'était réveillé et qu'il souffrait en permanence, jour et nuit. « Ah, c'est que ça ? Tu m'as fait peur. Bon, il faut que tu consultes. Pourquoi tu n'irais pas voir les médecins militaires français ?

— D'accord, je veux bien. Ils vont me laisser entrer ? Avec ma tête de kamikaze...

— Les kamikazes sont barbus. Et minces... Écoute, on va s'arranger. Je vais proposer à Séraphin de t'accompagner. Il n'arrête pas de me demander d'aller faire un tour... Bouge pas, je te l'envoie. »

Je trouvais ironique de rouler sur la « route de la mort », dans les faubourgs de Kaboul, une voie ainsi nommée en raison des nombreux attentats qui visaient, plusieurs fois par semaine, les convois de l'Isaf, la force militaire internationale. Ironique à double titre. D'abord parce que, conduisant à toute allure, je risquais bien davantage de mourir dans un accident que touché par l'éclat d'un engin explosif déposé dans une carriole au bord de la chaussée. Sans oublier que la probabilité d'un tel attentat, en milieu d'après-midi, était proche de zéro, selon les tableaux Excel de Charles. Mais la triste ironie de la situation était surtout ailleurs : la mort avait bien frappé ce jour-là, mais pas sur cette route. Elle avait frappé là où j'essayais maintenant d'aller.

Warehouse – « L'Entrepôt » – était, à dix kilomètres de Kaboul, un des principaux camps de l'Isaf, sous commandement français. Deux mille soldats de quinze nationalités différentes, sur un vaste terrain où tout – le sol de sable et de caillasses, les défenses, les baraquements... – déclinait les mêmes teintes de beige clair et de gris acier.

En arrivant, j'eus droit à un long parcours du combattant : longer de hauts murs de bardages remplis de gros gravier et surmontés de barbelés,

zigzaguer entre les miradors, les plots, les herses ;
passer plusieurs check-points… avant de finalement échouer dans un banal parking… toujours
à l'extérieur de la base. Abandonnant là mon
véhicule, je filai vers un groupe de soldats français qui gardaient une des entrées. Ils eurent l'air
soulagés que l'on s'adresse à eux dans leur langue.
« On m'a demandé de venir… L'attentat… » Ils
se regardèrent entre eux, hésitants. Un officier se
tourna vers moi : « Vous êtes lié…

— Oui, oui. Je suis lié au jeune Français…
Il est mort ?

— Impossible de vous répondre. Il faut que
vous alliez… Je vais vous accompagner. »

Il demanda à trois de ses hommes de venir avec
nous. Je les suivis vers un passage qui, à travers
des sacs de sable, menait au camp. L'endroit était
animé : des militaires et quelques civils à lunettes
noires se pressaient autour de ce qui avait été un
point de contrôle pour tous ceux qui souhaitaient
pénétrer dans Warehouse, par exemple pour se
faire soigner dans l'hôpital militaire par les rares
médecins compétents du pays.

Je compris vite que c'était là qu'un kamikaze
s'était fait sauter, une heure plus tôt, juste avant
d'être fouillé. Une plaie nouvelle, ces opérations-
suicides, une pratique éloignée de la culture
afghane et importée d'autres contrées, d'Irak
notamment. Mes accompagnateurs m'expliquèrent

ce qu'il s'était passé, et qu'on ne m'avait pas précisé au téléphone : l'homme avait laissé tomber
une grenade, qui avait soufflé une partie du poste
de garde. Par chance, la masse du terroriste avait
encaissé une bonne partie de la déflagration. Le
résultat était là : j'avais devant moi, sur le sol, les
deux parties de son corps ensanglanté, sectionné de
manière plutôt nette au niveau de l'abdomen, et
couvert de quelques lambeaux de vêtements ainsi
que d'une fine couche de poussière et de sable.
Je fixai bêtement son visage noir de poils et grêlé
par les éclats, comme si les traits déformés de
cet homme plus tout jeune allaient m'indiquer les
motifs de son suicide. « Et où sont les victimes ? »
demandai-je d'une voix faible à l'officier français.
« Il y avait peu de monde. Un de nos interprètes
afghans est mort. Les autres... Venez, nous allons
à l'hôpital. C'était qui, votre ami ? Vous faites
quoi, dans ce pays ? » Je lui expliquai, un peu
gêné, que nous tenions un restaurant à Kaboul, et
lui et ses hommes me regardèrent comme si nous
ne faisions pas partie de la même histoire. Notre
complicité de compatriotes venait d'être écorchée.
Eux, faisaient la guerre, jour et nuit sur le qui-
vive, dans ces contrées menaçantes, nous, nous
concoctions des mojitos pour des clients et des
clientes en maillot de bain. J'essayai de leur sourire, mais nous marchions vite et j'étais essoufflé.
Nous venions de passer à côté d'une tour Eiffel

miniature et longions un long baraquement en planches qui faisait office de brasserie allemande. « Mon ami était… Il… s'appelle Séraphin… Il… » L'officier me donna une tape pudique dans le dos.

Nous entrâmes dans une immense tente qui abritait des équipements médicaux modernes, des salles d'opération. Quelques Afghans patientaient dans une salle d'attente pendant que des médecins militaires s'activaient. L'officier se dirigea vers une infirmière et lui glissa à l'oreille quelques mots. Elle me regarda, impassible, puis s'approcha. Au même instant, nous fûmes rejoints par un civil, un grand rouquin en costume noir. L'homme avait un air grave. Il prétendait travailler pour l'ambassade de France. La petite troupe de soldats qui m'avait accompagné jusque-là disparut discrètement et l'infirmière prit la parole, d'une voix douce : « Votre ami devrait s'en tirer. Il a reçu des éclats de grenade, mais nous venons de l'opérer. Il se réveillera d'ici un moment. » J'eus une pensée pour Valérie. Je la vis, rayonnante, tenir la main de son fils, alors âgé de six ans, qui menait ses moutons imaginaires. Je remerciai l'infirmière et demandai si je pouvais attendre là, ce qui ne lui posa aucun problème. Elle tourna les talons et disparut d'un pas vif. Le diplomate, lui, n'avait pas l'intention de me laisser seul. « J'ai besoin de vous », me dit-il. C'est là que je réalisai que je n'avais pas eu de nouvelles d'Enayat. Et

que je n'en avais pas demandé. Comme si tout
cet environnement français m'avait fait oublier
son existence. « Suivez-moi, s'il vous plaît », insista
l'homme, qui commençait à me regarder de travers. « Je voudrais d'abord savoir où se trouve un
autre de mes amis, un Afghan.

— Justement. Venez. »

Nous suivîmes un couloir, croisant quelques
blouses blanches. Dans ces lieux, plus que dans les
zones de combats où la guerre ne faisait qu'ajouter à la guerre, où agiter une arme sous le nez
d'un Afghan était le meilleur moyen pour le faire
basculer dans la rébellion, la présence étrangère
prenait tout son sens. Des gens venaient de loin
dans l'espoir de se faire soigner et, ici, de nombreuses vies étaient sauvées.

Nous débouchâmes dans une vaste pièce qui
servait à entreposer des stocks de médicaments et
du matériel chirurgical. Le diplomate s'approcha
d'un chariot recouvert d'un drap blanc. Il souleva
celui-ci avec précaution et un cadavre emmailloté
dans une sorte de linceul apparut. Je m'approchai
et fixai, fasciné, le visage livide. J'avais déjà vu des
morts, mais pas d'aussi près, pas ainsi, face à face.
Je ne ressentais aucune émotion. J'étais acteur de
cette scène, mais j'en étais aussi absent. « Alors ?
Vous le reconnaissez ?

— Non.

— On ne sait pas qui c'est. Il attendait au check-point avec les autres. Là, c'est l'interprète de l'armée française, un jeune qui venait juste de finir ses études... »

Il venait de désigner un autre chariot, que je n'avais pas remarqué. Puis j'en vis un troisième, au fond de la salle. L'homme roux m'invita à le suivre jusque-là, et tira le drap, plus sèchement, comme s'il voulait en finir avec cette corvée. Cette dépouille m'apparut tout de suite plus familière. Le ventre rebondi, les grandes mains un peu grassouillettes. Le visage... je n'arrivais pas à être sûr. Je cherchais un signe, un indice, mais tout avait disparu avec la mort. « Alors ? » s'agaça le diplomate. « Oui... je crois... je le connais... » La tête était bandée mais une mèche grise qui dépassait finit de me convaincre. « Oui, oui. C'est mon ami. C'est mon ami afghan. »

*

L'homme roux, alors qu'il me raccompagnait vers l'entrée de l'hôpital, me félicita pour mon sang-froid. « Vous en aurez vu des cadavres, aujourd'hui ! » Je pris un air impassible et articulai un vague remerciement pour son soutien. J'étais debout au milieu de la salle d'attente. Des

Afghans me regardaient. Une fillette couverte de bandages ensanglantés répondit timidement à mon sourire. Je me dirigeai vers un coin de la pièce tout en essayant de ne pas laisser paraître ce que je ressentais, de rester aussi digne que tous ces gens blessés ou malades. Mais je n'y arrivais pas. Je dus m'appuyer au mur un instant pour ne pas chanceler.

Quand l'infirmière vint me chercher pour que je vienne auprès de Séraphin en salle de réanimation, ma décision était prise : j'allais quitter l'Afghanistan. Ce pays, pour moi, ne serait plus jamais le même.

Le Pakistan était un bon choix. J'y emmènerai Séraphin. Si nous rentrions en France, cela nous séparerait, lui et moi, sans aucun doute.

Islamabad était une ville considérée comme plus sûre que Kaboul. Séraphin pourrait donner là libre cours à ses désirs d'aventures. Je pourrais, moi, me reposer sur ma réputation d'entrepreneur en pleine réussite, maître de son destin, de ses choix de vie. Là-bas ne séviraient plus les spectres du passé…

Même si, là-bas, pourrait demeurer l'espoir d'une rencontre, au détour d'une rue, ou sur un marché, ou sur un chemin de montagne, avec un spectre du passé, un fantôme de chair et d'os, une silhouette familière.

19

Au nord de Kaboul, le flanc d'une montagne, vaste étendue de neige et de boue mêlées, était hérissé de stèles, simples fragments de dalles aux contours variés. Des enfants, des animaux, circulaient entre les sépultures. Les nombreux et immenses cimetières de la capitale afghane enlaçaient le monde des vivants.

Alors que les femmes attendaient leur tour, en contrebas – j'avais cru reconnaître, en arrivant, l'épouse d'Enayat, malgré les voiles qui la recouvraient –, l'assemblée des hommes se pressait pour la prière autour de la tombe dans laquelle on venait de déposer la dépouille enveloppée d'un linceul blanc. Tout était sobre et digne. L'intense ciel bleu donnait à la scène une grande puissance. La mort attestant de l'ultime valeur d'une existence, la vie de mon ami afghan, courageuse, humble et joyeuse, se prolongeait, se diffusait parmi l'assemblée. Enayat était, pour une fois, au cœur des évènements. Je me tenais à l'écart, assis sur le capot d'une voiture. Le fils aîné de mon ami, un adolescent taciturne mais gentil, finit par me rejoindre et tenta de me consoler. *No problem*, murmura-t-il en me posant gentiment la main sur l'épaule. Me revint qu'Enayat s'était un jour comparé, entouré de ses rejetons, à un sanglier – il avait mimé les défenses avec ses doigts –, un « sanglier avec ses petits marcassins ». Il disait aussi fièrement de ses enfants : « Ils sont insoumis, plus rebelles que moi à leur âge. Ils sont la promesse d'un avenir moins sombre… »

Je réussis finalement à me ressaisir et, à petits pas, allai jusqu'à la tombe ouverte, dans laquelle je jetai une poignée de terre afghane.

*

Charles accepta de racheter mon fonds de commerce. Pour une somme dérisoire. Il me fit bien comprendre qu'il agissait ainsi par charité, pour me permettre de filer au plus vite, au lieu de mariner bêtement ici. Je le crus en partie : le jeune entrepreneur m'avait toujours tiré vers le haut, sans en avoir l'air, grâce à son énergie communicative, à son goût des aventures collectives, à sa foi en lui-même et en ceux qu'il jugeait dignes de son estime. Je comprenais aussi ce qu'il avait derrière la tête : comme sa trentaine d'employés expatriés abandonnaient dans le restaurant une bonne partie de leur salaire, Charles allait récupérer d'une main ce qu'il distribuait de l'autre. Mais devenir propriétaire du Bout du Monde allait surtout ajouter une facette supplémentaire à l'éclat de son existence, de sa réussite. Je trouvais touchant son narcissisme ardent, généreux. J'étais entré dans une nouvelle phase où les travers des autres me fascinaient. Menacé par un accès de bienveillance, au contact quotidien de tant de gens remarquables, il fallait que je parte sans plus tarder.

Cet investissement de Charles dans mon affaire était sans doute une passade. Il souhaitait quitter le pays lui aussi, pas pour Islamabad, il n'était pas aussi fou que moi pour rester dans cette région, mais pour le Sud-Soudan par exemple, ou Bagdad, ou Ramallah... Son terrain de chasse, les « pays mal barrés », ne risquait pas de s'épuiser.

J'étais chargé d'initier à son travail Francis, ex-humanitaire, choisi par Charles comme nouveau gérant. Les Anglo-Saxonnes de Kaboul l'avaient surnommé *the naked Frenchie*, en raison de son irrépressible pulsion : il se déshabillait systématiquement à la fin des soirées. Il était maintenant décidé à « faire du fric avant de se casser ».

Séraphin, lui, se remettait vite. À part quelques cicatrices, il n'avait aucune séquelle sérieuse de l'attentat, et ne semblait pas non plus traumatisé. Comme nous, vingt ans plus tôt, il appréciait de collectionner les stigmates d'un destin aventureux. Il comprendrait bien assez vite qu'ils deviennent, avec les années, des douleurs chroniques, du corps et de l'esprit.

Nous avions minimisé, pour sa mère, l'évènement qui s'était produit à l'entrée de la base militaire, passant les morts sous silence, omettant de dire qu'il s'agissait d'un attentat, lui cachant en fait toute la vérité. Un petit accident sans gravité. Comme il n'y avait eu aucune victime de nationalité étrangère, la presse n'en avait pas fait état. Au bout du compte, Valérie fut ravie d'apprendre que nous avions décidé de partir pour Islamabad, « capitale administrative et ville diplomatique, garantie sans barbus », selon notre présentation.

*

N'ayant plus de comptes à rendre, de clients à ménager, de relations amicales à entretenir, la dernière séance du « Manteau qui parle » aurait logiquement dû être une apothéose.

Alors qu'Abigail avait quitté le pays – elle avait rejoint la rédaction du *Guardian*, à Londres –, Aude, la brune, et Caro, la blonde, insistèrent pour que Séraphin soit invité à participer à notre rituel. Je tiquai : j'avais toujours aimé ces moments essentiellement féminins, pendant lesquels les pires vilenies étaient étalées avec chatterie et velouté. Mais je cédai.

Le Manteau eut d'abord besoin de s'échauffer. Il commença par aborder des sujets secondaires, comme ces nouvelles que nous recevions de ceux qui avaient regagné la civilisation occidentale, considérée aussi, selon certains expats au bout du rouleau, comme la civilisation tout court. La plupart de ceux qui étaient rentrés se précipitaient dans « la glu du mariage », selon l'expression personnelle du Manteau, et, qui plus est, n'aspiraient qu'au mariage à l'église. Comme si ces années passées à Kaboul entre vie austère, décalée, et dévergondage communautaire, si loin des canons bourgeois, avaient provoqué un drôle d'électrochoc menant à ce désir de repères, de conformisme, de fidélité, à un conjoint et à une culture. La foi robuste de nos hôtes afghans, par ailleurs, avait dû exalter par contagion un besoin de spiritualité en sommeil.

Caro, avec son bon accent audois, avança alors une théorie intéressante : vu le profil de ceux qui venaient ici – elle parlait plutôt de la boîte de Charles, et Aude de Lalande dut se sentir visée –, ils étaient tous, séjour en Afghanistan ou non, plus ou moins programmés pour finir ainsi, devant un curé, bague au doigt, avant d'habiter un appartement cossu dans le cinquième arrondissement de Paris ou une maison bourgeoise de Lyon ou de Bordeaux. Sans parler des enfants, au moins trois voire quatre, qui s'appelleraient Enguerrand, Isaure ou simplement Pierre, qui iraient rejoindre leurs congénères sur les bancs des écoles privées.

Parmi mes anciens clients, certains, fidèles à d'autres idéaux, et surtout sans les mêmes moyens financiers, s'étaient regroupés dans le dixième arrondissement parisien qu'ils avaient surnommé, plus nostalgiques que la première catégorie d'expatriés, le « Dixièmistan ». Ils appréciaient de se retrouver de temps en temps autour d'un riz palao, assis à même le sol, ou d'aller échanger quelques mots de dari avec des réfugiés afghans qui squattaient un jardin public près de la gare de l'Est.

Malgré ces lignes de fracture dans leur mode de vie, entre adeptes de la messe et baroudeurs du faubourg Saint-Denis, un même état esprit était partagé par ceux qui étaient passés un temps par la case Kaboul, et les soudait profondément : le sentiment durable d'avoir vécu plus intensément que le commun des individus pris dans les rets de la normalité, d'avoir assimilé des valeurs plus riches, activant une fibre qui conjuguait solidarité, gratuité, enthousiasme...

J'aimais tout le monde, pour ma part. Le Manteau venait d'ailleurs d'insister sur ce point : « Pascal a changé. Il apprécie davantage – il déteste moins – les gens et leur compagnie. Un nouvel équilibre semble en cours entre son humanisme et son nihilisme, et sa cyclothymie est mieux tempérée...

— Il devient chiant, quoi », résuma Caro.

Elle n'avait pas tort. Une gentillesse imprévue m'était tombée dessus comme des morpions prennent possession d'un marin en virée dans un bordel. Je tentai de retrouver du mordant : « Quelques centaines de fonctionnaires de l'ONU, qualifiés d'"employés non essentiels", vont être évacués, en raison de la situation sécuritaire. Certains sont vexés... » Mais je fis un flop. Sentant gronder la révolte dans mon public, je soulevai le manteau, m'en dégageai, et fis signe à Séraphin de prendre ma place. Il haussa les épaules, adopta une mine faussement timide puis s'exécuta. Nous ne fûmes pas déçus.

« Je... Séraphin donc... Séraphin voit Corto. Régulièrement... Enfin régulièrement... Disons que son père passe en coup de vent à Kaboul, de temps en temps. Ils se sont déjà rencontrés dans un pays voisin, également. Un pays en "stan". Ouzbékistan ? Turkménistan ? Tadjikistan ? Qu'importe, au fond. De toute façon, à part Pascal, pas mal de gens, ici, sont au courant... » Un silence gêné s'ensuivit. Puis Aude s'écria : « Moi, je ne sais rien ! » Caro, qui comptait les taches sur mon tapis persan, fut finalement obligée de relever la tête. « Tu n'avais vraiment pas l'air de vouloir le retrouver... Et puis j'avais promis à Séraphin de ne rien te dire.

— Séraphin que tu connais depuis... quoi ? Quelques semaines...

— On a juste compris que Corto voulait prendre du recul. Et on a respecté ça... Tu sais, moi, je fais le même métier que lui. Je comprends qu'on puisse craquer. Et puis, il va finir par revenir... »

Le Manteau se racla la gorge et nous le laissâmes s'exprimer. « Il semble qu'il ait décidé de tourner la page afghane. Et de ne plus mettre les pieds dans ce pays. Il a quand même quelques casseroles accrochées aux fesses, ici...

— Ça... », soufflai-je, perfide. « Et il a aussi arrêté la photo », ajouta le Manteau. « Et... il fait quoi, en fait ? » demanda Aude. « Il étudie, il voyage... Il réfléchit, il cherche...

— Il glande, quoi. » Un long silence suivit ma saillie. Puis le Manteau reprit la parole : « Il est allé faire un tour en Espagne aussi, sur les traces de son père. Mais il n'a rien trouvé. Rien qu'il ne sache déjà : que son père était un petit voyou, collabo des franquistes.

— Quoi ?! » Je n'avais pas pu m'empêcher de brailler. « Et il y a d'autres choses qu'il n'a jamais racontées ?

— Oui, répondit simplement le Manteau. Par exemple que Mémé n'était pas sa mère, mais sa tante, la sœur de son père. La mère de Corto, elle, était malgache, emmenée à quinze ans en Espagne par des marins qui l'ont mise sur le trottoir. Elle a vite disparu, après avoir accouché de Corto, et plus personne ne l'a jamais revue... Dina, elle, est bien la fille de Mémé.

— Elle est musulmane alors ? » demandai-je, me raccrochant à ce que je pouvais. Le Manteau ricana. « Non, non. Personne n'est musulman dans cette famille. Seulement "métèque"... selon l'expression que Pascal utilisait de temps en temps pour désigner Corto auprès de leurs copains de classe... C'est en tout cas ce que prétend Corto. Qui reproche aussi à Pascal ses airs condescendants, à cette époque. Il paraît que le propre père de Pascal se sentait snobé par son fils ! Mais là, c'est possible que Corto exagère un peu. Comme l'histoire des pièces ! Pascal aurait eu un petit jeu, quand ils avaient douze ou treize ans : depuis la fenêtre du troisième ou du quatrième étage d'un bâtiment du collège, il jetait des pièces – dix centimes de franc, vingt centimes... – et s'amusait de voir ses camarades faire la course, dévaler l'escalier et finir à genoux dans la poussière pour ramasser cette petite monnaie. Corto s'est laissé piéger une fois, puis n'a plus recommencé. Il s'est alors juré de ne jamais se laisser payer un seul bonbon ou quoi que ce soit par son ami Pascal... »

Les deux filles riaient, un peu gênées. Elles me jetaient des coups d'œil et je me forçais à prendre tout ça à la légère. Je me demandai à cet instant si, sans Pia, Corto et moi n'aurions finalement pas pris des chemins divergents, depuis longtemps. Pourtant j'étais certain que notre attachement réciproque était indéfectible. Soudain, j'eus une révélation : Corto n'ayant jamais été courageux avec les femmes, comme tous les hommes, Pia avait pu négocier, et obtenir, depuis le début de sa grossesse, que Corto et elle repartent du bon pied, en laissant au bord de la route ce pauvre Pascal. La fête était finie. Rendez-vous pour le mariage, la castration du mari, le baptême de l'enfant... Aude et Caro me fixaient, inquiètes. Le Manteau décida de conclure la séance : « Séraphin ne rajoutera rien, et vous remercie de ne pas l'interroger sur ce sujet. Ah oui, encore une chose : Caro et Aude, jeudi dernier, en fin de soirée, après avoir bu une dizaine de mojitos chacune, se sont roulé une grosse pelle au fond du jardin… »

*

La sécurité du Bout du Monde avait été renforcée. Francis était plus responsable que moi. De nouveaux gardes armés, moins débonnaires que les précédents, firent leur apparition, ainsi que des mots de passe sophistiqués, une succession de portes infranchissables, davantage de sorties de secours, de barbelés, de sacs de sable… J'avais quand même réussi à empêcher l'installation d'un mirador et de barrières dans la rue.

Mes employés me regardèrent m'éloigner, sans émotion démesurée. Seul un homme de ménage, resté fidèle, et qui avait pris des cours d'anglais toutes ces dernières années dans le but espéré de devenir serveur, mais sans succès, réussit à murmurer, les yeux embués, un impeccable *I will miss you*…

Zendagi megzara, lui répondis-je, ému moi-aussi. « La vie passe. »

*

Il y eut encore plusieurs dîners d'adieux, une grande fête, des embrassades, des serments. Des clients promirent qu'ils viendraient passer leurs congés dans la capitale pakistanaise, ce qui, à la réflexion, n'était pas crédible.

J'avais fini par ne plus faire la tête à Séraphin, après la séance du « Manteau qui avait parlé pour la dernière fois ».

Nous quittâmes Kaboul un matin tôt, lui et moi. Nous allions comme prévu nous installer à Islamabad.

Personne ne nous avait accompagnés à l'aéroport. J'avais rassemblé toutes mes affaires dans deux valises.

20

Nous passions notre après-midi attablés à la terrasse d'un restaurant clinquant des Margalla, collines à seulement 800 mètres d'altitude. Islamabad était une ville plate comme une galette cuite sans levain.

Alors que nous étions dans la capitale pakistanaise depuis à peine une semaine, Séraphin avait réussi à dégoter des feuilles de khat et une de ses joues était bourrée de cette plante euphorisante. « C'est vraiment les amphéts du pauvre », avais-je déclaré, péremptoire. Je craignais de me laisser dépasser par ce débutant en expériences extrêmes. J'avais encore quelques belles années devant moi, durant lesquelles maturité et savoir pourraient lutter efficacement contre la vitalité de la jeunesse. Après, ce serait bel et bien la fin.

J'avais peut-être tort de prendre de haut sa verdure à mâcher car un stimulant quelconque aurait
pu m'être profitable. La chaleur et le manque total
d'intérêt pour cette nouvelle vie m'étaient tombés dessus. Nous étions descendus de nos chères
montagnes afghanes et je le regrettais déjà.

Nous avions bien avancé cependant : une maison chic – dans un quartier résidentiel verdoyant
et interdit, en principe, aux commerces – allait
accueillir notre restaurant français, le premier en
dehors de la zone diplomatique. Nous avions
embauché des chrétiens, minorité habituée à être
persécutée et à s'épuiser au travail, deux atouts
requis pour faire de bons employés dans notre
corps de métier. Ils pourraient, en outre, manipuler
de la viande de porc. L'un d'eux, qui avait œuvré
pendant six mois dans la cuisine d'un chargé d'affaires belge, ferait, une toque immaculée sur la tête,
un chef parfait. Il restait encore à mettre au point
une combine pour se procurer de l'alcool, ce pays
étant à ce sujet, bien entendu, aussi hypocrite que
les autres patries d'Allah, interdisant officiellement
ce qui était pratiqué dans le secret des maisons,
surtout par ceux qui en avaient les moyens.

« J'aimerais bien aller faire un trek », déclara subi-
tement Séraphin. Je fis la sourde oreille. Il sortit la
masse verte et baveuse de sa bouche, la posa dans
son assiette, et articula, en me regardant droit dans
les yeux : « J'ai envie d'aller du côté de Gilgit.

— ...

— Au nord.

— Je connais Gilgit, Séraphin !

— Voir le Karakoram. Il paraît que c'est un beau massif...

— C'est sûr ! C'est plus haut que les Pyrénées ! Tu veux faire le K2 ? 8 600 mètres.

— 8 611. Non, je ne suis pas assez entraîné ! Je veux juste me balader quelques jours.

— Et le resto ? C'est maintenant que tout se joue. Former nos enfants de Jésus, trouver des fournisseurs, préparer la com'...

— C'est ton métier ! » essaya-t-il de plaisanter, mais, devant mon expression, il opta pour une autre approche : « Allez. Ce sera vite fait. Je suis là dans cinq jours, une semaine max... »

« Si tu savais ce que ça représente, de créer une entreprise », faillis-je assener, mais je m'abstins. Je voulais avoir vingt ans. Au diable le sérieux des affaires, au diable la fortune. J'allais tout jeter aux vents de mousson, et finir pêcheur, pauvre mais entouré, dans un cabanon au bord de la mer d'Arabie.

Séraphin dut comprendre à mon air rêveur qu'il avait obtenu mon accord et sourit. « Tu comptes y aller seul ? » lui demandai-je, en espérant avoir chargé ma question de lourds sous-entendus. « Oui, oui, répondit-il avec aplomb. Enfin non, pas vraiment. Je vais prendre un guide, bien sûr. » Nous

nous regardâmes en silence. Il précisa : « Comme tu m'as dit que tu ne voulais plus jamais faire de montagne, je ne t'ai pas proposé... » Puis il remit sa pâte gluante en bouche. Et se sentit obligé de continuer à bavarder. « Pia te manque ? » La question me cueillit à l'improviste. Peut-être se demandait-il, lui aussi, ce que cachait mon existence de célibataire invétéré, mais j'estimais plutôt, étant donné qu'il partageait mon goût fervent pour la liberté, qu'il cherchait simplement à comprendre la nature de notre relation, à Pia et moi, et, par la même occasion, aussi, celle qui unissait la Danoise et Corto.

Je balayai lentement du regard le vaste plateau arboré au milieu duquel avait surgi l'urbanisme quadrillé d'Islamabad, ville nouvelle bâtie ex nihilo dans les années 60. Là, nous étions censés vivre dorénavant de manière confortable et tranquille. L'endroit était idéal pour certains expatriés : habiter en famille, avoir du personnel de maison – homme à tout faire, cuisinière, nounou... –, passer ses dimanches au bord de la piscine du Club français, bien à l'abri dans l'enclave diplomatique, et comparer primes et autres avantages avec ses amis, avant de rentrer le jour où sa maison en France serait remboursée.

« Pia me manque, oui. J'avais trouvé une sorte d'équilibre...

— En fait, t'avais tous les avantages !

— Je ne pouvais pas me plaindre. Sauf que… je me retrouve seul. "Seul avec ma connerie", comme on dit chez nous.

— On dit ça chez nous ?

— On pourrait. Bon là, tu vas me sortir : "Tu en trouveras une autre… Une sympa, intelligente, drôle, pas mal physiquement… Qui n'aura pas envie de te voir tous les jours, mais qui sera là chaque fois que tu auras, toi, besoin de la voir… Et surtout, pour éviter qu'elle ne devienne une menace pour ta tranquillité, elle serait déjà en couple avec un mec, un mec souvent absent…"

— Non, non. Je ne te dirais pas ça ! Même si l'attachée culturelle italienne a l'air de t'apprécier… Sérieusement, pourquoi penses-tu que Pia et Corto avaient ce genre de relation… comment dire ?

— Compliquée ?

— Voilà. Compliquée.

— Je pense que Corto voulait tout, mais qu'il ne se satisfaisait de rien. Avec les femmes, il se ligotait, tout en se détestant pour ça. C'est d'ailleurs étonnant de découvrir qu'un esprit aussi logique puisse devenir à ce point irrationnel. Je pense aussi que Pia elle-même ne courait pas après le grand amour. Ni forcément après la stabilité affective… Tous les deux se fuyaient au bout du monde, se fuyaient eux-mêmes et se fuyaient l'un l'autre, mais se retrouvaient, toujours, comme aimantés… Tu lui as pas demandé ?

— Si. Mais tu le connais. Ce n'est pas ce qu'il préfère, parler de lui. Il prétend juste qu'il a changé... Que si c'était à refaire...

— Qu'est-ce qui l'en empêche ? De refaire.

— Il dit aussi qu'il faut savoir tourner les pages.

— Quel con.

— Il faut le comprendre. Il se sentait pris dans une nasse, depuis des années. Il a eu besoin de rompre d'un coup avec le personnage qu'il s'était construit. Quitte à ce que tout le monde en fasse les frais... Tous ceux qui faisaient partie de son existence... Comme Pia... Comme Valérie... Comme...

— S'il pense que c'est aussi simple, il rêve. Crois-moi. On espère tous réécrire le passé. Enfin. Comme si je n'avais pas assez à faire, sans, en plus, devoir penser aux états d'âme de monsieur Corto...

— Ce n'est pas ce qu'il te demande. »

Ce blondinet sous l'emprise d'une substance végétale exotique commençait à m'agacer. Avec son bon sens de gardien de troupeau et sa précocité de fils unique élevé sans père. Il pouvait aussi bien aller passer quelques mois dans un village perdu de ces foutues montagnes du nord du Pakistan, dans le fin fond de ce « pays des purs » qui n'avaient de purs que le nom.

Moi aussi, si l'occasion s'était présentée, j'aurais aimé gravir des sommets avec Corto, arpenter des pentes neigeuses entouré de paysages grandioses, de rochers immémoriaux, me perdre, en compagnie de mon ami d'enfance, dans l'azur, dans le cosmos. Moi aussi j'aurais aimé, à la place de Corto, initier le fils de Valérie aux ivresses de la très haute montagne, lors d'une longue marche virile et silencieuse, de celles qui forgent le caractère et les relations entre les hommes.

Mais j'allais tracer ma route, comme je l'avais presque toujours fait : seul. Et, dans le même temps, plus libre et plus déterminé que jamais.

*

Paul, notre employé pakistanais le plus astucieux, nommé « maître d'hôtel » malgré son jeune âge, apprenait vite le métier : vérifier que les serveurs n'oublient pas de mettre des couteaux sur les tables, du papier hygiénique dans les toilettes… Nous étions presque prêts, l'ouverture était programmée pour la semaine suivante.

Entre les vadrouilles de Séraphin à travers le pays, les complications administratives et la formation laborieuse des cuisiniers, nous étions déjà en juillet. La météo avait prévu que cette année 2007 serait chaude, et cela se passait comme prévu : il faisait 40°. Les coupures d'électricité se multipliaient presque autant qu'en Afghanistan, et notre voisine, veuve d'un général de l'armée de l'air, s'était opposée à ce que nous installions un générateur. Elle avait d'ailleurs manœuvré, jusque-là en vain, pour que le restaurant n'ouvre pas du tout, prétextant que la zone n'était pas un *markaz*, lieu réservé aux commerces. Elle n'avait pas tort, et possédait le pouvoir, étant donné la puissance de l'armée dans le pays, de faire appliquer les lois. J'avais dû embaucher deux de ses fils, gros nigauds sans compétences avérées, comme « responsables de la sécurité », pour qu'elle accepte de fermer les yeux sur nos activités délictueuses.

Paul était assez roublard pour pouvoir m'aider avec efficacité dans mes relations avec les différents fournisseurs. Il était charmeur, abusant même de son physique de jeune premier qu'il n'hésitait pas à entretenir, passant des heures dans les salles de musculation, s'habillant et se coiffant à la manière excentrique des acteurs indiens.

Il semblait moins souffrir que ses coreligionnaires de l'opprobre subi par la minorité chrétienne. Mais, devant mon insistance, il finit par se confier sur le sujet. À l'occasion d'une virée dans une boutique du *markaz* F-8, réputée pour vendre du saumon surgelé, nous fîmes un long détour par son quartier, Mehrabad. Un faubourg misérable en périphérie de la capitale, aux rues en terre jonchées de sacs en plastique. Il me conduisit à la masure lézardée, en ciment et en tôle, où il vivait avec sa famille, me présenta ses parents et ses cinq frères et sœurs. Tous passaient leurs journées à ramasser des vieux papiers dans les avenues pimpantes d'Islamabad. Ils étaient pauvrement vêtus et Paul tranchait, avec ses costumes taillés sur mesure et ses mèches gominées.

Je jugeais l'ambiance chaleureuse et, alors qu'on m'invitait à prendre le thé, me revint en mémoire un échange que nous avions eu, Corto et moi, lors de nos premières années universitaires. J'étais venu déjeuner un dimanche dans l'appartement de Mémé, au Mirail. Pendant que leur mère était en cuisine, j'avais reproché à Corto et à Dina l'état de leur logement, qui était sale et en désordre. Dina s'était vexée pour la forme, et Corto m'avait regardé sans comprendre. Pour lui, ce que je venais de dire n'avait aucun sens et il s'était contenté de rappeler, sans conviction, qu'il était attaché à ses origines modestes. Il avait rajouté, dans un de ces développements dont il avait le secret et que personne n'attendait, qu'il trouvait normal de changer de classe sociale quand l'occasion se présentait. Ce qui, reconnaissait-il, était rare et devait être arraché de haute lutte. Qu'il n'était pas question de mérite ni de fatalité. Mais de destin individuel, lié, parfois, aux luttes collectives. Il n'en faisait pas non plus un but en soi, ses aspirations étant ailleurs, même s'il ne savait pas vraiment où. J'avais alors lâché, désinvolte : « Moi, je me sens plus à l'aise dans les milieux... les plus simples. Franchement, je déconseille à quiconque de s'embourgeoiser... » J'avais une vingtaine d'années et je n'étais pas réputé pour mon habileté dans les relations sociales. Et, surtout, je n'avais pas encore mesuré toute la dureté du monde.

« Nous sommes des descendants des basses castes indiennes, m'expliqua Paul. D'avant la partition des Indes britanniques de 1947... »

Nous venions de ressortir de la bicoque et nous nous tenions sur le seuil. Paul était animé d'une colère inhabituelle. « Les sunnites nous détestent, comme ils maltraitent les chiites, les hindous... tout ce qui n'est pas eux. Une rumeur de blasphème, lancée pour régler un problème de voisinage par exemple, et c'est le lynchage. La religion est un prétexte, la plupart du temps. Nous sommes écartés de tous les cercles fréquentables. Ici, si tu ne rentres pas dans le moule, tu es socialement mort. Et trop souvent mort tout court. » De rage, il jeta une pierre sur un pauvre chien errant, presque aveugle, qui s'enfuit en couinant. « Les chrétiens, dans ce pays, sont traités comme les musulmans chez vous ! » conclut-il. J'hésitai à apporter des nuances à son propos mais, ne sachant plus vraiment ce qui se passait dans notre pays dont la réputation, à travers le monde, reposait de moins en moins sur la tradition d'accueil et la défense des droits de l'homme, je m'abstins.

*

Deux jours avant l'ouverture de mon restaurant, mon problème d'approvisionnement en alcool n'était toujours pas réglé. Grâce à l'attachée culturelle italienne, dotée d'autant d'entregent que de tempérament, j'avais réussi non seulement à donner un petit coup de fouet à ma vie sexuelle mais surtout à constituer un stock de vin rouge. Mais, pour ce dernier point, cela allait vite se montrer insuffisant. Installé sur un transat, au milieu de la terrasse de notre villa, à l'ombre d'une treille de jasmin, je méditais, cherchant à résoudre ce problème important, quand Paul vint m'annoncer que j'avais une visite. « Un diplomate français », susurra-t-il, impressionné. Le temps de me redresser sur mon siège et je découvris devant moi la bonne figure souriante de José. « Salut ! Bravo, c'est très beau ! » me complimenta-t-il en désignant les lieux d'un geste ample. « Merci. C'est vrai qu'on a bossé. Mais… toi ? T'es ici ?

— Eh oui ! Je suis arrivé il y a quelques semaines.

— Toujours dans le contre-terrorisme ?

— Plus que jamais. Ça s'agite pas mal, ces temps-ci, dans les milieux islamistes. J'espère que tu as une bonne sécurité.

— Mouais… Assieds-toi. Tu veux boire un truc ? Enfin, on n'a pas beaucoup d'alcool…

— Ah oui ! C'est compliqué, ça, dans ce pays, dit-il en dépliant un transat qu'il installa à côté de moi. Mais on n'est jamais à l'abri d'une surprise… Tiens, par exemple : je connais un chef fondamentaliste qui dirige en sous-main l'industrie du porno de Peshawar !

— J'ai toujours pensé qu'il y avait du désir sexuel dans la foi…

— Ils me fatiguent. Je regrette l'Extrême-Orient. Pas pour l'alcool… mais parce que c'est là-bas que tout se joue. Les gens ne s'en rendent pas compte. Ils sont obsédés par les musulmans, plus effrayants, plus spectaculaires. Les kamikazes et tout ça. Mais observe bien la montée en puissance des bridés, discrète, inéluctable… »

Devant mon air renfrogné, il se tut un instant, avant de me glisser, complice : « J'ai peut-être un plan pour toi. Pour ta gnôle. » Je l'observai, essayant de découvrir si sa proposition était spontanée, ou s'il avait appris, par un moyen ou par un autre, ce dont j'avais besoin, justement, en ce moment. Il afficha un visage souriant, indéchiffrable. « Je vais bientôt faire une commande perso, par l'ambassade, et je peux en prendre pour toi si tu veux. Ça te dit ?

— Bien sûr.

— Alors… deal ! Tu me passeras une liste.

— OK... Et ?

— Et quoi ?

— Comment je peux te remercier ?

— Tu rigoles ou quoi ? C'est cadeau ! Bon, on verra... Si un jour j'ai besoin d'un service, on en reparlera. Mais franchement, je trouve que c'est une bonne idée, ton resto, j'ai envie que ça marche. Qu'est-ce qu'on s'emmerde, dans ce bled... »

Paul nous apporta du thé, qu'il disposa sur une table basse en bois sculpté. Je jetai un coup d'œil à José qui avait gardé son air juvénile, ses cheveux bouclés, ses bonnes joues. « Dis-moi, m'exclamai-je, tu ne vieillis pas ! Tu te rappelles quand tu m'as abordé, à Phnom Penh... Il y a quoi, bientôt vingt ans ?!

— Dix-huit ans, il me semble bien.

— J'aimerais bien que tu me dises... Cette histoire, tu sais, pour Corto ? Ce que tu m'as raconté sur les zones tribales... Je sais tout, ou presque. Je sais qu'il est vivant, je sais que Séraphin le voit de temps en temps... Je comprends même qu'il se soit barré. Et s'il ne veut plus jamais me voir, grand bien lui fasse ! Bon, ça serait plutôt à moi de lui en vouloir. J'aurais normalement dû me faire buter à cause de ses conneries, j'espère qu'il t'a tout raconté... Je veux juste savoir en quoi t'es mêlé à ça.

— Mêlé... c'est beaucoup dire. J'ai seulement accepté de rester discret quand il m'a annoncé sa

décision de disparaître. Il voulait éviter que tout
le monde parte à sa recherche, le Quai d'Orsay,
ma boîte... C'était son droit, de partir. Il crevait
de honte, mais aussi de trouille. Le colonel Juju
n'avait pas abandonné l'idée de lui faire la peau.
C'est d'ailleurs moi qui le lui avais appris.

— Mais cette histoire de faux passeport ? Avec
un nom musulman ?

— On a voulu se marrer un peu. On savait
bien que tu n'y croirais pas...

— Vous... marrer un peu...

— Balancer cette rumeur, ça pouvait servir
aussi. Éventuellement. Brouiller un peu les pistes...

— Parce que tu as besoin de Corto, c'est ça ?
C'est quand même drôle qu'on se retrouve tous
au Pakistan, non ?

— Ne te fais pas de films. Je suis infoutu de
dire où est Corto. Encore une fois : j'ai seulement
voulu lui rendre un petit service. Il s'était plongé
dans un sac de merdes : avec Juju, avec toi... mais
aussi avec d'autres.

— Les Américains ?

— Quoi, les Américains ? Ne te fais pas de
films, je te dis. »

Je regrettai d'avoir posé des questions. Je
connaissais pourtant la musique. Il n'y avait que
des humiliations à subir, comme pour un enfant
à qui on ne répond pas.

« Écoute Pascal, passe à autre chose. J'espère qu'un jour vous vous reverrez, Corto et toi, vous vous expliquerez, tu lui pardonneras… Mais passe à autre chose si tu le peux. Vis ta vie. Les amis… »

Je m'étais levé. J'allai saisir un brin de jasmin et me le collai sous le nez. Je le plaignais, José. Sous ses airs de faux dur, il était seul. L'image que j'avais de lui était celle d'une ombre qui se déplace sans cesse, de pays en pays, toujours en train d'arriver quelque part, de frôler la réalité des lieux et des gens, de manipuler des apparences, de jouer avec des faux-semblants, puis de repartir presque aussitôt, comme si rien n'avait existé. Je lui balançai mon brin dans la figure en riant. « Les amis ? Mais qu'est-ce que t'en sais, mon pauvre José… »

*

Séraphin était revenu amaigri de sa virée dans les montagnes du Nord. Une sorte de serpent cabalistique était tatoué sur son avant-bras droit et un sourire d'initié flottait sur ses lèvres. Il avait beaucoup parlé, comme pour compenser son expérience ascétique et méditative le long d'interminables chemins d'altitude. Il raconta en riant les repas de têtes de buffles bouillies agrémentées de piments. Il évoqua les gens rencontrés dans les villages, qui n'avaient connu dans leur existence que guerres et ravages, et qui en gardaient une fièvre dans le regard. Le fils de Valérie était encore choqué par ce qu'il avait vu. « Je n'ai pas été élevé pour vivre dans ce monde-là ! » s'emporta-t-il. Il dénonça aussi de manière véhémente, inhabituelle pour lui, la voracité sans limites du monde capitaliste qui exploitait ces populations misérables, à la fois laissés-pour-compte et main-d'œuvre à bas prix. Il ne dit rien de Corto mais je compris à quelques allusions que, bien sûr, ils avaient voyagé ensemble.

*

Aucune religion ne rendant vertueux, je découvris, avant même le démarrage de l'activité, que Paul me volait. Mon employé modèle avait mis un grand nombre de fournisseurs dans le coup d'une histoire de surfacturation, mais je soupçonnais également la quasi-totalité des membres de mon équipe d'être complices, étant tous plus ou moins de la même famille.

J'en fis part à Séraphin, que cela amusa. « Comme à Kaboul, quoi », se contenta-t-il de commenter. Alors que je m'apprêtais à convoquer le coupable, surgit un des deux fils de la voisine, son apathie coutumière de fils à maman nourri aux ragoûts ayant fait place à une nervosité incontrôlée. « Monsieur Beck, bredouilla-t-il dans un anglais plus que correct, il semble qu'il y ait un problème en ville. À la mosquée Lal Masjid. » Il reprit son souffle. « La Mosquée rouge… vous connaissez, monsieur Beck ?

— Non.

— Si ! Dans le quartier G-6… La mosquée en briques… Celle qui est pleine d'Al-Qaïda.

— …

— De fanatiques. Ils veulent instaurer la charia dans le pays. Depuis des mois, ils agressent les gens qu'ils jugent "immoraux", émettent des fatwas, brûlent des livres… Là, il semble qu'ils aient volé des armes à des gardes et qu'ils occupent la mosquée. Ils sont des centaines, hommes, femmes et enfants. »

La fête d'ouverture de mon établissement, prévue pour le soir même, fut bien sûr annulée, tous les expatriés d'Islamabad étant consignés chez eux. J'en profitai pour congédier Paul, ce qui entraîna le départ, dans le même mouvement, de tous les autres employés, solidaires du beau gominé. Seul le jardinier, un musulman qui avait réussi à se glisser là en douce, resta à son poste. Séraphin, malgré mes molles interdictions, alla faire des photos de la mosquée assiégée par les forces de l'ordre.

Après une semaine, un assaut fut finalement donné, qui dura deux jours et fit une centaine de morts. Ce qui allait, bien entendu, provoquer d'autres représailles, d'autres attentats. À force de concessions à de nombreux groupes islamistes, ce pays était devenu ingouvernable et s'enfonçait encore davantage dans l'indigence. L'armée, qui détenait une grande partie du pouvoir, était obsédée par le voisin indien et par l'Afghanistan, dont la démocratisation, relative, risquait de gêner la stratégie pakistanaise, qui était de prendre ses aises, dans sa profondeur occidentale, et de préférer, à ses frontières, gérer le chaos que subir la stabilité.

Pressentant que mon commerce de bouche allait faire les frais de ces évènements, que mon investissement au Pakistan resterait au Pakistan, et que je ne savais pas où j'aurais le désir d'aller, ensuite, gaspiller mes dernières forces, j'en vins, intérieurement, à faire l'apologie des bonnes vieilles dictatures qui tenaient sans faillir les pays et les peuples. Ailleurs, des inconscients avaient fait tomber Saddam Hussein, et je prévoyais pour l'Irak anarchie et anéantissement.

Je tentai d'exposer à Séraphin mes théories géopolitiques, mais il se montra vite peu attentif, voire distant. Depuis quelque temps déjà, il avait glissé une touche d'indifférence affichée dans sa gentille candeur garonnaise. Et son accent rocailleux, qu'il gommait, devenait peu à peu sans relief. Il avait plutôt bien vendu ses images de la Mosquée rouge, et s'était procuré un gilet sans manches et multipoches de photoreporter ainsi qu'un pantalon ultraléger taillé dans le même tissu que certains scaphandres. Il s'ennuyait à Islamabad et souhaitait bouger davantage. Il m'annonça qu'il comptait partir quelques jours à Lahore, à l'est du pays. Je ne pus m'empêcher de lui prodiguer quelques paroles de sagesse : « Choisis un métier par passion, sinon ça risque d'être long… » ; « Les journalistes vieillissent mal, en général… »

Le lendemain, je l'accompagnai donc à la gare routière, dans ma Coccinelle jaune vif. Son sac à dos me parut trop volumineux pour une courte virée. Mais je m'abstins de tout commentaire.

Après un long silence, il finit par se racler la gorge : « Je t'ai pas dit ? J'ai une petite sœur, depuis quelques semaines…

— Ah oui ? Ça alors ! Et… elle s'appelle comment ? Elle… va bien… ?

— Soledad. Et oui, elle va bien.

— Je suis content.

— Corto va souvent là-bas…

— À Silkeborg ?!

— Oui. Il allait voir Pia, maintenant il va voir Pia et leur fille.

— Il a changé. C'est amusant. Il voit son fils, il voit sa fille.

— Oui.

— Quand il était jeune, il rêvait – façon de parler, Corto n'a jamais beaucoup rêvé –, il rêvait d'avoir le destin de Montaigne. Lire, écrire et méditer dans la tour aménagée d'un château. Avec une femme et des enfants dans l'aile opposée, qu'il aurait pu rejoindre à sa guise.

— C'est presque ça.

— Il ne lui manque que des amis. Comme Montaigne, d'ailleurs.

— Il prétend avoir trouvé enfin la bonne distance. Par rapport à son passé. Par rapport à lui-même. Et…

— Par rapport à moi ? Une belle distance, en effet… si on doit ne plus jamais se revoir.

— Je suis désolé, Pascal.

— Ne t'en fais pas. La résignation est une seconde nature, chez moi ! Tout finit un jour, c'est quand même le principe. » Je lui jetai un coup d'œil : il avait l'air sincèrement malheureux. Je rajoutai, tâchant de me montrer le plus désinvolte possible : « Et cette histoire de distance, c'est un vieux truc entre nous, presque une blague. »

Nous étions arrêtés à un feu rouge, interminable. Sur un vaste terrain vague, des jeunes jouaient au cricket. Une petite bande à l'écart regardait en ricanant l'écran d'un téléphone portable. Ici aussi, une nouvelle génération était connectée à la culture mondiale.

Séraphin regardait avec émotion un groupe d'étudiantes qui passait à côté de notre voiture. Elles étaient voilées et me laissaient indifférent. Je ne pouvais que donner raison aux musulmans sur ce point : j'aimais plus que tout les cheveux des femmes et je n'étais pas mécontent qu'on leur ôte ce pouvoir sur moi. Je me sentais surtout nostalgique des boucles de Pia, ces accroche-cœur que je vénérais, en saisissant un entre mes doigts dès que l'occasion se présentait, pour ne plus le lâcher, comme un talisman. Je chérissais aussi le duvet léger de sa nuque : poser ma paume sur ce creux soyeux me donnait des frissons, du désir et de l'espérance.

Séraphin reprit : « Il demande parfois des nouvelles de sa "petite brêle"…

— Ah oui ?

— Il a une vision plutôt tragique de la vie, tu sais ça. Et encore, avec moi, il ne s'épanche pas. Il doit penser que ça va avec son rôle de père.

— Nous ne serons plus qu'un vague souvenir sous la terre…

— Vous êtes aussi gais l'un que l'autre ! En fait, vous êtes… vieux. C'est comme votre discours sur la France décadente et le reste : vous avez une vision de dépressifs, tout simplement… »

Je regrettais que Séraphin s'en aille. Il me semblait que notre relation progressait de jour en jour, qu'elle devenait plus adulte. Et ce n'était pas forcément lui qui avait changé.

Mais j'étais prêt à faire face. D'autres combats m'attendaient, nous attendaient, Corto et moi, chacun de notre côté.

« C'est là ! s'écria Séraphin. T'as raté l'embranchement. » Je freinai brutalement, et tout le Pakistan se mit à klaxonner de concert. Je fis un gigantesque et joyeux bras d'honneur et entrepris, avec des gestes précis et virils, un demi-tour suicidaire, sur cette avenue à quatre voies, pour finalement reprendre sans heurt la route qui menait à la gare routière. J'étais fier de mon exploit, comme si j'avais réussi, avec une simple Volkswagen vieille de quarante ans, une Coccinelle jaune d'œuf, à défier le monde entier. Je jetai un coup d'œil à Séraphin. « Tu me trouves dingue, c'est ça ? lui lançai-je. Tu verras, avec l'âge, tu finiras par découvrir la folie chez absolument tous les hommes... »

Je l'abandonnai au pied d'un bus rempli, au-delà du toit, de gens, de bagages et de bestiaux. Je fus tenté de tout laisser tomber, de tout abandonner derrière moi, de grimper près de lui, sur un coup de tête, et de partir pour un nouveau voyage.

21

J'aimais ces foules indifférentes dans une ville inconnue, fourmillante et tumultueuse. La population, ici, était sombre de peau, vêtue de couleurs vives. Alors que l'univers perse était maintenant loin, l'Inde se profilait déjà, à trente kilomètres à peine. Lahore, capitale du Pendjab pakistanais, était pour moi un nouveau monde. Si je poursuivais ma route plein est, je finirais par retrouver des repères, la Birmanie après les terres indiennes, la péninsule indochinoise, le Cambodge. Ce serait alors un retour sur mes pas, une ample boucle bouclée.

Mais pour l'heure, c'était à Lahore que je comptais m'attarder.

La décision avait été vite prise. Séraphin à peine parti, j'avais cédé pour quelques roupies symboliques mon fonds de commerce encore vierge à ma voisine. Ses fils s'étaient pris au jeu et souhaitaient faire du lieu une sorte de resto chic pour riches Pakistanais. Je n'avais pas d'adieux à faire. Je pris un sac et filai, dès le lendemain, à l'aéroport.

J'avais alors débarqué au cœur de cette région pendjabie, comme, avant moi, les Dravidiens, les Indo-Aryens, Alexandre le Grand, les Ghaznévides, les Timourides, les Moghols, les Afghans et les Britanniques.

L'orthodoxie musulmane avait bien tenté, ici aussi, de gommer la richesse de ce passé, en mettant à mal par exemple, après la partition entre l'Inde et le Pakistan, la légendaire musique hindoustanie, jugée trop sensuelle. Et je n'aurais pas misé non plus sur la survivance à long terme de lieux saints, soufis, chiites ou autres. Si, de manière générale, la haine et l'instinct de destruction véhiculés par les religions me rebutaient, je ne pouvais m'empêcher, cependant, de trouver l'islam fondamentaliste proche de ma propre expérience spirituelle : une foi austère, sans artifice, composée de piété discrète et de valeurs dépouillées. Un temple huguenot n'était pas si différent, finalement, dans sa nudité, de certaines mosquées, et, dans de brefs moments de détresse, je trouvais presque tentant de me joindre à cette communauté chaleureuse, animée par des rituels hors d'âge.

Mais je souhaitais d'abord passer par un salon de massage.

Séraphin m'avait indiqué où il comptait descendre en arrivant dans la capitale du Pendjab : une petite guest-house dans un quartier périphérique. Mais d'après mes calculs, comme il avait prévu de faire la route par étapes, il n'arriverait ici que le lendemain. J'avais donc du temps devant moi. Je commençai par prendre une chambre dans un hôtel pour étrangers au centre-ville. Vaste bâtiment vieillot et lugubre, situé à un carrefour bruyant et pollué. Excepté deux ou trois hommes d'affaires, j'étais le seul client. Les pays où l'on massacrait volontiers devenant moins populaires, les touristes ne se bousculaient pas à Lahore. Après être sorti faire quelques pas au hasard, je décidai finalement de prendre un taxi. J'expliquai à mon chauffeur, avec une certaine maladresse, ce que je cherchais. Comme il ne comprenait pas, je dus joindre les gestes à la parole et me sentis vaguement ridicule. Il démarra en maugréant, ce qui ne me sembla pas de bon augure, mais, après avoir traversé une bonne partie de cette ville de sept millions d'habitants et d'autant de véhicules, il se gara et me désigna sans un mot un immeuble neuf. Je lui tendis un billet d'un dollar. Il le prit, le regarda attentivement, et me le jeta à la figure. Il me colla alors sous le nez ses dix doigts aux ongles noirs. Combien de fois, ces dernières années, n'avais-je pas dû lutter avec une pugnacité jouissive, allant même, parfois, jusqu'à en venir aux mains, dans ce genre de situations ? J'avais même tenté un jour, à Manille, de faire avaler quelques pesos, en petites coupures, à un conducteur de tuk-tuk récalcitrant, qui avait ensuite essayé à plusieurs reprises de m'écraser contre un mur avec son véhicule. Je méditais là-dessus, m'offrant un moment de nostalgie, mais le chauffeur rapprocha encore ses sales mains de mon visage, et je jetai alors avec humeur dix dollars sur le siège passager, puis sortis du taxi. Sans dire au revoir. Je m'engouffrai dans le hall de la tour de verre. Là, je trouvai effectivement une enseigne peinte à la main, qui pouvait aussi bien représenter une femme sans formes masser un homme gras et moustachu qu'une hideuse bête à deux têtes battant des ailes pour décoller. Je frappai à la porte. Une silhouette informe apparut, ensevelie sous une accumulation de saris grisâtres. Une Pakistanaise, une Ouzbèke ou une Chinoise ? *Massage parlor ?* demandai-je. Sans un mot, sans une expression, elle me fit signe d'entrer.

Je me retrouvai au milieu d'un appartement au caractère indéfini, mais plus proche de la clinique spécialisée dans les avortements clandestins que du charmant boudoir de geisha. La lumière se voulait tamisée et romantique mais des insectes grillaient sur un néon. Une affiche sur le mur exposait les techniques du massage tantrique ayurvédique et sa philosophie : révéler la dimension sacrée de l'humain lors d'une rencontre, confiante et respectueuse, entre celui qui donne et celui qui reçoit.

You ! Come ! Une femme d'une quarantaine d'années avait surgi. Je la soupçonnais d'ailleurs d'être la même que celle qui m'avait ouvert la porte. Et je n'arrivais toujours pas à situer avec précision ses origines. Vêtue d'un kimono bleu défraîchi, pan de tissu tellement court qu'on ne voyait que les cuisses de la dame, épaisses, compactes, étonnamment blanches. Son visage inexpressif était tourné vers une autre pièce et je compris que je devais m'y diriger. Une fois entrés là, j'obtins qu'elle ferme la porte et qu'elle plonge ce cagibi dans une semi-obscurité. Ma pudeur sembla l'agacer. Elle se débarrassa de son vêtement, qui se retrouva en boule sur le sol, puis, après avoir malaxé sa vaste poitrine, comme pour la remettre en ordre, elle m'indiqua sèchement une natte noirâtre sur le sol. Gardant prudemment mon caleçon, je m'allongeai sur le ventre. Elle m'enfourcha alors sans façon et se mit à pétrir mes chairs avec une énergie touchante. Je sentais naître, entre nous, un début d'engagement spirituel shivaïque. *Very good !* me sentis-je obligé de la complimenter. *Me no English*, répondit-elle sobrement. Sa voix était devenue moins revêche. Je connaissais ce genre de filles. La plupart venaient de manière clandestine, et souvent forcée, de campagnes perdues du

Xinjiang, le grand ouest chinois. Celle-ci, à sa manière franche mais souple de me chevaucher, me rappelait une Tonkinoise d'un certain âge que j'avais rencontrée dans le port de Haïphong, au siècle dernier. J'émis un grognement, ce qui dut l'encourager car elle accéléra le rythme.

Je tentai alors d'échanger quelques mots en mandarin, sans succès, puis en ourdou, en pendjabi... *Me... Ouighour*, précisa-t-elle, coopérative. « Je suis dans une période charnière de ma vie », lui expliquai-je en français, ce qui l'amusa. Elle tenta d'arracher mon caleçon mais je résistai, souhaitant poursuivre cette séance dans le respect. Persuadé que le silence allait m'engloutir, me briser, je désirais avant tout parler, parler même sans être compris. « *You... children ?*

— *No no no !* s'énerva-t-elle. *Children no good.*

— *Maybe. Yes.* Dommage quand même. On aurait pu en faire un ensemble... *You and me.* Regarder devant nous... » Je désignai d'une main le mur en face de nous pour symboliser l'avenir radieux qui aurait pu nous attendre. « *You... husband ? A man ?*

— *Man no good.*

— *Yes, you right.* Mais, vous savez, moi, j'ai oublié de faire des enfants et... et je le paye cher maintenant. Même si, en contrepartie, j'éprouve des compensations, comme d'imaginer la douleur des parents qui voient leur progéniture mettre les

voiles… Le problème, c'est que je ne connais plus
de parents non plus. En fait, je n'ai plus d'amis.
No friend.

— *Friend no good.*

— *You right, you right.* » Une de ses mains,
majeur en avant, passa sous l'élastique de ma
culotte, mais, sans attendre une confirmation de
son intention, je préférai me mettre sur le dos.
Elle palpa vaguement mes accessoires assoupis.
« *You gay ?*

— *No, no…* Hétérophobe, à la limite. » Les
poils drus de son sexe me râpaient les cuisses.
Je fermai les yeux puis, tournant la tête, je la
regardai. Elle ne souriait toujours pas, plissant ses
larges yeux bridés, serrant ses lèvres dans une moue
d'indifférence. Son visage était d'une teinte brûlée
et je le trouvais beau. Je me sentais mieux. Mais
je devais me ressaisir. Ne pas succomber à un
quelconque sortilège. J'avais bien résisté jusqu'à ce
jour, observant avec ironie tous ceux qui avaient
épousé des femmes galantes d'Asie finir, au mieux,
devant un juge des divorces, au bout du compte
plumés et humiliés, et au pire baignant dans leur
propre sang.

Je me sentais mieux, mais les mots devaient
continuer à me tenir en vie, encore.

« Chez nous, nous avons oublié la violence de
l'Histoire. Le réveil va être cruel : des mondes
anciens, barbares, vont ressurgir, des puissances

économiques et militaires vont écraser nos petits conforts, nos protections dérisoires. Nous arrivons au bout de notre civilisation. Tout n'est plus que compétition, bassesse, spoliation... La vulgarité est généralisée, les sentiments primaires et le langage, en décomposition... Rien ne sera épargné par les évolutions brutales du monde. »

Ma nouvelle amie restait impassible face à mon ivresse logorrhéique, qu'elle devait prendre pour une coutume exotique. Besogneuse, elle se concentrait sur mes épaules, qu'elle pétrissait sans douceur. Je me concentrai un instant sur ses gestes mais je connaissais, malheureusement, l'impossible retour au corps comme refuge de son identité. « Les rêves font peur, continuai-je. Moi j'adore ça, ça me fait apprendre, ces histoires opaques, riches de sens, fantasques, révélant la beauté du temps qui passe et notre impuissance absolue, et, surtout, pleines d'ambivalences, de contradictions... Mais bon... on mûrit, on obtient quelques réponses... mais tout arrive... tout arrive trop tard. » Elle soupira. Je l'ennuyais. « Vous connaissez la théorie éthique de Spinoza ?

— *Spinossa very good !* s'écria-t-elle, avec un air gourmand.

— *You know Spinoza ?!*

— *Me no English...*

— *OK, OK...* Tout nous échappe, et seul le fait de regarder la fatalité en face nous libère de notre malheur… » J'évoquais en fait le stoïcisme, mais tout cela remontait à si loin. Je n'écoutais alors Corto que d'une seule oreille, quand il parlait philosophie. « Spinoza est plus joyeux. Pour lui, plus on connaît le monde, plus on connaît Dieu. Regardez : nous sommes vous et moi à Lahore, ville qui a connu presque tous les empires, toutes les religions et cultures… vous, une Ouïghoure de Chine, moi, un Occitan athée, vaguement chrétien, un peu bouddhiste, et musulman… et…

— Shhh… » Elle me mit un doigt sur les lèvres pour me faire taire. Elle tentait de prendre un air sévère mais, pour la première fois, je la vis esquisser un sourire. Elle arrêta de masser et s'étira, puis passa lentement une main dans ses cheveux. Nous nous regardâmes dans les yeux. L'esprit de Shiva, l'esprit de tous les dieux de la terre et du ciel, enfin réunis, tomba brutalement sur nous, nous transportant, nous accompagnant vers l'expansion de la conscience, vers la libération de l'énergie.

*

Le lendemain, de bonne heure, je me mis en quête d'un chauffeur de taxi parlant trois mots d'anglais pour lui expliquer notre mission : mon fils allait arriver en ville et descendre dans une

maison d'hôtes. Je souhaitais le suivre discrètement, car sa mère et moi le soupçonnions de mauvais comportements, jeux d'argent notamment, et
fornication compulsive. L'homme fit semblant de
me croire tout en ne quittant pas des yeux le billet
de cent dollars avec lequel je m'éventais.

Nous allâmes nous garer dans une ruelle calme
et verdoyante, à une centaine de mètres de l'entrée de la « Sunrise guest-house ». Nous attendîmes
là de longues heures. Séraphin pouvait aussi bien
avoir changé d'idée, ou simplement avoir été
retardé en route. Mais je n'imaginais pas ce que
j'aurais pu faire d'autre que de patienter là, trans-
pirant.

Je tentai de méditer, tel qu'avait essayé de m'en
instruire un bonze laotien atrabilaire, mais je ne
pus empêcher mes pensées de bondir en tous
sens comme les paroles d'une vieille femme. Avec
insistance, des images du Nord afghan revinrent
me tourmenter. Maïmana mais aussi le hameau
de cette vallée perdue où nous avions, Corto et
moi, comme je le réalisais seulement maintenant,
lâchement abandonné à leur sort le commandant
Habiboullah et toute sa famille. J'avais agi en
grand frère protecteur, j'avais arraché avec sang-
froid mon ami à une situation extrêmement dan-
gereuse : voilà l'histoire que je m'étais racontée,
depuis ces évènements. Et Corto devait en avoir
une tout autre version, bien entendu. Là, dans

ce vieux taxi pakistanais garé dans une ruelle de Lahore, notre indifférence, notre veulerie, lors de cette insupportable journée, me sautèrent brutalement aux yeux. Sans que cette révélation ne puisse en rien atténuer mon ressentiment vis-à-vis de Corto, qui avait tenu un rôle prépondérant dans ce cauchemar. D'ailleurs, plus cet épisode de notre existence s'éloignait dans le temps et plus il projetait sur nous une ombre écrasante.

En début d'après-midi, alors que mon chauffeur venait de nous acheter un vieux paquet de biscuits ainsi que deux canettes de Pepsi couvertes de chiures d'insectes, une moto s'arrêta devant l'hôtel. Derrière le conducteur se tenait Séraphin, tout ébouriffé, un sac sur le dos. Il glissa deux mots à l'homme qui l'accompagnait, le laissant attendre là, puis entra dans le Sunrise. J'expliquai à mon chauffeur que nous allions certainement devoir suivre la moto. *No problem !* se vanta-t-il en continuant à piocher dans les biscuits. Peu de temps après, Séraphin ressortit et grimpa de nouveau à l'arrière de la moto. Ils démarrèrent, nous les imitâmes, nous tenant à une distance raisonnable.

Cinq minutes plus tard, nous les avions perdus. J'étais trop ramolli pour agonir mon partenaire d'équipée qui, embarrassé, affirma de manière catégorique qu'il savait où les retrouver. Une fois sortis des embouteillages dans lesquels nous étions empêtrés, nous finîmes par atteindre la vieille ville. Nous prîmes des ruelles encombrées de passants et de marchandises, pour finalement aboutir dans la « rue des filles qui dansent ». Là, alors que j'imaginai découvrir un banal « quartier rouge », tapi dans l'obscurité et l'opprobre, j'aperçus, assises avec distinction dans de petites pièces ouvertes et décorées de tentures et de coussins de velours, de jolies jeunes femmes, élégamment vêtues de saris aux couleurs chatoyantes et entourées de musiciens. Elles se tenaient prêtes pour danser, à la demande. Des danses chastes, m'expliqua mon chauffeur avec un sourire que je ne réussis pas à interpréter.

Je fis arrêter la voiture et sortis faire quelques pas. Personne ne s'intéressait à moi, ce qui me convenait. J'avais finalement connu tant et tant de lieux où, dans ces pays musulmans considérés, souvent à raison, comme des repaires de fanatiques, il avait été possible de côtoyer la population en toute liberté et entouré de bienveillance. Je souris à deux ou trois danseuses, qui restèrent impassibles, puis je croisai un vieillard agitant une clochette tout en marmonnant. Une image me revint : Kim écoutant des fakirs, dans ce même bazar. Je n'avais pas pris conscience, en venant dans cette ville, à quel point Lahore était le cœur du roman de Kipling, cette histoire d'un vagabondage, d'une errance, quête initiatique d'un orphelin britannique, « l'ami de tout le monde », de toutes les cultures, devenu espion dans le Grand Jeu qui opposait dans cette région du monde, au XIXᵉ siècle, certaines puissances d'alors.

Je retournai en hâte vers mon taxi et demandai au chauffeur de m'emmener au Zam-Zammah. *Kim's gun ?* me demanda-t-il, étonné. Oui, le canon de Kim.

*

« Il se tenait, au mépris des ordres municipaux, à califourchon sur le canon Zam-Zammah, braqué au centre de sa plate-forme de brique, en face de la vieille Ajaib-Gher – la Maison des Merveilles, comme les indigènes appellent le musée de Lahore. Qui tient Zam-Zammah, ce "dragon au souffle de feu", tient le Pendjab ; la grosse caronade de bronze vert, à chaque conquête, tombe toujours la première dans le butin du vainqueur ».

Si du marbre avait maintenant remplacé les briques, cette icône de l'impérialisme, perchée sur de hautes roues en bois, était toujours là, fièrement exposée. Du regard, je cherchai une moto stationnée dans le coin. En vain. J'avais agi sans réfléchir, guidé par une pensée magique, par l'intuition romanesque qu'il suffirait de suivre les traces de

Kim pour retrouver Séraphin. Ce qui s'inscrivait
en droite ligne de la plupart de mes actions, de
mon comportement funambulesque. Le chauffeur
dit alors calmement : « Je crois que j'ai vu votre
fils. Nous venons juste de les croiser, en arrivant…
Ils partaient sur cette avenue…

— Et… vous ne pouviez pas le dire avant ?! »

Il ne répondit pas, vexé, et préféra se défouler
sur la route. Nous réussîmes à les rattraper, non
loin de là, les suivant alors à bonne distance, discrètement. J'étais tout à la fois satisfait et frustré.
Tout aurait pu se conclure d'une façon romantique, devant une statue du musée de Lahore :
retrouvailles chaleureuses, accolades de mélodrame,
au pied d'un bouddha du Ghandara au sourire
discret.

*

La moto de Séraphin prit la route qui menait
vers la frontière indienne. J'imaginai, un peu
déçu, qu'ils allaient simplement faire du tourisme
au poste de Wagha, mais très vite, alors que
nous étions encore dans les faubourgs de Lahore,
ils ralentirent, s'engagèrent sur un parking situé
devant un long mur d'enceinte, et s'arrêtèrent.
Séraphin descendit, puis se dirigea sans se presser

vers une entrée. *Shalimar gardens*, murmura mon chauffeur, avec respect. Nous nous étions garés à bonne distance, et j'attendis quelques minutes, incapable de dire un mot, tendu, ne sachant plus, au fond, vers quoi j'étais porté. La situation était irréelle. Mais l'heure n'était plus au questionnement. *OK. Wait for me here.* Je sortis et allai vers le site, alourdi par mon sac de voyage, que je trimbalais en permanence en cas de départ précipité pour une direction inconnue, par exemple si Séraphin tentait, à son tour, de disparaître. Un homme au guichet eut l'air surpris d'avoir un deuxième visiteur étranger dans la même journée.

Je pénétrai dans les jardins de Shalimar. Une brume légère recouvrait les lieux, accentuant l'ambiance magique et mystérieuse. Je pensais être trop obnubilé par mon objectif pour me laisser émouvoir par de simples pièces d'eau. Mais, d'emblée, la beauté de ces seize hectares de raffinement et d'harmonie, étagés sur trois immenses terrasses, me saisit. Et me dérouta. Je ne savais plus où j'étais.

Je pris au hasard une allée rectiligne qui, bordée par de hauts cyprès, suivait un interminable bassin rectangulaire. Le feuillage des arbres, ainsi que les fleurs rouges de courts massifs réguliers, se reflétaient dans l'eau.

Soit la brume s'était épaissie, soit ma conscience elle-même était obscurcie par des émotions venues de profondeurs inconnues, mais l'ensemble du site me paraissait désert, sépulcral, comme figé dans un abandon hors du temps. Je n'aperçus que des ombres, peut-être les silhouettes d'humbles jardiniers, ici un groupe de visiteurs pakistanais recueillis, là des enfants dans le plus total dénuement qui tendaient sans espoir de petites mains noires. Je continuai à mettre un pied devant l'autre, avec pour unique boussole un imperceptible scintillement intérieur, un désir indéfinissable, poétique et absolu. Je souriais, et me dis qu'à part les fous, aucun homme seul jamais ne sourit.

À l'extrémité de la première terrasse, close par un mur crénelé en grès rouge, et donnant par quelques volées de marches discrètes vers la terrasse intermédiaire en contrebas, je descendis sans réfléchir, pour me retrouver dans un décor de bassins, avec jets d'eau et cascades, de longs massifs s'étalant en pente douce, de peupliers, et de coquets pavillons. Ces jardins avaient été conçus sous l'empereur Shah Jahan quand, au XVIIᵉ siècle, la civilisation moghole, brassage de sources islamique, persane, hindoue et mongole, était à son apogée.

Les siècles s'écoulaient vite et moi-même ne me sentais plus très frais. Mes jambes ne me portaient pas comme jadis, au temps de ma splendeur, et, lorsqu'enfin j'aperçus ce qui semblait être, au loin, la silhouette de Séraphin, avec ses longs cheveux blonds, prête à disparaître dans un escalier menant à la dernière terrasse, j'eus des doutes sur la suffisance de mon souffle pour le suivre, ainsi que sur celle de mon désir.

Mais peut-on s'empêcher d'aller là où nos souvenirs nous mènent ? De courir pour toucher du doigt ce qui vit encore et ce qui est révolu ? Si survivre a un coût exorbitant, nous sommes pourtant prêts, presque toujours, à nous offrir le spectacle de notre propre anéantissement, à participer activement au deuil de nous-mêmes. Et ce n'est d'ailleurs pas forcément tragique, quand s'effacent l'ego et l'effroi.

Arrivé au bout de la terrasse intermédiaire, je déposai mon sac à mes pieds et m'accoudai à un mur pour découvrir l'étendue du troisième plan, le plus bas. Mes yeux étaient embués, non de larmes mais d'air chaud et humide. Celui qui devait être Séraphin se dirigeait d'un pas déterminé vers une lointaine rangée d'arbres qui surplombait un escarpement, me semblait-il. Cette pente là-bas donnait, j'imaginais, sur la toute dernière partie des jardins, invisible pour moi depuis là où j'étais. Séraphin s'arrêta et s'appuya contre un peuplier, comme pour admirer le paysage. Quand il agita un bras, je compris qu'il s'adressait en fait à quelqu'un en léger contrebas. Un échange apparemment joyeux, qui dura plusieurs minutes, avant que son interlocuteur ne finisse par s'approcher pour se tenir au même niveau que Séraphin. Il était en partie de dos, vêtu d'un *shalwar-kamiz*. Grand, belle carrure.

Je saisis mon bagage, prêt à je ne sais quel élan. À cet instant, nos deux compères semblèrent avoir mis un terme à leur conversation. Séraphin se détacha de son tronc d'arbre, s'étira. L'inconnu vint l'enlacer brièvement, un geste viril et tendre pour lequel j'aurais donné le peu qui restait de mon âme.

L'homme regarda alors dans ma direction. Je ne distinguais pas bien les traits de son visage, mais j'étais certain que, lui, m'avait reconnu, car il ne me quittait plus des yeux. Il échangea quelques mots avec Séraphin, qui tourna la tête et commença lui aussi à m'observer. Cela dura un moment qui me parut très long. Puis tous les deux abandonnèrent leur position, reprenant un court instant leur bavardage avant de se saluer à nouveau, en se tapant simplement sur l'épaule.

Je gagnai l'escalier le plus proche, descendis une marche. Puis m'arrêtai. Me figeai. Sur cette marche des jardins de Shalimar. Shalimar : personne ne connaissait l'origine de ce nom. Mais ici finissait la route.

Le grand inconnu, là-bas, commençait à s'éloigner, à descendre la pente. Tranquillement, d'un pas régulier. Avec l'assurance de celui qui sait où il va. Peut-être un reste d'arrogance dans la démarche. Alors qu'il était sur le point de disparaître, à tout jamais, et avec lui son épaisse chevelure noire et bouclée, je me retins de me mettre à courir, je m'empêchai de poursuivre cette forme lointaine, qui aurait aussi bien pu être celle d'un collégien, dans le but de lui assener, avec le sac que je brandissais dans un geste d'impuissance et de rage, un coup dans le dos.

Et ainsi Corto s'en alla.

CET OUVRAGE A ÉTÉ COMPOSÉ
PAR PCA
POUR LE COMPTE DES ÉDITIONS J.-C. LATTÈS
17, RUE JACOB – 75006 PARIS
ET ACHEVÉ D'IMPRIMER EN FRANCE
PAR CPI BUSSIÈRE
À SAINT-AMAND-MONTROND (CHER)
EN DÉCEMBRE 2015

N° d'édition : 01 – N° d'impression : 2020178
Dépôt légal : janvier 2016